D0480589

PLAZA & JANES
P & J
LITERARIA

Camilo José Cela

Desde el palomar de Hita

PLAZA & JANES EDITORES, S. A.

Portada de

JOAN BATALLE

Pintura de

SIMONE MARTINI

Primera edición: Febrero, 1991
Segunda edición: Marzo, 1991

Editado por PLAZA & JANES EDITORES, S. A.
Virgen de Guadalupe, 21-33. Esplugues de Llobregat (Barcelona)

Printed in Spain — Impreso en España

ISBN: 84-01-38180-0 — Depósito Legal: B. 9.849 - 1991

Impreso en HUROPE, S. A. — Recaredo, 2 — Barcelona

LOS ESPAÑOLES Y LA CONVIVENCIA REGLAMENTARIA

Dicen que el conde de Romanones solía decir: a los amigos, el favor, y a los enemigos aplicarles el reglamento, que ya van servidos. En derecho administrativo se estudia que los reglamentos no son para reglamentar –¡estaría bueno!– sino para desempolvar, sacar a colación y arrear estopa (administrativa) y sacudir candela (reglamentaria) al paisanaje con su articulado cuando proceda, se tercie y convenga, que no antes ni después. Cuando uno escucha a alguien decir con voz tremebunda: «¿A que le aplico a usted el reglamento?», debe, echarse a temblar porque, traducido a román paladino, es como si oyera «¿a que le parto a usted la boca sin remisión?», pronunciado por quien tiene licencia y poder bastante para romperle la boca al prójimo y con la ley y las instituciones cubriéndole las espaldas. ¡Así cualquiera!

A mí, el otro día, me aplicaron el reglamento y me dejaron con un pie haciendo agua o –como también se dice– compuesto y sin novia, que es todavía peor y más desairado porque propicia el choteo. Trataré de explicarme. Viajaba en aeroplano de una costa a otra costa con transbordo en Madrid y con un tiempo holgado incluso para aburrirme a modo. Me importa no señalar la fecha ni los puntos de partida y destino –y menos aún el horario o el número de vuelo– porque esto no es una denuncia, deporte al que soy poco proclive, sino un comentario sin mayores pretensiones ni más remotos alcances; esto no es más que una humilde glosa a mi desgracia reglamentaria. ¡Paciencia!

El primer aeroplano salió de donde tenía que salir con tres horas de retraso; y no tuve la culpa aunque debo reconocer que tampoco la tuvo la compañía transportista. Hice mis sumas y mis restas, saqué la cuenta de la duración del salto y el horario previsto para el otro salto y saqué la consecuencia de que, si todo iba bien, aún podría alcanzar el segundo aeroplano aunque fuera por los pelos. A mayor abundamiento y más ingenua propensión al optimismo –virtud a la que no renuncio por mal que pudieran salirme las aventuras– pensé que a poco retraso que tuviera ese segundo vuelo, la cosa era pan comido o, como ahora es costumbre decir: estaba chupada.

La tripulación del primer aeroplano, que era muy amable, habló por radio con Madrid y me dio la poco feliz noticia: el segundo salía a su hora y nosotros llegaríamos raspadillo, si llegábamos. ¡Mala suerte! También me dijeron, quizá para consolarme, que una furgoneta me estaría esperando, para llevarme lo más rápidamente posible al otro aeroplano.

Todo salió según estaba previsto, tomamos tierra (una duda: si tomar es lo contrario de dar, ¿por qué «tomar tierra» no es concepto opuesto a «dar tierra», enterrar, dar sepultura?) y llegué al pie del segundo aeroplano en un abrir y cerrar de ojos. Aún no habían subido la escalerilla y ya me veía dentro y sentadito en mi sillón. Pero no fue así: el piloto del segundo aeroplano me aplicó el reglamento y no me dejó subir a bordo. ¡Que se quede en el suelo! –debió pensar– y si no, que hubiera llegado a tiempo. Yo no me quejo de su actitud, porque seguramente lo que hizo es lo que dice el reglamento; de lo que sí me quejo es de que me lo aplicara pudiendo habérmelo perdonado.

Y ahora pienso: ¿qué trabajo le hubiera costado ser un poco generoso y no dejarme sobre el desangelado cemento de la pista? Lo ignoro, y el que tuviera razón reglamentaria, cosa de la que ni siquiera dudo, no me parece causa bastante. Si el reglamento –los mil reglamentos– se aplicara siempre, lo más probable es que el país se paralizase; obsérvese que ése es el fundamento de las llamadas huelgas de celo, que son capaces de estrangular todo lo estrangulable: entre otras cosas, el buen orden y concierto de los aeroplanos yendo de un lado para otro.

Los españoles, en este espinoso problema de la convivencia reglamentaria, deberíamos llegar al acuerdo de cumplirlos o no cumplirlos, pero siempre todos a una y sin excepción. En el primer supuesto, quizá fuera prudente redactarlos de nuevo, quiero decir: actualizarlos y darles la flexibilidad bastante para que pudiéramos funcionar con ellos, porque de seguir como van, no nos sirven más que para recordar al viejo Romanones, sagaz político que conocía sus usos y sus inertes consecuencias. Con la segunda actitud, que es o suele ser la española, las cosas marchan: mejor o peor, pero sin baches ni lagunas.

En teoría (tan sólo en teoría) yo pienso que el reglamento debe cumplirse pero, para hacer buena mi idea, quizá fuera preciso que su cumplimiento, sobre deseable, resultara también conveniente y lógico. Aquí todos tenemos el tejado de cristal y ni los pilotos de los aeroplanos, ni yo, ni nadie escapamos a la norma.

El culto al reglamento suele propiciar el mal humor, lo que no es sano para el país ni para el paisanaje: el mal humor cría granos en el alma y el alma del malhumorado jamás encuentra el camino de la salvación. A mí me tocó ahora cargar con el peso del reglamento; no tiene la menor importancia, porque ni dormí al raso ni me sentí excesivamente desgraciado y, lo que no pude arreglar un día, lo remendé a las doce horas. La minúscula moraleja de esta aún más minúscula fabulilla es fácil de adivinar: el perdedor no es nunca el pagano del reglamento, sino su ejecutante, porque al final –y se ponga como se ponga– siempre está abocado al peligro de que le remuerda la conciencia, lo que es mal pago para los reglamentarios rigores con los que jamás se arreglará el mundo. Dios nuestro Señor, que es infinitamente todo, no es infinitamente ingenuo y sabe distinguir.

Como no hay bien que por mal no venga (también suele decirse al revés) y como para sacar partido de lo que fuere, lo único que hay que hacer es esperar, mi doméstica desventurilla también tuvo su premio y compensación de las que me hubiera privado el indulto del reglamento: en el hotel donde pasé la noche había un maletero surrealista y optimista, cuyas ciencias y artes me aleccionaron y deleitaron: estuvimos hablando más de una hora e intercambiando insensateces se me pasó el tiempo en un santiamén. A la mañana siguiente –y todavía de noche– el conductor del autobús que me llevó al aeródromo fue cantando jotas, a voces y con buena voz, durante el camino. Yo creo que salí ganando.

RENUNCIA AL PROPÓSITO DE LA ENMIENDA

El palomar de Hita existe, sí, ¡vaya si existe!, pero aún cobra mayores y más lúcidas valentías guareciéndose en mi memoria y buen entendimiento, esas dos cajas de resonancia del alma en paz, esos dos tambores de la mansa y necesaria reconfortadora victoria. Por aquí anduvo trotando y retozando mi conmilitón y maestro Juan Ruiz, clérigo de muy honesta doctrina y suficientemente rijosa voluntad, que perseguía mozas y liebres, también casadas verdes o gualdas y perdices rojas y de bravita carrera, con tanto ahínco en el ánimo como donosura en la voz y el verso. De los poetas medievales ha de aprenderse su gusto por la vida y sus más ciertas señas –la mujer que va de camino, la liebre que brinca en la costanilla, la estrella fugaz que fucila sus latigazos en la noche, la perdiz que se confunde con el monte bajo– y el tono de pagana gratitud a Dios que supieron dar siempre a la palabra.

Hace ya tiempo que no escribo en Castilla, perfilando la buena letra que se acierta a hacer cuando se tiene al nítido y lineal horizonte como aliado, a la meseta rugosa y parda como cómplice, al hondo cielo azul –azul abismo, un punto más acá del azul Prusia– como encubridor y al fantasma de don Francisco de Quevedo como celoso ángel de la guarda. En este mismo ámbito escribieron, sé bien que con mejor fortuna, Gonzalo de Berceo, Jorge Manrique y el marqués de Santillana y, los años cayendo, Lope, Garcilaso y fray Luis –y aun san Juan de la Cruz, aquella solterita transida de amores contrariados. No es difícil escribir en Castilla, país en el que con el arma del español, ese regalo de los dioses del que los españoles no tenemos sino muy vaga noticia, se nos presenta en los puros cueros del alma y bruñida como un puñal de oro; no es difícil, pero tampoco es fácil y hay que aplicarse y no mirar demasiado para el rugidor tendido.

Quien se distrae mirando para donde no debe, para donde tampoco merecería la pena mirar, en el pecado lleva la penitencia porque, según se sabe, Dios niega el norte a quienes quiere perder. Es siempre de día o siempre de noche; el cielo está cubierto y no se ven ni el sol, ni la luna, ni las estrellas. Adivina, adivinanza, ¿hacia dónde cae la Osa Menor? El dinero es el gran culpable de todas las distracciones y de todas las torpes huidas de espíritu –aunque ahora casi nadie lo diga porque tampoco casi nadie quiere escucharlo– y se quedan atrás los hombres y los países que creen que las cosas suceden al revés, o sea, que valen más el dinero y el oro, esos medios de cambio, que las ideas y los sueños, esas riquezas en sí. Y esto se dice, más o menos, porque si es grave anteponer el consumo a la cultura, e incluso a la civilización, aún lo es más confundir el orden de los valores y no dejar que el cedazo de la historia, esa máquina de orientar inercias, obre su permanente y equilibrador milagro; equis arrobas de mármol no son la Venus de Milo hasta que el hombre acierta a darle el último y oportuno golpe de cincel. Quisiera decir que el dinero va en pos de las ideas, aunque éstas no se propongan trazar su órbita, y, por el otro camino, sólo las pseudoideas caminan en pos del dinero; nadie olvide que el derecho, el procedimiento y la economía, como la administración, las computadoras e incluso la energía atómica no son más cosa que muy modestos ingenios prácticos. Repásese la historia y obsérvese que el político inteligente, el que cree en la fundación política y no confunde el azar con el destino ni la aventura con la misión que el destino le encomienda, no roba porque el poder y su recto y provechoso uso colma sus ansias de riqueza; por el contrario, en el mal gobernado tercer mundo, el político desvalija el erario porque sabe que el poder se le puede escapar en cualquier momento y entiende el dinero como un seguro de vida, aunque no ignore que ni le ha de dar, ni le ha de salvar, ni le ha de conservar la vida cuya pérdida tanto le sobresalta. La humanidad avanzó más el día que el primer hombre pronunció la primera palabra, que el día que los españoles llegamos a América o los norteamericanos a la luna. El culto al lujo entre los españoles de hoy no es consecuencia de la casualidad sino de todo un sistema de desorientadores espejismos: las loterías anestesiadoras y deformantes; determinada prensa –iba a decir la prensa del corazón– y sus fantasmas del uno o el otro sexo; la publicidad alienante; los concursos de la televisión y las mil falacias más con las que se nos torpedea sin darnos un punto de sosiego, todo ello acompañado por dos condicionantes deformadoras, el paro y la inflación, lo que acrecienta el auge de la provisionalidad de las metas y aun de los propósitos. Se supone que el dinero es la llave de todo pero, sin darnos cuenta, estamos en el mal camino de convertirnos en un país de peones artificialmente asistidos por una renqueante seguridad social. Pido a todos que sepan disculpar este cuasi sermón; no pude evitarlo porque sigo entendiendo que la utopía limpia lo que el pragmatismo ensucia y porque también sigo en mis trece de que el fin no justifica los medios. Digo que nadie se llame a andana ya que se trata de acertar en el camino dialéctico y no de dar en el blanco apoyándose en el milagro ni de hacer sonar la flauta por casualidad.

Decía que trato ahora de escribir en Castilla y de toparme de nuevo con el pulso perdido en el revoltijo de las circunstancias no siempre propicias. Buey solo bien se lame, pero mejor aún se lame si a la soledad se le suma la paz. La soledad es el precio de la independencia y la paz es el premio de la renuncia a todo, empezando por el mundo y sus pompas y vanidades.

Me doy cuenta de que tengo ya muchos años y que quizá sea el momento de confesar los yerros de ya difícil enmienda. La gran equivocación que cometí en mi vida fue la de trabajar sin darme un punto de descanso en un país como el nuestro en el que se fomenta la holganza y se celebra holgando hasta la efeméride de la fiesta del trabajo. ¿Qué se hizo del culto a la sobriedad y a la austeridad de los anarquistas y los cristianos españoles, cuya presencia entre nosotros no es hoy sino meramente testimonial? Uno de los héroes de mi adolescencia fue Stajanov, el minero ruso que amaba el trabajo, y desde muy joven pensé que eso precisamente, el trabajo, era la más firme llave para abrir las puertas que se precisan abrir. Y ése fue mi error, que proclamo pero del que no me arrepiento porque quizá no pueda ya hacerlo.

De aquella saludable pleitesía al trabajo se pasó, por culpa de casi todos pero quizá de los sindicalistas, antes que de nadie, y de los dóciles y acomodaticios intelectuales, en seguimiento, a la abyecta y deformante cultura del ocio, cuyos ideólogos agazapan su voluntad servil bajo la máscara del suplicante funcionario que, a cambio de unas monedas, admite (y permite) que se le hable con el tonillo humillantemente paternalista que, sin poder evitarlo, adopta el que perora desde arriba para dejar caer las dos atroces palabras: tercera edad. Ser de tercera, en español, es señalamiento de mala calidad; recuérdese la reseña de aquel accidente ferroviario: ...afortunadamente todos los muertos eran de tercera.

Renuncio al propósito de la enmienda porque, aun reconociendo que erré (es un decir porque reirá bien quien ría el último), sigo pensando que el hombre sólo puede salvarse por la imaginación, la austeridad y el trabajo: no entendiéndolo como una maldición bíblica sino como la bendición que se solaza en la contemplación de la obra que se intenta reconfortadora. No se admiten peones y sí aprendices, es el lema que debiera grabarse al fuego en el dintel del corral de las conciencias. Las épocas cómodas de la humanidad son las de las decadencias, es cierto, pero las apasionantes y provechosas son las de los descubrimientos de nuevas metas o, dicho sea con menos aparato, de nuevos resortes.

San Ignacio de Loyola, recomendaba no hacer mudanza en tiempo de tribulación y en mi familia materna, tan alejada de los presupuestos jesuitas, siempre escuché la sabiduría que aconsejaba que, cuando las cosas se pusieran mal, uno debía hacer lo posible para no ponerlas peor.

Recostado en el cerro de Hita, el palomar ve volar las aves en paz y sosiego pero también las ve crecerse colándose por sus angostas troneras cuando el halcón batalla por el hambre. Las aves, que viven en permanente estado de tribulación, jamás hacen mudanza de sus hábitos, que se acomodan siempre a cada instante y a cada circunstancia y por eso perviven. Yo tuve un palomo que fue volando sobre la tierra y la mar desde los montes de Toledo hasta Mallorca; se llamaba Pastoro y para mí que se orientaba caligrafiando recuerdos, como trabaja Otero Besteiro la piedra o el bronce. A Pastoro, que era un pájaro heroico y elegante capaz de sortear águilas y azores, me lo mató un niño de la vecindad, un niño pelirrojo, bizquito y miserable, con una escopeta de aire comprimido.

La frontera entre lo cutre y lo sublime puede ser muy sutil y huidiza, muy desdibujada y tenue, pero no por eso deja de existir; lo cutre es compañero de viaje del pragmatismo y lo sublime es el albo y noble enjalbiego de la utopía, ese torreón inexpugnable de lo sublime.

La necesidad de cubrir jóvenes ídolos, nuevos ídolos, enciende la tea que prende fuego a los ídolos ya menos jóvenes, ya no tan nuevos. En el fondo no se trata sino de un rancio capítulo de la aburrida y eterna lucha por la vida.

—¿No cree usted que debería lucharse por la vida con mayor dignidad?

—Quizá no; la gene cobra fuerzas en la abyección.

Hace ya tiempo que aclaré a los efesios aquello de que las tres potencias del alma eran cinco aunque hoy aquí no hable sino de la memoria, esa fuente de dolor, y del entendimiento, la alfaguara de la alegría pero también la misteriosa y próvida azanca de la duda. Mientras viva seguiré dudando pero me reconforta la idea de que la muerte barrerá la última borrosa pista de mi pensamiento, podríamos decir parafraseando al negro Salem al-Lubiyá, el eunuco al que decapitaron con alfanje de plomo, para mayor sufrimiento, porque no quiso ser discreto.

—Con la obediencia no basta —le dijo Hahib el verdugo— y ahora vas a pagar en tu carne el haber cantado la melodía de los secretos del corazón de tu señor con la flauta que escondes en la garganta.

—¿Y si te jurase volverme mudo?

—No, ya es tarde; tenías que haber enmudecido antes del juramento y aun del discurso.

La cabeza del eunuco Salem, que era moreno, corpulento y bien parecido, rodó por el suelo con los ojos abiertos y no fue recogida por nadie: primero se llenó de moscas, después unos niños jugaron con ella a la pelota y al final acabaron comiéndosela los cuervos. El anonimato se enseñorea de cuerpos y almas cuando la memoria recién segada cae sobre la tierra y la desgraciada voluntad que se tala a cercén se confunde con la arena que jamás cambia de color. El eunuco Salem, como no sabía latín, antepuso siempre el parecer al ser y así le fue en la vida y en la muerte. El hombre se desorienta cuando da preferencia al adjetivo ante el substantivo y prima la mera presencia sobre la fundamental esencia. No somos lo que parecemos sino lo que somos, aunque más cómodo resulte pensar lo contrario y a la mujer del César no le baste con ser decente, etc. A los políticos se les permite que se pierdan en las palabras, pero a los escritores, a los latinistas y a los eunucos se les niega semejante tolerancia.

Digo que renuncio al propósito de la enmienda porque los esclavos arrepentidos son quienes marcan el paso en el infierno de las rigurosas certezas. Me habita la duda y dudo, en consecuencia, hasta de la necesidad de los tres pies del banco de la vida vulgar y cotidiana: la enmienda imploradora de clemencia, el buen propósito que funciona como brújula de la voluntad y la duda misma que nos reconforta con sus automáticas imprecisiones.

Peca de soberbio quien quiere zafarse del papel pautado que adorna la cabeza del hombre desde el instante mismo de nacer, pero a veces pienso si no sería preferible estrellarse empujado por la soberbia a mantenerse amparado por la aburrida falsilla doméstica que jamás nos permitiría levantar el vuelo dos palmos por encima de la dura costra de la tierra. La soberbia es mal pecado, bien lo sé, triste pecado, pero la humildad también puede ser una forma de soberbia; es éste un tema sobre el que convendría no caminar sino escudándose en la prudencia.

Por estas trochas de Hita se escribieron muchas y muy duras páginas de la historia de España antes de que estas palomas volaran en su aire y bajo su cielo, según se guarda en las piedras, en los papeles y en la memoria y el entendimiento de los más. La historia no es una imagen sino un espectro y las apologías acaban siempre estallando en la mano del apologista y volviéndose contra el alabado o defendido.

En España estamos asistiendo a la desenfrenada loa de las finanzas y los financieros y corremos el peligro de que esa ingenua actitud, esa doméstica fortuna que mana quizá de no tan ingenuos y domésticos veneros, se vuelva contra nosotros marcándonos la frente con el estigma de la necedad. Antes, los financieros huían de la misma publicidad que ahora parecen buscar y para mí tengo que aquella actitud era más saludable que esta otra, también más atemperada y prudente. Las finanzas se enseñaban punto menos que aureoladas por un halo de esoterismo y aun de misterio y la gente que iba por la calle desconocía los rasgos físicos de los financieros; hoy acontece al revés y los financieros, con la bandera desplegada al viento, están orgullosamente presentes en todos los acontecimientos sociales. En mi ya aludida familia inglesa se tenía por artículo de fe que un caballero no debe salir en los papeles sino en cuatro ocasiones en su vida: cuando nace, cuando recibe la Cruz Victoria, cuando se casa y cuando muere. Los financieros de hoy, según síntomas, piensan exactamente lo contrario y gustan de la página impresa y la fotografía a todo color; a mí me parece que equivocan la perspectiva. ¿No estarán trocados los papeles de la ciencia y la técnica, de la ética y la conveniencia e incluso de la derecha y la izquierda políticas? Hace ya tiempo que supuse que en España las izquierdas eran de derechas y las derechas, iconoclastas. Y también me permito recordar mi pensamiento de que el último revolucionario de la historia de España fue el oso que mató a Favila. La vulgarización, o la divulgación, no siempre sirven a las causas nobles y a veces, como en el caso del grave error de la misa en lengua viva y común, el tiro puede acabar saliendo por la culata. La confusión de la ciencia con la técnica acarrea muy dramáticos baches en el conocimiento, y en la vida española –y entre nosotros los españoles– no sería difícil espigar muy concretos y sobrecogedores ejemplos. La sanchopancesca filosofía del ande yo caliente y ríase la gente, y la contramoral punto menos que cínica que pregona que la crítica pasa y el dinero queda en casa, no se compaginan con la imagen que el pueblo llano, en su inocencia, quisiera tener de quienes guardan las llaves del oro.

Del vuelo de la paloma se pueden aprender muy útiles gimnasias del espíritu y desde el escepticismo también se puede acceder a la libertad; nada hay que coarte más la libertad que el despojarla de la poética sombra de la duda. Para Rilke lo bello no es sino el comienzo de lo terrible y de las airosas fintas de la paloma volando hasta el horrible aletear del gran murciélago de los abismos, no hay más que un breve y misterioso paso. No debemos renunciar a ninguna de nuestras propias renunciaciones, porque ellas son las que nos conforman y dibujan. Vengo diciendo que renuncio al propósito de la enmienda y añado ahora que tampoco renuncio a mi renunciación, con lo que trato de curarme en salud para que nadie pueda acusarme de caer en renuncio.

El palomar de Hita existe, sí, ¡vaya si existe!, aunque ignoro si no más que en mi memoria y buen entendimiento, esas dos cajas de resonancia de la carne en guerra con ella misma o del espíritu en paz con el mundo entero.

Por aquí anduvo pecando y suspirando mi campaña y espejo Juan Ruiz, cazador de ayes y suspiros y rimador de tenues adivinaciones al que me encomiendo en súplica de benevolencia, ahora que vuelvo a escribir bajo su cielo y en su aire. No es nunca de día ni de noche y en el firmamento no se ven las luces del campamento de Dios. Adivina, adivinanza, ¿hacia dónde cae la estrella Polar? No lo sé. ¿Y Casiopea? No lo sé. ¿Y Andrómeda? Tampoco lo sé; la verdad es que no sé casi nada. Para Rilke todo ángel es terrible y lo bello no es sino el comienzo de lo terrible que todavía soportamos.

LA ZURRA A LA LITERATURA

Sobre el cielo pulido se dibujan los zigzagues del vuelo de las palomas, los trallazos que pintan con las alas y el corazón, con la pluma y la sangre. El aire de la crecida mañana está fresquito y seco y la sombra del negro Salem al-Lubiyá, el eunuco al que desgraciaron con alfanje de plomo para mayor escarmiento, huye, convertido en lagartija, a guarecerse en la más honda grieta del palomar.

–¿Se ve algo desde ahí adentro?

–Nada; pero se huele la paz, ese vacío profundo.

Las niñas no silban o no suelen silbar, se conoce que el fuelle no se les acomoda al temperamento, pero aquella niña, la Micaelita Balazote, la de los Escobonales, iba silbandillo el pasodoble *El gato montés* con muy benemérito estusiasmo. Don Servando Soutochao, protésico dental y numísmata, estaba enfrascado en sus lucubraciones.

–¿Como si fuera un procurador de los tribunales o un canónigo de los de antes?

–Talmente como usted lo dice.

Don Servando Soutochao iba discerniendo o, mejor dicho, conjeturando así:

A la literatura le han hecho mucho daño los profesores de literatura, los críticos literarios, los concursos literarios, los lectores de las editoriales, los premios, las becas y el ministerio de Cultura, esto es, casi todo el mundo en torno suyo. Una vez dicho esto –dijo don Servando para su coleto– miro para el palomar y veo que los últimos flecos de la bandada aún revuelan al tibio solecico del mediodía de invierno. Sigamos por donde se iba. En la bodega de Fabián Tajuelo, a donde voy a recoger el correo y los periódicos, me entero de que don Esteban Campisábalos, marqués de Santa Librada y representante para España y Portugal del sinapismo Rigollot, indispensable en todas las familias, echó a la calle a Emerenciano Valle, su criado, porque en un cuarto de hora y sin previo aviso le dijo, entre otras necedades y cursilerías, «en base a», «a nivel de», «Estado Español», «este país», «el anterior jefe de Estado», «a lo largo y ancho de la geografía española», «el cambio de la climatología mediterránea», y «un largo etcétera». En la bodega de Fabián todos pensamos que don Esteban había hecho bien porque ese irreverente abuso del tópico se le puede consentir a un político, es cierto, o a un periodista, porque en ambos oficios se acepta el uso del lugar común, pero no a un servidor doméstico, que debe ser más serio y responsable, más sereno y comedido.

La Micaelita Balazote ahora lleva falda plisada pero, cuando sea mayor, lo más probable es que se case con un funcionario de comunidad autónoma o con un cura rebotado natural de Castilla-La Mancha.

–¿No es precisar demasiado?

–Puede; pero la filosofía de la historia es la filosofía de la historia.

Los profesores de literatura propenden a la clave y al esoterismo y se extasían (o fingen extasiarse) ante los evidentes aciertos de la burocracia que ha de juzgar el engorde de sus currículos. En España estamos asistiendo a la suplantación de la literatura por la glosa de la literatura; ya no quedan revistas literarias sino de comentario sobre la literatura y los comentaristas hacen verdaderos alardes de sabiduría para disecar lo que estaba bien entero y verdadero. La literatura de creación, la poesía, la novela, no interesa y se gasta la pólvora en las salvas de las interpretaciones y las clasificaciones casi entomológicas. A mí me parece que ése es el mal camino, pero allá cada cual con su conciencia.

La casa del arcipreste está arruinada y el fantasma del verdugo Estanislao, saliendo de entre dos piedras, le dijo a don Servando, disparando sus palabras a bocajarro, lo que aquí pasa a copiarse.

A la hora de los premios y parabienes los glosadores se disfrazan de escritores, sin serlo, y se alzan con el santo y la limosna. Es más deliberadamente confusa la frontera entre el glosador y el creador que la contraria; esto no se entiende bien a la primera pero se adivina en cuanto se piensa un poco. El glosador llama intruso al creador que ensaya la glosa, le echa en cara que no tiene un papel que le autorice a hacerlo así, pero invade con todo descaro su ámbito porque, para probar la suerte en la literatura, no se precisa papel alguno.

El fantasma del verdugo Estanislo tomó aire y regurgitó su pregunta:

—¿Usted no cree, don Servando, que en la docta casa, o sea en la ilustre corporación, es un decir, hay más maricones de los necesarios? ¡Aquello parece el teatro María Guerrero en sus buenos tiempos! Esto me trae a las mientes aquello otro tan edificante de que en el cuerpo de carabineros no hay cornudos, de que nos habla don Ramón del Valle-Inclán. Un servidor piensa que una marica adorna, sin duda, mire usted Federico García Lorca qué buen juego está dando, pero cinco o seis pueden imprimir carácter y confundir; póngalo en femenino, una marica, para indicar que sobre ser hombre afeminado y de poco ánimo y esfuerzo, es aficionado y propenso a la predicación. En la docta casa, o sea en la ilustre corporación, es un decir, y en el cuerpo de abogados del Estado, pongamos por caso, o en la nómina de los diabéticos que jamás fumaran, también hubo siempre, o casi siempre, un aristócrata (de la sangre, claro, no consorte) y un príncipe de la iglesia y otro de la milicia, pero jamás media docena al tiempo.

Don Servando se vio en la obligación de reprender al fantasma.

—¡Repórtese, Estanislao, no sea lenguaraz y no se deje llevar por el arrebato! Sea respetuoso con las inclinaciones de cada cual y recuerde que la Constitución no se pronuncia sobre este extremo.

Un hombre se encierra en su casa y al cabo de dos años de trabajo, a veces más, termina una novela que a lo mejor es una obra maestra. Nadie dice nada hasta que habla el primer crítico, el que se encarga de marcar la pauta que los demás han de seguir con abnegada sumisión. Entonces don Servando Soutochao recapacitó: hay críticos con buen sentido, ¡quién lo duda!, pero son los menos. También hay profesores de literatura que conocen el terreno que pisan, aunque lo cierto es que pudieran contarse con los dedos de la mano. Los solventes, quiero decir los que no sobran, suelen ocuparse más de la prosa que del verso, lo que siempre es más meritorio y difícil. A quienes se adornan con la seriedad del asno quiero advertir que adopto este aire literario y desenfadado para que nadie ose confundirme con un escoliasta; los escritores solemos usar de ciertas licencias, aunque ahora se nos nieguen o cuando menos se nos regateen, y no tenemos por qué renunciar ni al bienestar del alma ni al paciente humor de la soledad. La masturbación no es sino una profesión de autodisciplina. No se alude, naturalmente, a los críticos que no leen los libros, que también los hay, sino a quienes no los entienden porque se les escapan de sus esquemas previos. Nótese que los tratados de preceptiva literaria definen lo que es un soneto pero no son capaces de advertirnos si ese soneto encierra o no a la poesía. Antes a los escritores se les permitían rarezas, Pío Baroja, pintoresquismos, Ramón Gómez de la Serna, y caprichos, Juan Ramón Jiménez, ¡todo sea en aras de la literatura!, y ahora, en cambio, se les exige aburrimiento y mentalidad de funcionario, ¡todo sea en aras de la burocracia! ¿Es esto conveniente? Yo creo que no: que es castrante o, por lo menos, deprimente. Emerenciano Valle, cuando el marqués de Santa Librada, representante para la Península Ibérica y Tánger del agua de quinina tónica Ed. Pinaud, infalible contra la caspa, lo echó a la calle por redicho, encontró trabajo en la sucursal que Víctor Vaissier, place de l'Opéra, 4, París, acababa de abrir en Guadalajara; le dieron la plaza porque fue él quien hizo los bellos versos de anuncio que decían:

–Tener novio me propongo.
–Lo tendré a condición
de que emplees el jabón
de los Príncipes del Congo.

El concepto de literatura es de por sí huidizo y quizá también desdibujado y a su inestabilidad han contribuido no poco los escritores que, cuando se les desinfla la inspiración, prueban a erigirse en políticos, sociólogos o moralistas, y cambian la abyecta sonrisa por la palmadita en la espalda. Nada hay más triste –decía alguien— que un gran poeta sometido a la disciplina de un partido; se refería a alguien, como cabe suponer, y debe entenderse que no iba descaminado; tampoco es cosa de dar aquí más concretos y sangrantes ejemplos de líricos menesterosos. Cada cual vive como puede o como los demás y las circunstancias le dejan y nadie debe meterse demasiado en la vida de los demás.

A Emerenciano Valle, a raíz de sus versos el jabón de los Príncipes del Congo, empezaron a invitarle a los congresos literarios; le pagan a uno el viaje y el hotel (no suele estar incluido el lavado de ropa, pero a los calzoncillos siempre se les puede dar un agüita en el lavabo), se come bien (incluso se pueden pedir huevos al desayuno), se murmura, se discute, se hacen declaraciones de principios a la prensa, se dan fórmulas para arreglar el mundo, se firman manifiestos, se liga con alguna poetisa local o foránea, etc. Don Servando Soutochao también tenía sus puntos de vista sobre los congresos literarios. Cuando a los poetas se les da de beber y de comer, se amansan; en el fondo no son malos chicos, son algo dogmáticos y monocordes, eso sí, pero tienen buen fondo. No se debe poner en tela de juicio la existencia del palomar de Hita; yo lo he visto con mis propios ojos, todo él poblado de pájaros literarios e inefables. Repare usted, mi respetado don Esteban, que la literatura jamás es inefable sino fable, porque con palabras y no con signos, ni trazos, ni colores, ni arpegios, ha de decirse y expresarse; esto lo dijo hace ya años Antonio Machado:

Ni mármol duro y eterno,
ni música ni pintura
sino palabra en el tiempo.

La literatura no es más cosa que la palabra por dentro, por fuera y aun a contraluz. Yo he visto el palomar de Hita con mis propios ojos, aunque algunos inviernos quede casi confundido con la casa del arcipreste, que, como ya se dijo, está en ruinas. El fantasma del verdugo Estanislao es igual que una lagartija veloz y ágil, sí, pero no demasiado robusta.

Don Esteban Campisábalos, marqués de Santa Librada y representante para España, Hispanoamérica y Filipinas del Alquitrán Guyot, contra constipados, bronquitis, asmas, catarros de la vejiga, afecciones de la piel y picazones en general, tomó buena nota de lo que le dijo el poeta Casto Bolbaite Alcozarejos a su madre en el lecho de muerte:

Te juro, madre querida,
que no he de hacer más versos en mi vida.

El vate Bolbaite estaba indignado con los lectores de las editoriales. Un editor de Barcelona le había rechazado *Cien años de soledad* a Gabriel García Márquez y cuarenta años antes tres editoriales de Madrid habían hecho lo mismo con *La familia de Pascual Duarte* de Camilo José Cela, el afamado novelista padronés. ¡A eso no hay derecho!, decía el vate Bolbaite, ¡deberían exigirse responsabilidades! El capricho, la desidia, la incompetencia y la frivolidad no son valores dignos de ser tenidos en cuenta. El vate Bolbaite coleccionaba premios literarios, afición y práctica que tomaba muy a mal don Servando. ¡Pues, anda, hijo! ¡Ni que fuera profesor de gramática histórica! Las niñas no silban ni ventosean, es muy feo y de mal efecto, una niña silbando y ventoseando siempre desmerece, la Micaelita es la excepción porque se da mucha maña en eso de expeler a compás y con ritmo: los pasodobles *Gallito* y *El gato montés*, por arriba, y *Una copita de ojén* y el *No me mates con tomate*, por abajo. De los premios literarios no se puede opinar con asepsia y buen sentido, cada cual habla de la feria según le va en ella y a la gente suele irle bien y mal al mismo tiempo y según. Don Catulino Jabalón Cenizo avanzó hacia las candilejas y argumentó con su meliflua voz de barítono: de mí puedo decir que no me presenté jamás a ningún premio literario; los tres o cuatro que me dieron –el de la Crítica, el Nacional de Literatura, el Príncipe de Asturias– me cayeron tarde y con retraso, sí, pero también de bóbilis bóbilis y sin avisar, que es forma que ayuda a mantener la compostura. De los premios comerciales prefiero no hablar, aunque entiendo que otros hablen, los busquen y se los lleven; cada hijo de vecino se reserva el derecho de vivir a su aire y de salir de apuros a golpe de sonrisa. La cosa tampoco se merece el que tuviéramos que meternos en mayores honduras. Fabián Tajuelo, el de la bodega, está muy orgulloso del lobanillo que le luce en la nuca.

Tiene casi tantos años como yo, suele decir, y lo han de enterrar conmigo.

Sobre el cielo bruñido a muñequilla se pintan los airosos y geométricos traspiés del vuelo de las palomas, de la paloma, el paradójico símbolo de la paz. La paloma es pájaro cruel y de torcidas inclinaciones que tiene buena fama porque es bella y sosegada su figura y pacífico su aspecto; si una paloma sale de su nido para comer o beber, la paloma del nido de al lado le tira los huevos al suelo o le mata los pichones a picotazos. Lo de la dura realidad del ser y el espejismo falaz del parecer, lo de lo substantivo permanente y lo adjetivo cambiante y lo de la profunda esencia y la mera presencia, es figura que encontraría en la paloma su paradigma. Ni Fabián Tajuelo, ni don Servando Soutochao, ni el marqués de Santa Librada, representante por Madrid y ambas Castillas del célebre restaurador del cabello Royal Windsor, ni Emerenciano Valle, ni el fantasma del verdugo Estanislao, ni el vate Casto Bolbaite Alcozarejos y, puestos a apurar las cosas, ni siquiera el zurupeto Catulino, que quizá fuera el más listo de todos, ignoran que la paloma es un ave feroz y de malos instintos. Debajo de una mala capa se esconde un buen bebedor y al revés. De las becas se puede decir lo mismo que de los premios y de las palomas. Don Catulino Jabalón Cenizo no tuvo jamás una beca, la verdad es que tampoco la pidió. ¿Y del ministerio de Cultura, qué me dice? Nada, no le digo nada; yo creo que debería desaparecer tras haberse puesto de acuerdo con el de Economía y Hacienda para explicarnos al paisanaje eso de que los escritores jubilados deben dejar de escribir. ¿Qué leria burocrática es esa de los escritores jubilados, qué lerdez administrativa y sin sentido? Los escritores no tienen jubilación literaria posible y la mayoría de ellos carecen de cualquier otra suerte de jubilación, aunque hayan cotizado durante años y años y paguen sus impuestos religiosamente. Si a los diputados y senadores se les devuelven los cuartos indebidamente deducidos por la seguridad social o por quien fuere, ¿por qué no se hace lo mismo con los escritores? En el mundo entero, cada vez que se quiso explicar el concepto administrativo (?) del escritor, se zurró a la literatura. Y el ministerio de Cultura no debiera ignorar estas obviedades ni hacer oídos sordos a la evidencia. La literatura no necesita suerte alguna de pollera y menos cuando se tiende a confundir la justicia con la beneficencia. Los escritores tampoco precisan del socorro del Estado que reciben a cambio de su orfandad. La literatura va por sí sola y la desvirtúa la injerencia –y aun la sola presencia– de todo el mundo en torno: los profesores de literatura, los críticos literarios, los congresos literarios, los lectores de las editoriales y los editores, los premios, las becas y el ministerio de Cultura o cualquier otro organismo político. La horma ajena –y la literatura es ajena a todo– no conviene al saludable desarrollo de la literatura: del pensamiento y de la expresión de la literatura, eso que en el fondo es una y la misma cosa.

Don Avelino de Blas, el párroco de los Dolores, se quedó mirando fijo para don Servando. Sí, amigo mío, no nos engañemos. La zurra a la literatura es punto menos que un deporte nacional, con la derecha quemando libros a contrapelo de Galileo y la izquierda, con su propensión a la catequesis, jugando a confundir y sintiéndose paternalista y munificente. Para mí que la cosa tiene mal arreglo, muy mal arreglo.

Desde aquí abajo no se ve nada pero se huele la paz, ese airecillo aromático que va pintando jeribeques sobre los corazones. Las niñas no suelen silbar ni tirar piedras con honda pero aquella niña, la Micaelita Balazote, la de los Escobonales, con la honda en la mano y la guija bien dispuesta, era capaz de atinar a un pájaro en vuelo. A la literatura le hace mucho daño casi todo lo que la roza y aun la contempla y, en el fondo, la literatura químicamente pura no es sino la denodada lucha contra la literatura. Para el agónico, para el angustiado y acongojado Unamuno, la literatura no es más que muerte y la voz de la muerte no tiene color aunque sí significado. En la bodega de Fabián nadie se pronuncia sobre el ser y el devenir de la literatura. A mí eso no me va, por mí que se las arreglen como puedan. En la bodega de Fabián nadie consagra sus vigilias al estudio. ¿Para qué? Aquí somos todos bien decentes, se lo podría jurar; el que sabe leer y escribir no come antes que el que no acierta más que a destripar terrones. Mateo Alemán, en el *Guzmán de Alfarache*, dice que la naturaleza siempre favorece a los que quieren salvarse.

NOCIONES DE GEOGRAFÍA E HISTORIA

El otro día cayó un rayo en el palomar y me mató todas las palomas, más de cien, y siete ratas grandes como conejos. No cuento los ratones, las arañas y los insectos porque, aunque la muerte es siempre inmensa y absoluta, no todos los muertos tienen el mismo tamaño ni dejan igual vacío de luz en nuestro afecto; nótese que importa menos matar seis mosquitos de sendos zapatillazos que seis venados de otros tantos tiros de rifle. El rayo es la farsa y la feroz imagen de la muerte, es la muerte misma en cueros y vestida de látigo tundidor, de tralla heridora e inmisericorde. Con la pegajosa idea de la muerte rondándome por la cabeza pienso en la mortal España del poeta de *La danza de la muerte*, de Quevedo y de Valle-Inclán, que mojaban su pluma en sangre bermeja y jaranera, también dolorosa y amarga, y de Zurbarán, de Goya y de Solana, que mojaban su pincel en sangre casi sombría y dolorosa, también jaranera y amarga. Cuando el país se conmociona porque a una dama joven y conocida la retratan con las partes al aire, es que algo marcha mal y descompasado; la vida y aun la muerte de los sentimientos –decía fray Ambrosio de Aspariegos en su *Tránsito de la vida breve*– lucha siempre desacordada con la vergüenza. No se puede hacer comercio de las inclinaciones porque la inercia puede desbocarlas e incluso hacerlas lastimadoras. Miro por la ventana y veo el campo verde y deleitoso, sosegado y brillante como si fuera de metal; estamos teniendo un invierno muy clemente y de artificio, ya veremos cuando nos falte el agua, y ahora se precisaría la helada que hiciera robusta la raíz del cereal. Las revistas ilustradas dan cuenta a los españoles de los últimos pactos o los penúltimos adioses de pudendos rijosos y aljabas hospitalarias; nadie podrá quejarse, ciertamente, de que no se tiene informado al personal de himeneos, meneos y demás suerte de magreos, cachondeos y otros cabildeos. Pido perdón por la licencia de las cinco voces consonantes; a veces da gusto dejarse llevar por los mimosos resortes de la idiocia. Hay quien supone que la religión es el opio de los pueblos; hay quien piensa que el futbol anestesia a las multitudes y las distrae hacia donde conviene a quien gobierna, y hay quien afirma que la publicación de los amoríos del prójimo es el caldo de cultivo idóneo para el lozano crecimiento de la saludable estulticia ciudadana. Ni mi primo Catulino, el de doña Pura, ni yo nos pronunciamos sobre este punto vidrioso y delicado.

El rayo que cayó el otro día en el palomar sembró la duda en mi conciencia. ¿Por qué, a veces, Dios parece como complacerse en hacer llover el mal sobre quienes no tienen culpa alguna que esconder? Albert Camus se hizo una pregunta semejante y también la dejó sin respuesta; los designios de Dios quedan demasiado remotos de nuestras entendederas. No todas mis palomas muertas estaban carbonizadas; algunas parecían no más que dormidas en muy extrañas y aun caprichosas posturas. ¿Qué cree usted que debiera hacer con mis cadáveres? A las palomas muertas por el rayo, ¿se les debe enterrar? ¿No sería mejor dejar que se las fuera llevando el viento poco a poco? Es muy arriesgado hacer encuestas a bote pronto y, en consecuencia, deben darse por no formuladas ambas preguntas.

El lector quizá recuerde a don Esteban Campisábalos Garciotún, marqués de Santa Librada y representante para España y Marruecos de la Creme-Oriza de Ninon de Lenclos, suaviza la tez y da a la piel la transparencia y la lozanía de la juventud. A don Obdulio Valdesangil Garciotún, primo de don Esteban por parte de madre y canónigo lectoral de la catedral de Coria –y en consecuencia muy ducho en teologías y en especial en la casuística– le sobraban argumentos para llevarle la contraria al veterinario Felicísimo Porma, que era algo enciclopedista; lo que pasa es que no quería abusar. He aquí algunas de las ideas geográficas e históricas del veterinario. España, este país tan hermoso, salió mal, quizás estuviera mal concebido o, lo que es aún peor, mal engendrado; para mí que los Reyes Católicos se equivocaron expulsando a los judíos, que eran los únicos que comerciaban, administraban y sanaban, y a los moriscos que eran los únicos que labraban el campo, tundían el paño y golpeaban el yunque. Según el buen orden de las esferas celestes un coro de vírgenes talludas entona el slow-fox *Las sirenas de New Orleans* con muy adecuado énfasis, mientras los negros de la trompeta, del saxo y del trombón cierran los ojos para dar más rigurosa calidad al sonido; en el coro forma la contralto Gertrudis Balazote, alias Braga de Hierro, tía de la niña Micaelita Balazote la de los Escobonales. Decid, niño, ¿sabéis por qué no le duraban los novios a Braga de Hierro? Sí, padre. Decidlo, pues. A Braga de Hierro no le duraban los novios porque le olía el aliento. Muy bien, notable; no le doy sobresaliente porque le falló ligeramente la entonación. Lo acepto, padre. El país europeo que mejor salió fue Italia, que perdió todas las guerras y ganó todas las paces, y el que peor –aún peor que España y Bélgica, que ya es decir– quizás haya sido Portugal, que jamás ganó ni una sola paz ni una única guerra y que ahoga en saudade todo lo noble a lo que hubiera podido aspirar, que fue siempre mucho: recuérdese su literatura, por ejemplo, o la crónica de sus viajes por la mar abajo. España fue unificada a la contra de la raza, que es intención excesiva; Bélgica lo fue al pelo de la religión, que es propósito que no basta, y Portugal ensayó jugar a defenderse con el escudo de la lengua, lo que en principio parece más sensato aunque al final –y por otras razones– también fallase. En el culto a la raza ganaron y perdieron tantos pueblos como perdieron y ganaron otros en el culto a la religión o a la lengua, y no se trata de buscar ejemplos ya que pueden hallarse para cualquier supuesto y en cualquier sentido. La quiebra en Portugal o en España fue en todo momento política y jamás humana y para mí tengo –siguió el Dr. Jerónimo Tárbena, piel, venéreas, sífilis– que los pueblos portugués y español estuvieron siempre muy por encima de sus gobernantes. A Fabián Tajuelo el de la bodega no le tocó el gordo de Navidad por tres números: salió el 71.825 y él jugaba el 01.839. ¡Mala suerte! Italia llegó a la perfección política, casi el nirvana de la praxis política, al demostrar que un país, o incluso un Estado, puede funcionar y vivir sin gobierno. La morriña es noción gallega y la añoranza, catalana, y a esos dos ámbitos pudiera caberles una paralela lección consecuente: los pueblos que conmemoran la derrota acaban siendo derrotados. Don Servando Soutochao terció con una larga cambiada; para Wilde, el que posa de fantasma acaba convirtiéndose en un fantasma. ¿Está usted seguro de que fue Wilde quien dijo eso? Yo no estoy jamás seguro de nada, mi buen amigo. Italia es un pueblo con ritmo histórico que acierta siempre con la postura que convierte la caída en equilibrio. España, por el contrario, es un país arrítmico, capaz de los mayores aciertos individuales creciendo al lado de los mayores yerros colectivos. A Portugal le acontece otro tanto. A Portugal lo pusieron en la disyuntiva –quizá fuera mejor decir: en el disparadero– de apoyarse en la tierra y caer en manos de España o de apoyarse en el mar y caer en manos de Inglaterra, que es lo que aconteció; en las colonias portuguesas, los portugueses eran los funcionarios mientras que los ingleses eran los dueños de la minería, la agricultura y el comercio. Don Avelino de Blas, el párroco de los Dolores, dijo con delicada parsimonia parte de las palabras que atrás quedaron. Fabián Tajuelo solía decir: desgraciado en el juego, afortunado en amores; no sé por qué lo digo porque la verdad es que no vendo una escoba, a lo mejor es para ver si así hago ambiente y acabo ligando.

El zurupeto Catulino solía hablar con los ojos medio entornados para que no se le llenasen de microbios. En España, históricamente, nadie está en su sitio; recuérdese que en tiempos de Franco los gobernadores civiles eran militares, al contrario de lo que su nombre indica. Volvamos a retomar el hilo del cuento; en esto de la ilación deben respetarse las trabazones razonables.

El rayo que me mató las palomas no fue rayo sino un instante; antes no lo era y después dejó de serlo, pero en su brinco bravísimo segó de golpe mucho tiempo vivo y aun amoroso. Está todavía por discurrir la trayectoria, el movimiento paso a paso de las sombras chinescas de la vida y la muerte sobre el telón de fondo del tiempo, esa fuerza que jamás dio un paso atrás. El rayo que me mató las palomas no volverá a ser rayo y de él sólo nos queda la huella, no la imagen; lo más doloroso de la historia es que nos guarda no sólo la huella sino también la imagen del déspota: la imagen y la herencia del mal ejemplo. El veterinario Felicísimo Porma siguió con su cantilena. Los países suelen formarse siguiendo la pauta de las cordilleras o, lo que es lo mismo, el curso de los ríos, menos Portugal, que los va cortando: Portugal es un pedazo de León y de Salamanca que se asoma al mar, un pedazo de Extremadura que se asoma al mar y un pedazo de Andalucía, todo ello amalgamado por el denominador común de la lengua. Portugal es un país que está al bies; su salvación puede venir por la vía de la unión política y cultural de Europa (la unión económica podría retrasar los buenos propósitos), ahora que está periclitando la Europa de las nacionalidades. El sueño del Conde Coudenhove Kalergui pinta ya su atrevida silueta en el horizonte. El veterinario Felicísimo pidió otro vermú. Póngale algo más de sifón, por favor; a mí me gusta aguarlo un poco para restarle fuerza. De haberse desmembrado la Península Ibérica con cierta lógica histórica, se hubieran formado entes políticos con las tierras de Galicia y el norte de Portugal, o el País Vasco español y francés, o Cataluña y el Rosellón, o Aragón, ambas Castillas y parte de Portugal, o Andalucía y el Algarve, etc.; pero está claro que las cosas no acaecieron así. La ilusión de ver a la Península en pedazos para dejar de hablar de España y hacerlo, en vez, del Estado Español, está a punto de conseguirlo la derecha nacionalista por la vía de la aldeanización y subsiguiente atomización del territorio sobre el que nos asentamos. Fue el general Franco quien llamó Estado Español a España, véanse los sellos emitidos en Burgos al comienzo de la guerra civil, y son las derechas catalana y vasca –y el resto de la española en cuanto pacte– las que luchan contra el concepto de lo que históricamente vino llamándose patria. El veterinario Felicísimo, que se había pasado la vida recetando lavativa y trote a las mulas con torcijón, pensó siempre –y no se privó jamás de pregonarlo a voces– que la Compañía de Jesús, el partido nacionalista vasco y la ETA eran una y la misma cosa en diferente grado de maduración. ¿No será eso un poco exagerado? Piense usted lo que quiera, que yo me limito a reflejar lo que piensa y dice el albéitar Porma quien, por cierto, también mantiene que los asesinos de ETA son el fiel trasunto de los curas trabucaires catalanes y vascos del siglo XIX; estos bárbaros pretéritos escarmentaron o se arrepintieron pero estos otros bárbaros presentes según salta a la vista, no, por ahora. Don Modesto Cabezabellosa, el recaudador de contribuciones, decía siempre: si tienes tu casa en llamas, a tu mujer con un fraile y una avispa en el culo, ¿a dónde acudes primero? Pues aquí puede preguntarse lo mismo de las historias y las geografías del mariscal de bestias. Miguel de Molinos, en su *Guía espiritual*, habla de los tres modos del silencio: el de las palabras, el de los deseos y el de los pensamientos, la suma de los cuales puede llevarnos al verdadero y perfecto silencio místico. Es cierto que puede moverse el mundo sin salir de una ciudad (Kant) e incluso de una habitación (Amiel); es cierto pero no es probable, aunque más lógico fuera pensar lo contrario. Nada puede hacerse sin una gran soledad (Picasso) y más noble y digno es el lobo solitario que la oveja gregaria. En Castilleja la Real, pueblo donde tengo buenos amigos, oí una soleá estremecedora:

Yo soy como el árbol solo,
que está en mitad del camino
dándole sombra a los lobos.

El rayo que me asoló el palomar zumbó su heridor silencio en el aire y se calló antes de que retumbara el trueno. El amor es también rayo, sí, pero de otro signo diferente y que se expresa con palabras, no con suspiros; los poetas saben que la palabra atenaza e incluso obliga. Juan Ruiz, que conocía bien el paisaje del palomar y las razones que mueven al hombre, nos lo dice en su libro con muy generosa claridad:

Como dize Aristóteles, cosa es verdadera, el mundo por dos cosas trabaja: la primera, por aver mantenencia; la otra cosa era por aver juntamiento con fembra plazentera.

Juan Ruiz, el paladín de la acción y aun de la razón de amor, no guardó silencio ni con la palabra, ni con el deseo, ni con el pensamiento, lo que para todos es venturoso. El camino del silencio místico tampoco es más noble ni está más desbrozado de hojarasca retórica que el de los deleites de la carne, siempre cabalgadores del espíritu en permanente y alertada vigilia. El veterinario Felicísimo Porma asentaba sus sabidurías geográficas e históricas sobre el airoso plinto de las adivinanzas y los deseos, lo que despertaba las iras del canónigo don Obdulio. Lo que no se le puede consentir a este bocazas es que teorice apoyándose en el Arcipreste. ¿Dónde se ha visto que se premie a la osadía y al descaro? A Alemania y a Francia les da unidad la lengua al tiempo que a Suiza le da unidad la pluralidad de lenguas. ¿En qué quedamos? El marqués piensa que lo importante es tener algo que decir, dejando para después la elección de la lengua en que haya de decirse. Si un hombre habla seis o siete lenguas diferentes puede aspirar a ser Papa o conserje de hotel pero, si no discurre, lo único que conseguiría es decir necedades en seis o siete lenguas distintas. Es cierto que la gente se mata, o mata al prójimo, por defender su lengua, pero no lo es menos que la gente que se mata, o desuella vivo al prójimo, por mil razones más, no todas suficientes; quizá nunca lo sean lo bastante. El quietismo puede ser muy peligrosa forma de herejía y, por otra parte, la acción es el más firme antídoto del aburrimiento, esa maldición de los más crueles dioses. ¿Recuerda usted que don Servando era protésico dental? Sí, señor, y numísmata; un servidor tiene buena memoria y suele recordar las circunstancias. Los políticos juegan a la baja y a devaluar las ideas enmoheciendo las palabras con que se expresan; es la misma técnica que utilizan los tratantes en burros de las ferias. Don Servando Soutochao se rió de mí cuando se enteró de que el rayo me había matado las palomas del palomar. Supongo que no me obligará usted a partirle la cara, le dije cuando se me resistían los argumentos. Don Servando se calló pero fue murmurando murmuraciones por todo el pueblo.

El otro día, cuando cayó un rayo en el palomar y me mató todas las palomas, creí que se me venía el mundo encima; después vi que no, que la cosa no era para tanto y que no hay desgracia que el hombre no pueda superar escudándose en la paciencia. Juan Ruiz no tenía afán de mando pero era dignamente sensible a la gula y a la lujuria; bien mirado, los tres únicos pecados mortales deberían ser la soberbia, la ira y la avaricia (no se citan por orden alguno). Cuando el otro día un rayo me mató más de cien palomas y siete ratas grandes como conejos, creí que el olor a carne quemada no iba a desaparecer jamás. Aún no hace demasiados años, por la culta Europa, por la civilizada Europa, hubo otros olores a carne quemada más vergonzosos y dramáticos que el de mi palomar, que no fue más que desafortunado. En Segovia, en

Turégano y en Santa María la Real de Nieva, no demasiado lejos de mi palomar y entre otras plazas también muy acreditadas, se asa el cordero con muy anciana y eficaz maestría; el olor que sale del horno es diferente, gracias sean dadas a Dios, al de mi palomar, que fue una desgracia, o al de los campos de exterminio, que fue un baldón para el hombre. De lobo a lobo no se tira bocado, dicen los hombres. Pero el hombre es el único animal que muerde y quema a los demás animales de su especie. En el juego de la gallina ciega te vendan los ojos y te dan cien vueltas sobre ti mismo; después, cuando estás ciego y bien mareado, te preguntan algunas cosas como por ejemplo: Adivina, adivinanza, ¿por qué sabes que fue el rayo y no el odio quien te mató las palomas del palomar? ¿No había, entre las palomas más blancas y graciosas, alguna que llevara escondida alrededor de su corazón a una princesa encantada? ¿Por qué no lloraste hasta apagar el fuego con tus lágrimas?

FABULILLA DEL CORDERO DEL SACRIFICIO Y ALGUNAS CONSIDERACIONES SOBRE LA PAZ

¿Hay un denominador común entre Solchaga y Jomeini? Esta pregunta no la hizo ninguna paloma superviviente de mi palomar sino don Esteban Campisábalos, marqués de Santa Librada y representante para Madrid, Castilla la Vieja y León del epilatoire Dusser, destruye hasta las raíces el vello del rostro de las damas (barba, bigote, etc.). Probablemente sí –le respondió don Damián Balazote, el padre de la Micaelita–, aunque no acertemos a precisarlo con rigor matemático. (A partir de este momento y hasta que se observe lo contrario, no se responde a quien habla cada papel.) ¿Por qué los gobernantes del mundo odian la literatura, quizás entre otros odios menores? Liborio Lagunilla, el fraile del antifaz, componía versos a la Virgen del Perpetuo Socorro y prosas sobre los primeros ensayos del cooperativismo agrícola en Castilla la Nueva (Valdepeñas 1912). ¿Qué culpa tenemos los escritores mayores de sesenta y cinco años de que el ministro no haya acertado en sus políticas? El personaje de la novela que lleva ya varios años escribiendo el zurupeto Catulino, Isidoro el Meón le dijo al juez de delitos monetarios: No pido misericordia, don Braulio, sino una misericordia, tan sólo una. ¿Qué culpa tiene Rushdie de que la vesania del imán no encuentre mejor salida que la de ponerle precio a su pellejo? Mi primo el barón de Sussex, coronel de lanceros bengalíes, estaba muy bien educado y, claro es, no tenía manías ni especiales aficiones. Al pobre le abrieron el vientre tres veces en dos meses y se conoce que a resultas de la debilidad se enamoró como un cadete y se retiró al campo a vivir lejos del mundanal ruido; hay quien dice que hasta escribió versos endecasílabos al itálico modo, aunque este extremo no haya podido comprobarse. Es cómodo, según muy concretos síntomas, encontrar una cabeza de turco y descargar sobre ella el mágico rayo de la ira santa. Los jefes administrativos y religiosos odian la duda porque necesitan la fe ciega; los jefes políticos no le van demasiado a la zaga aunque, salvo excepciones, sigan la pauta de Goethe sobre la injusticia y el desorden, esa única noción bifronte que desdoblan para mejor poderla confundir en sus dos caras: el haz revuelto y el envés confuso. Isidoro el Meón compuso la figura digna para pensar en voz alta: Catulino, tenido por mi padre aunque todos alberguemos nuestras fundadas reservas, no puede escribir con el fruto deseado porque le desborda el tumulto. ¿Pero no buscaba la paz? Sí, sin duda, lo que pasa es que no la encuentra. ¿Es peor la guerra santa que la guerra política? Ambas son malas pero sí, yo creo que es peor la guerra santa; el extremismo religioso va en aumento en el mundo entero porque es el camino fácil. Varios millones de chiítas deseándole la muerte a un escritor que tampoco es Shakespeare, están dando al mundo un espectáculo todavía más triste que vergonzoso. Sin religiones el mundo andaría ya por el siglo XXV; el zurupeto cree recordar que lo dijo ya alguna vez, sin éxito, claro. Gide era no poco escéptico en lo relativo al provecho de las enseñanzas y los adiestramientos: todo está ya dicho pero, como nadie atiende, hay que repetir todo cada mañana. No es que don Esteban tuviera el sentido crítico demasiado agudizado, no, aunque sí lo bastante para que le centrase la voluntad; lo malo es quedarse entre Pinto y Valdemoro. La plaza de cobista de cámara de la corte del rey Artús se la llevó Dionisio Papadopoulos, que era algo pariente del fraile del antifaz. Aún faltan otras dos plazas por cubrir en la estructura: capellán y barragana. ¿Puedo recomendarle al hermano Avelino Micieces, que hasta hace milagros no demasiado difíciles, y a la hermana Consolación de las Llagas Beatas, que conoce las técnicas eróticas más depuradas, incluido el carrete padronés? Puesto a buscar mujer conviene oír el consejo del Arcipreste, especialista de crédito suficiente:

Cata mujer fermosa, donosa e loçana
que non sea muy luenga ni otrossí enana;

si podieres non quieras amar mujer villana,
ca de amor non sabe: es como bausana.

¿Quiere usted decir espantapájaros? ¡Claro que quiero decir espantapájaros! ¿Qué otra cosa iba a querer decir, si no? Dispense. El ministro Solchaga y el imán Jomeini temen a los escritores, también los desprecian y odian y cuando pueden hacerlo, que no siempre, según se ve, los matan; el ministro es menos peligroso que el imán porque la ley lo sujeta. Las cosas deben decirse tal como son: en España estamos mal pero están aún peor en Persia, vamos, en el Irán; además el ministro Solchaga es menos creyente que el imán Jomeini, lo que siempre dulcifica. Don Damián Balazote no acababa de encontrar el denominador común entre los dos perseguidores de la literatura. Tiene que haberlo, sí, sobre eso no se deben contemplar reparos, lo que pasa es que es muy difícil de encontrar, por ahora no acierto a precisarlo con el rigor debido.

Después del incendio desinfecté el palomar con zotal, que apesta a retrete de café de pueblo, y con lejía marca El Sagrado Corazón de Jesús, que huele a salud de casa de socorro. Cuando ya sólo queda el rabo por desollar –y esto lo digo por mi primo el barón de Sussex–, los sentimentales se vuelven magnánimos e incluso providencialistas y se agarran al clavo ardiendo de la primera sonrisa que se les brinda. ¿Y si es mentira? ¡Mala suerte! Repare en que no por eso deja de ser sonrisa. Jomeini hiede a chotuno, probablemente hiede a chotuno, y Solchaga, no, lo razonable sería que Solchaga, como todos los monetaristas oliese a lavándula, a aromático espliego; el agnosticismo suele ser menos hediondo que la fe. ¿Por qué se siegan vidas en defensa de Dios, esa noción infinita que no precisa defensa alguna ni defensores desbocados? En todos los países y en algún momento histórico podrían hacerse la misma pregunta fray Luis de León, Spinoza, Erasmo de Rotterdam, Luis Vives, Miguel Servet o Leonardo da Vinci, citados sean con absoluto desprecio del calendario. Lo malo es la respuesta de la regresión, la tenebrosa y sádica marcha atrás que sueña con ahogar en sangre la menor sombra de duda. Fray Inmaculado de las Sagradas Vísceras, en el mundo Blasito Sequeros, también llamado José Pascasio Ramírez, Culopollo, le dijo al fraile del antifaz, o sea a Liborio Lagunilla: En este pimpampum de mezquindades pienso que las cabezas de turco que primero han de rodar por el suelo no han de ser la de Rushdi, el blasfemo (aunque tampoco lo aseguraría porque a lo mejor ya rodó), ni la de Lola Flores, el símbolo: aquélla para solaz del imán y esta otra para regodeo del ministro. Como las previsiones para latitudes remotas son siempre confusas o, al menos, un tanto huidizas, ahora no me atrevo a decir sino que aquí entre nosotros, o sea a escala doméstica, a quien veo al borde del sacrificio ritual es a Solchaga, el ministro de las aproximaciones mágicas, para deleite y salvación de Felipe González; el último turco decapitado en España, según todos recordamos, fue el doctrino José María Maravall, efímera flor abstracta de las buenas intenciones concretas.

Cuando ya se les ven las orejas al lobo de la muerte –lo digo por mi amigo el zurupeto Catulino–, conviene empezar a medir distancias y a disponer propósitos. ¿Hay un denominador común entre los personajes que dijimos y algunos otros títeres que callamos? Jomeini y Solchaga tienen un cierto parecido psíquico, aunque el español sea menos vesánico que el iraní; siempre pensé que al historiador le cumple ser verdadero hasta en el menosprecio. Isidoro el Meón, el protagonista de *Símbolos y veleidades*, la novela que está escribiendo desde hace ya algún tiempo el zurupeto Catulino, es pelirrojo y pronuncia las palabras con un leve deje caribe que nadie sabe de dónde le viene. Es quizá cómodo para los gobernantes del mundo pegar fuego a sus objetos odiados: tanto los meramente subjetivos (la herejía y el desviacionismo, su pariente pobre) como los proclamadamente artísticos (la duda o afirmación del ser y la utopía o el hambre y sed de justicia). Mojando la pluma en la mantenida duda permanente –dudo, luego existo– el escritor va levantando su artilugio literario con una firmeza y una ilusión que los políticos ni se imaginan (en presente) ni jamás respetaron (en pretérito) ni nunca entenderán (en futuro).

Tengo palomas nuevas en mi palomar, las guardo encerradas hasta que críen y se les pegue la querencia; con quince parejas y un par de machos ladrones ya se puede formar un palomar, al cabo de un año son más de cien. En el campo el tiempo pasa de prisa porque no se enreda en los arduos zarzales de la ciudad. Las palomas de la ciudad viven de milagro y de digerir la contaminación; las palomas madrileñas de la Cibeles o las barcelonesas de la plaza de Cataluña son tristes y duras, quizás enfermas y aburridas, parecen viejos guerreros arropados por un halo de hastío. Mi palomo Pastoro, que llevaba la rosa de los vientos tatuada en la voluntad, no hubiera podido vivir entre el humo de las chimeneas y la niebla del aliento de los perdedores, cada uno con su úlcera o sus cuernos o sus preocupaciones a cuestas y su odio estéril bombeándole el corazón. España es un país pobre y los españoles, el año pasado, nos gastamos tres billones de pesetas en juegos de azar, ese vicio de menesterosos zánganos y desmoralizados; poniéndolo en cifras queda todavía más estremecedor y vergonzoso: los españoles, el año pasado perdimos 3.000.000.000.000 de pesetas (son doce ceros) en querer ganarnos la vida de milagro. ¿A nadie le remuerde la conciencia? Las palomas de mi palomar están encerradas hasta que críen y se les despierte la querencia; de ser personas, ahora, tal cual están de desorientadas, se gastarían el jornal en las máquinas tragaperras o en el bingo, como cualquier peón de albañil. Repito: ¿a nadie le remuerde la conciencia? No se trata de matar a nadie para que se vaya al infierno y de paso escarmiente, ni de prohibir a nadie que escriba (la segunda parte del Quijote, por ejemplo) porque se supone que con lo que recibe de la caridad administrativa ya tiene para un tomate y un pedazo de pan, no: se trata, por el camino inverso, de rogar a los gobernantes, al imán Jomeini y al ministro Solchaga, pongamos por caso, que no lleven su odio a la literatura hasta extremos sin posible vuelta atrás porque, bien mirado, tampoco merece la pena tanta innecesaria crueldad, tanta gratuita necedad. ¿Por qué no se arbitran los panegíricos a Alá y a Mahoma, su profeta, o por qué no se recaudan los impuestos que han de nutrir la panza del Leviatán, con procedimientos menos drásticos y a la contra, más inteligentes y clementes? La verdad se busca, todo hombre la busca, pero jamás se encuentra del todo más que fundiéndose con la muerte misma, y aun así: ningún hombre vivo la encontró jamás porque su propia esencia se resiste y aun se niega. El pensamiento contrario puede despertar en nuestro espíritu el deseo de matar y quemar y condenar; fray Inmaculado de las Sagradas Vísceras, en el siglo José Pascasio Ramírez, Culopollo, a quien también algunos conocían por Blasito Sequeros, quería matar y quemar y condenar a los que no estuviesen dispuestos a defender la verdad absoluta, esa rueda de molino a la que jamás hizo mover el agua pasada. Los gobernantes religiosos y políticos confunden su propia imagen en el espejo con su propia caricatura, su propia calavera, su propia confusa inercia. Los comerciantes rigen el mundo a golpe de claudicaciones y tanto los líderes religiosos como los apóstoles políticos, quizá movidos por un mismo resorte, pactan con los comerciantes –ahora quiere aludirse a los editores y libreros que niegan el pan y la sal a Rushdie– la persecución y aun la destrucción de quienes osan hacer de la duda, de la bellísima y aleccionadora duda, su herramienta de trabajo; la situación que se produce no es seria aunque sí eficaz en su maldad y a sus fines. A Salman Rushdie los comerciantes –quiere decirse: los editores y los libreros– le dejarán caer para que cualquiera de los varios millones de asesinos religiosos que se la tienen jurada, lo puedan matar sin mayor esfuerzo y a la mayor gloria del Todopoderoso. Vuelvo a las preguntas de siempre: ¿A nadie le remuerde la conciencia? ¿A nadie se le suben los colores a la cara ante este vergonzoso crimen anunciado a bombo y platillo? ¿Nadie es capaz de poner coto al despropósito?

Ramón Gómez de la Serna nos advierte, en una estremecedora greguería, que el primer sonajero y el hisopo final se parecen demasiado. Blasito Sequeros, Culopollo, iba apuntando en un papel todo lo que decía el zurupeto. La paz no es el páramo de los corazones, ¡apunta bien, coño, digo, cáspita y haz buena letra!, sino la umbría de las conciencias; no el sentimiento sino la evidencia; jamás lo adivinado y siempre lo gozado con noción plena de que se posee; nunca el silencio (el orden público) y sí la orquestada sinfonía (el flexible juego de la ley y las instituciones). Solitudinem faciunt, pacem appellant, decía Tácito. ¿El pedagogo suizo? No, ése era Pestalozzi; Tácito es otro más antiguo. Perdone que vuelva a Gómez de la Serna: el no haber muerto nunca es lo único que distingue a los vivos de los muertos. Culopollo interrumpió a Catulino. ¿Fue Tácito quien dijo que un pícaro bien dispuesto para la trampa, aunque sea hijo natural y cura rebotado, puede acceder a las más altas dignidades? No. ¿Y Demóstenes? No. ¿Y Zoroastro? Tampoco. ¡Pues sí que voy bien! Volvamos al latín de Tácito y glosémoslo: he ahí la trampa en la que el hombre cae (aunque no sin remisión, que el hombre vive soñándose a una pulgada de ser redimido para toda la eternidad). Ni el imán Jomeini ni el ministro Solchaga saben latín y, sin embargo, nadie tasa sus cabezas ni ofrece un premio en metálico a quien logre separarlas del tronco. El zurupeto Catulino, con la pluma de ave en la mano, escribió en voz alta: A veces, quien esto escribe piensa que no hay más paz que la del alma (la fabriquita del carburante del sistema nervioso) y sus adornos (la memoria histórica, el entendimiento político, la voluntad moral), y que la PAZ, con tres mayúsculas, no es otra cosa que la espiga de las mil paces juntas, cada una fluyendo por su más eficaz y mejor aceitado releje.

Fray Inmaculado de las Sagradas Vísceras, aupándose sobre los hombros de los doctrinos de la catecumenia de Torrejón de Ardoz, exclamó con voz relativamente tonante: Esto deberían escucharlo los imanes y los ministros, para el mejor y más airoso provecho de todos. Y Catulino siguió con su perorata. ¿Se podría decir catulinaria? Sí, ¿por qué no? Búsquese usted un Cicerón y proceda en consecuencia.

A veces, en cambio, quien cavila estas razones piensa de otra manera o, anegado en su propia y confusa paz, aun ni piensa: que ésa es la servidumbre de quien busca la paz con buenos deseos de encontrarla (por ejemplo, san Juan de la Cruz: Nunca el hombre perdería la paz si olvidase noticias, etc.). Es sensible la diferencia entre el pensamiento de san Juan de la Cruz y el entendimiento de don Esteban Campisábalos, marqués de Santa Librada y representante para los distritos madrileños de Centro, Buenavista y Chamberí de los preservativos lavables e irrompibles La Alsaciana Blonda. Sigue.

Buenos son y abiertos los mil caminos de la paz –éste, aquél y aquel otro– si a la paz conducen y en paz y no con guerras y calamidades: que la quiebra de los paladines suele ser el pensamiento de que la paz es corona y no estado, remate y no situación, penacho en vez de evidencia y cuerpo entero. Ninguno de los versos que compuso Liborio Lagunilla, el fraile del antifaz, en loor de la Virgen del Perpetuo Socorro fue recogido en el libro *Las mil me jores poesías en lengua española.* Aquí lo que pasa es que hay mucho rojo y mucho tomate. Sigue.

El hombre en paz perdona, en aras de la paz, los adjetivos que a la paz se cuelgan porque sabe que, aun sin decirlo, nada significan. Señalamientos como paz victoriosa, paz justa, paz social o paz lo que fuere constriñen (y también parcelan) la misma paz, concepto por esencia absoluto, esto es: inadjetivable, inconstreñible, imparcelable. La paz, como Dios, existe o no existe (y allá cada cual con sus fes y sus esperanzas) pero ni se fracciona ni se condiciona. A Catulino le hubiera dado tanto sosiego como confortación el que el imán y el ministro leyeran sus razones tras haberse descabalgado de su potro de orgullo. La paz es hija de las exactas y honestas nupcias del orden –esa pura justicia– y la justicia –ese orden sin mácula– y muere, incluso antes de enseñarse, si sus padres no están sanos como manzanas. A Liborio de Vicente le gustan las canciones, el vino y las mujeres, en esto se parece a Lutero y a Dionisio Papadopoulos, el cobista de la corte del rey Artús, pero aún más le gusta mear en el lavabo al tiempo de hacerse guiños rituales en el espejo. Sigue.

Imán Jomeini y ministro Solchaga: dejen de marear un momento y presten atención. De un orden tarado (un desorden) y una justicia parcial (una injusticia) no puede nacer la saludable paz (perdónese el redundante adjetivo). La paz, aunque el hombre no siempre se atreva a confesárselo, es el último y más íntimo anhelo del hombre, ese animal que lleva largos e inútiles siglos tratando de destrozarse a sí mismo porque se piensa aún peor de lo que es. Los dioses protejan al hombre del último y definitivo petardo y sus consecuencias finales porque el hombre, esa bestia antisocial y soberbia y presuntuosa, es más querido por ellos que por sí mismo (atribúyase parte de lo dicho a Juvenal). Lo malo va a ser el día en que los dioses, hartos ya del hombre y su cúmulo de necedades, dejen secar su amorosa fontana de tolerancia.

Un coro de cien ilotas borrachos entona el himno titulado *Las resignaciones y las sublevaciones* que, traducido al español y en prosa, dice más o menos así: La cabeza de turco que rueda por el empedrado o el cordero del sacrificio al que se desangra en la plaza pública con cruel y cadenciosa y venenosa deleitación, jamás resolvieron problema alguno: ni en las conciencias ni en las panzas.

LAS DUDAS DE LA PERSPECTIVA

Es difícil verse uno a uno mismo, verse con no demasiada simpatía y, a no dudarlo, sin pasión, verse pálido y con mala cara, recién salido del túnel del quirófano y con muy serias dudas rondándole por la cabeza, incluso rodándole por la cabeza abajo. Mi obligación es no guardar silencio y por eso me saludo con alborozo, también con cierto cauteloso comedimiento, al reencontrarme; para Francis Bacon el cuerpo sano es el hospedaje del alma y el cuerpo enfermo, su prisión. Prometo no callarme nunca hasta que la muerte o la arteriosclerosis, su bufo antifaz de cartón piedra, me lleve por delante o me corte la voz y el pulso, según. En el poblado de Villaflores hay un palomar sólido y solemne pero está vacío. Adelaida Rossetti vagaba en cueros por los alrededores del palomar del poblado de Villaflores, a veces llegaba hasta el camposanto de Horche, purísima y elemental como la órbita, pudiera ser que en recoleta clave ignorada, de una estrella lejana y misteriosa.

–No entiendo la conducta de ese astro.

–Ni yo. Y quizá ni él tampoco, pero ahí está el surco que su trayectoria va dejando en el cielo.

En aquella celda había una ventana a la que ni Moshe ni yo podíamos alcanzar aunque nos subiéramos uno encima del otro; al otro lado se veía la luz de la luna, no se veía la luna, y se escuchaba el brevísimo lamento de los agonizantes. Es doloroso llegar a la ancianidad sin decoro y sin dinero, las dos llaves de la ajena estima, de la pública estima muy cruel. Evgueni Dieff había sido sucesivamente carne de hospicio, carne de cañón, carne de prostíbulo, carne de hospital y va camino de ser carne de fosa común; a

Sarah le dijo las siguientes palabras: Me reconforta la idea de que nadie sabe que me defiendo del frío, del viento y de la humedad envolviéndome el pecho con papel de periódico, también el vientre; quizás esto no sea así pero yo lo imagino, prefiero imaginármelo. En el palomar se siente ya el rebullir de los primeros pichones, después vendrá el latido y más tarde el pecado: Séneca distingue entre quien no quiere pecar y quien no sabe y el pecador, con harta frecuencia, está más triste que un pinar cuando anochece (Lope de Vega). Cada pájaro vuela de diferente modo y no es más bello el vuelo del águila que el de la golondrina o el del búho o el del gorrión. Es difícil verse uno a sí mismo sin espejo ni fuente ni ojo que mira con amor, es difícil verse uno no más que en el envés de la memoria, demacrado, con las facciones desencajadas y el gesto de la boca cansino y gris, pero mi obligación es no callar sino decir las palabras según el orden en que se presentan. Lo malo es creer en las normas generales, cuando en el buen uso político casi todo son excepciones.

El zurupeto Catulino, inmerso en su lenta acequia de humildad, le dijo a Adelaida Rossetti las siguientes palabras: Amada mía de mi corazón, no me baño desde hace más de dos semanas y por las noches me paso las horas muertas tirándome pedos: éste para Salustio, éste para Virgilio, este otro para Terencio; también me tapo la cabeza para mayor deleite. Me alimento de coles de Bruselas y el poco talento que Dios haya podido darme lo estoy expeliendo en forma de gas por el esfínter (el esfínter por antonomasia es el del ano); mi organismo se está sublimando (Acad., 2.ª acep., está pasando directamente, esto es, sin derretirse, del estado sólido al estado de vapor) y esta eclosión de la espiritualidad me preocupa no poco. Isidoro el Meón le dijo a Liborio Lagunilla, el fraile del antifaz, las siguientes palabras: Nunca es tarde si la dicha es buena; observa, no obstante tu manifiesta estulticia, que los fundamentalistas islámicos tardaron cerca de siete siglos en darse cuenta de que Mahoma no le caía bien al Dante. Isidoro el Meón le preguntó a Segunda Ruesca Sediles, la cocinera de Adelaida Rossetti: ¿Son las fiestas familiares, los bautizos, las primeras comuniones, las bodas, los funerales, la apología de la resignación e incluso de la renunciación? No lo sé, pero casi siempre me lo parece. Isidoro el Meón se respondió a sí mismo porque Segunda Ruescas guardó silencio.

Por tres únicos senderos accede el hombre a la política: por el del abnegado patriotismo y el iluminado mesianismo cultural o social, que puede ser peligroso porque exalta los ánimos y conduce a la lucha; por el de la pleitesía al orden administrativo, que suele ser aburrido y se caracteriza por su afición a las obras públicas y al incremento de la policía, y por el del afán de aventura, que propende al pintoresquismo y aspira a recrear el mundo desde sus orígenes y de nueva planta; todo lo demás no son sino atajos trazados sobre arenas movedizas y condenados a fracasar. El primero sucumbe a manos de los militares, propios o ajenos; el segundo cae ahogado por la burocracia o empujado por las fuerzas del orden público, y el tercero se estrella contra las multinacionales y la economía de mercado. ¿Y cuál es el menos malo de los tres? ¿Hay nombres paradigmáticos que pudieran ilustrar cada supuesto? A la primera pregunta respondo: no juzgo porque no quiero ser juzgado ni soy quién para juzgar, nadie es quién para juzgar a nadie, ni aun los jueces, porque nadie tampoco puede adelantarse al juicio final en flagrante usurpación de los derechos de Dios. Y a la segunda, digo: sí los hay, naturalmente que los hay, pero no es mi papel proclamarlos. Las dos Coreas, la del Norte y la del Sur, aquélla mirando al Este y esta otra al Oeste (de Europa), acordaron usar el mismo himno en los Juegos Asiáticos de Pekín 1990; el diablo no estuvo atento y dejó huir una ocasión de oro para enmierdar el aire chino.

–Hermano Avelino, ¿me permite que le obsequie con un caramelito de menta?

–Gracias, hermana Consolación, prefiero que me adiestre en la técnica del carrete padronés; me han informado de que es usted muy experta en la maña.

–¡Favor que me hacen, hermano Avelino! ¡Favor que me hacen! ¡No me avergüence usted!

Es doloroso rendir viaje pobre. ¿Y desnudo? No; desnudo no, sólo pobre. También es ridículo rendir viaje pobre, es desairado. ¿Y enfermo? No; enfermo no, sólo pobre. El zurupeto Catulino está releyendo ahora a Ramón Gómez de la Serna, aquel escritor pasmoso. Es tan inédita la muerte, que el que va a morir inaugura la muerte como el primer muerto. Cuando Eva se quedó viuda, a Eva también le llamaron Vitalidad por ser la madre de todos los que viven, sus tres hijos, Caín, Abel y Set, tuvieron unas conductas dudosas, en el Génesis no se aclaran demasiado. Lamec fue biznieto de Irad, nieto de Caín, y tuvo dos mujeres, Ada, que parió a Yabel, el antepasado de los pastores nómadas, y a Yubal, el antepasado de los tañedores de cítara, y Sila, que parió al herrero Tubalcaín. Set nació después de muerto Abel. Cuando se derrumba el puente que va del sueño a la vida, muere un dormido. Sí, es vergonzoso verse a uno mismo zarandeado por la sombra de Jesusito de Rosendo, el poeta que se ahorcó de un algarrobo. Cuando la aguja de marear se dispara conviene no mirar para los confundidores imanes que desorientan el hierro. El palomar de Hita existe y se renueva, ¡vaya si existe y se renueva!, y sortea el rayo pagando su contribución a la muerte. Liborio Lagunilla, el fraile del antifaz, creía en las cooperativas agrícolas, en la salvación o condenación del alma según los vientos y en algunos clubes de futbol, en dos o tres. Liborio Lagunilla también era perito en palomas, tanto en su cría y adiestramiento como en su forma de cocinarlas con esmero cuando aún no habían perdido la consideración de pichones; don Esteban, el marqués, aunque despreciaba al fraile, procuraba arrimársele cuando barruntaba que se iba a encarar con el fogón.

El amor faz sotil al omne que es rudo,
fazle fablar fermoso al que antes es mudo,
al homne que es covarde fazlo muy atrevudo
al perezoso faz ser presto e agudo.

Maese Ruperto de Nola, cocinero que fue del Serenísimo Señor Rey Don Hernando de Nápoles, preparaba dos suertes de salserón para palominos asados, uno con pimienta y jengibre y el otro con queso y yerbabuena, que Liborio Lagunilla se sabe de memoria y prepara con maestría; la dieta de pichones con salserón con el uno o el otro, tanto tiene, también hacen sutil al hombre que es rudo, hacen hablar hermoso al que era mudo y hacen atrevido al cobarde y diligente y agudo al perezoso.

El zurupeto Catulino se aplica a su cura de humildad, nada

hay más hermoso que chapuzarse en la tibia y generosa fuente de la humildad, en la lenta acequia de la humildad (esto ya se dijo). Hay que ser muy humilde para poder transigir con la mentira. El veterinario Felicísimo Porma era algo descreído y a veces, cuando se le agudizaban las dudas, se volvía dogmático e intransigente. La religión y la irreligión se producen, según lo más probable, por atoramiento de un determinado capilar de la sesera y no es difícil que la irreligión se convierta en una religión o, al menos, se entienda y se interprete como tal: los catecúmenos de todas las ideas presuntamente libertadoras de los yugos que vienen atenazando al hombre desde sus orígenes, pudieran ser un claro ejemplo de lo que quiero decir; a Torquemada, el cardenal Segura, a Trotski, a Mao y a Jomeini, les funcionaba la cabeza de forma muy parecida. La aurora siempre se sorprende de vernos aún vivos.

Aún falta algún tiempo, la verdad es que tampoco demasiado, para que sobre el cielo pulido vuelvan a dibujarse los laboriosos zigzagues del vuelo de las palomas: si en vez del cielo se dice el firmamento parece que se hubiera querido nombrar la noche estrellada, y las palomas no vuelan de noche porque son ciegas en la oscuridad. El numísmata don Servando Soutochao, que también era protésico dental e hincha del Betis Balompié (lo que no se explica demasiado siendo natural de Chandrexa de Queixa, en la provincia de Orense y diócesis de Astorga), le dijo a mi primo el zurupeto Catulino, el de doña Pura: Le felicito a usted porque las loterías españolas, todas las loterías españolas, están cayendo en picado; lo siento por las arcas de los estrujadores de bolsillos prójimos pero me alegro por la conciencia colectiva de la nación. A más de uno con las riendas en la mano le va a doler, a no dudarlo, pero tampoco pueden basarse las políticas en las eficacias porque al final resulta que tal actitud, sobre impolítica, es ineficaz. En España, país cainita y centrifugador en el que en los cócteles oficiales debieran servirse paellas de distovagal, no es saludable que se descomponga nada –¿Ni aun la desmoralizadora lotería? Usted lo ha dicho: ni aun la prostituidora lotería– y los partidos políticos, entre nosotros, se descomponen por razones de ignorada fatalidad, tanto en el poder como en la oposición; para mí tengo que los partidos políticos españoles son como esas familias en las que todos se llevan mal porque lo único que quieren ver es la paja en el ojo ajeno. A la contralto Gertrudis Balazote, alias Braga de Hierro, que era tía de la niña Micaelita la de los Escobonales, no le duraban los novios porque le olía el aliento. ¿Y eso es pecado? ¡Pues claro que es pecado! Lo que yo le digo es que de nada vale querer parar el sol con el pensamiento, con el sentimiento, con un poema, porque el sol, que es el símbolo de todos los desprecios, rompe a andar en cuanto escucha el primer verso. Manuel Machado –y no ningún otro, digamos Gerardo Diego como alguien puso en letra de molde por citar de memoria– decía que la poesía es inefable; ya quedó explicado que lo contrario es el axioma ya que, por definición, la poesía es fable porque se dice y se escribe con palabras y no –recuerde que lo que se dice es de Antonio Machado– con mármoles ni músicas ni pinturas. Para Jorge Guillén la poesía no reside sino en el poema, pero sobre todo esto se ha de volver con más espacio por delante, que por hoy ya cumplo con ser prudente. Don Obdulio Valdesangil, el canónigo lectoral de Coria y primo del marqués, amaba muy prudentemente la prudencia, el más firme de los muros porque ni se desploma ni puede ser minado, al decir de Antístenes. En el *Martín Fierro* se lee:

> *El hombre ha de ser prudente*
> *para librarse de enojos:*
> *cauteloso entre los flojos,*
> *moderado entre valientes.*

También desarrollaré por lo menudo –siguió lucubrando Catulino Jabalón Cenizo– mi vieja idea de que el hombre sano no tiene ideas; a veces pienso que las ideas religiosas, sociales, políticas, no son sino manifestaciones de un desequilibrio del sistema nervioso, que se agudizan con el exilio, la única purga que no aligera el cuerpo ni el alma. Talleyrand dijo a Napoleón unas palabras tan dramáticas e incluso crueles como certeras: los exiliados ni aprenden nada ni olvidan nada. Yo daría cualquier cosa por convencerle a usted, mi querido amigo, de que es muy dramática la falta de interés del Estado por la literatura, la falta de respeto de los editores por la literatura, la falta de amor de los escritores por la literatura. España es un país de pequeños tramposos sin más norte que el de subsistir; los grandes aventureros españoles –el Cid, Hernán Cortés, Picasso– lo fueron siempre a contrapelo de las instituciones. El zurupeto Catulino informó a Adelaida Rossetti que de tanto comer coles de Bruselas se estaba sublimando; la ninfa corita del palomar (del poblado de Villaflores) y del camposanto (de Horche) se conoce que se fue de la lengua porque a los pocos días Catulino recibió una carta de don L.M.A.P., vecino de Sant Boi, Barcelona, pidiéndole bibliografía sobre el pedo. La noble voz se documenta ya en el siglo XV, *Glosario del Escorial*, Américo Castro, *Glosarios latino-españoles de la Edad Media*, Revista de Filología Española, Anejo XXII, Madrid 1936, «*bombus, -i*, por pedo, *oletum, -i*, por pedo», y en el *Cancionero de Baena*, folio 35v, v. 5 «con el más pequeño pedo», además de en *La lozana andaluza*, mamotreto XLIII, «Esas castañas son para que se ahíte ella, y tú con sus pedos», y en Quevedo, soneto *Nikafjou*, v. 1, «La voz del ojo que llamamos pedo», y la bibliografía en torno al concepto es muy abundante aunque con frecuencia, harto pedestre. Catulino, sin embargo, en su afán de servir a la cultura, nos envía las dos fichas que se reseñan: *La Oración que en defensa de'l Pedo (pro crepitu ventis) compuso el Doctísimo y Célebre don Manuel Martí, Deán de la Iglesia de Alicante*, Sevilla s. a., y *L'art de péter, essai théori-physique et méthodique*, sin constancia de autor, Westphalie MDCCLXXVI; el primero de los libros se lo regaló al zurupeto Catulino su buen amigo el doctor Ramón Balter, suegro de Gerardo Fernández Albor, el primer presidente de Galicia (el ejemplar conserva el ex libris de don Ramón dibujado por Urbano Lugrís), y el segundo, su también generoso amigo el profesor Marcel Bataillon, presidente del Collège de France. Quizá merezca también citarse *Le Pétomane, 1857–1945*, por Jean Nohain y F, Caradec, París 1967 (hay una traducción al español de Ana Cela, Madrid 1970) casi todo lo demás es basura.

No es fácil, no, el ensayar a situarse al margen de las dudas de la perspectiva, y de nada nos ha de valer la socorrida coraza del Giotto, el respetuoso pintor que trataba a los ángeles de usted: póngase detrás y no encima los unos de los otros –les decía a los que le sirvieron de modelo para la *Madonna* de Ognissanti– porque están unos delante y otros detrás pero ninguno encima ni debajo de ningún otro, ¿es que no lo ven?

Don Servando Soutochao reprocha a Catulino Jabalón Cenizo el que haya querido situarse por encima de las dudas de la perspectiva. No, amigo mío, no y mil veces no; no se pueden pescar truchas a bragas enjutas y para lidiar el toro resabiado, cinqueño y corpalón de la amarga tragicomedia de la política, hay que bajar al ruedo y arrimarse, que la cosa tiene otras compensaciones para quien cree en ellas: el coche oficial, el teléfono oficial, el timbre oficial, la escolta a la que se manda a recados, la reverencia de quienes cobran por hacerla, el dinero a raudales que se atesora pensando en el futuro, las suculentas comidas (y a veces también el guardarropa) a expensas del erario público, las inauguraciones, los viajes, los diagnósticos pintorescos que se aplauden, etc. Sí, don Servando, todo eso ya lo sé –le replicó el zurupeto Catulino–, lo que pasa es que a mí no me llama mayormente la atención. Yo ya soy demasiado viejo para aspirar a vivir del trabajo de los demás, que a lo mejor es la gran fórmula mágica, ¡vaya usted a saber! Cuando los huesos se endurecen y las carnes se enrancian, es muy difícil pedir flexibilidad y oportunidad bastante a los movimientos. A mí me hubiera gustado robar la cabellera de Berenice pero no me duele que ahora sea la hermosa constelación de siete estrellas que luce en el firmamento. Amo el amor, el gran maestro, y declaro que no me canso de leer a Shakespeare. Las compensaciones de este bajo mundo, quizá salvo el claro sonido de la palabra, no son jamás bastantes.

Al eunuco Salem al-Lubiyá le cortaron la cabeza porque no quiso ser discreto. Los campesinos de Castilla la Nueva dicen «querer» queriendo decir «poder», y en el arranque del Quijote quizá debiera entenderse que el narrador no es que no quiera sino que más bien no puede recordar el nombre del pueblo en el que vivía el caballero. No es lo mismo preferir borrar la memoria que no acertar a conservarla.

LA CIGÜEÑA COJA

El día se levanta frío y luminoso y en el aire se mece el ave de rapiña en su majestad. Las primeras palomas a las que fui soltando después del rayo no se despegan del alar sujetas por el miedo y la cigüeña coja de la tía Virtudes se ciñe al muro de la corraliza por cautelosa precaución. Medín Vallejo, el poeta que va a morir antes de un año, recita solemnemente pero sin abrir la boca, esto es, para adentro, el poema que dedica a su vecina Eurídice: Suplícame con los manantiales habitados por los helechos del olvido tus ojos llenos de lágrimas recuerda que jamás ningún reloj de arena ningún reloj de sol ningún reloj de sangre fue tan desgraciado. Un perrillo sarnoso enguila con mucho comedimiento a una perra de lana repeinada y collar de hebilla mientras una niña deja de jugar al diábolo para mirar con infinita atención, casi con lírica calentura. Don Servando lee el periódico en voz alta a los contertulios de la bodega de Fabián Tajuelo.

–Seiscientos millones de seres humanos padecen hambre.

–Serán chinos.

–Bueno, no todos.

–Y mil quinientos millones de personas ni han visto un médico ni han tomado una medicina jamás.

–Serán indios.

–Bueno, no todos.

Los gastos militares andan por los ciento cincuenta billones de pesetas al año, a lo mejor son más, con los que se podría dar de comer de balde y vacunar a la legión de hambrientos sin salud, a la caterva de la amarga vergüenza de la enfermedad, al desconcierto y el desorden. ¿Es eso la injusticia? Sin duda alguna de ahí el error de Goethe, el hombre que se creía aún más ordenado y justo de lo que era. Don Servando Soutochao, en un aparte, le dijo a don Esteban Campisábalos casi al oído.

–Dos cosas, señor marqués: una, que la Isabelita las traga dobladas, lo sé de muy buena tinta, me lo dijo quien tiene motivos para saberlo, y otra, que el político, permanentemente asediado por incitaciones a la vulgaridad, acaba no teniendo ni tiempo para pensar y discurrir.

–¡Anda, pues es verdad! ¡No había caído en eso!

Don Trinidad está escribiendo una glosa sobre la glutenofobia que empieza así: Determinado consejillo higiénico y estético que me permití brindar, rebosante de buen propósito y sano espíritu de concordancia, a mis deudos y allegados sobre la conveniencia de prestar más palpadora atención al rulé de nuestros compatriotas, levantó tales oleadas de historia entre los meapilas tanto de derechas como de izquierdas que, en mis atribuladas reflexiones, tomé la pluma para arbitrar un breve discurso sobre los gluteófobos y otras suertes de estrechas del espíritu y los cinco sentidos que a todos nos regaló Dios Nuestro Señor, etc.

El día se levanta diáfano y fresquito y en el aire se columpia el gavilán en su soberbia. En un rincón del patio tengo una higuera y una minúscula matita de violetas, la costumbre es decir la tímida violeta. Para Napoleón nada había más difícil que decidir. En otro rincón del patio también crece, es una manera de hablar, un mínimo matojillo de fresas, la costumbre es decir la aromática fresa. El vate Casto Bolbaite Alcozarejos enseñaba tres síntomas de debilidad o al menos de confusión mental: la propensión a hablar por siglas, la afición al uso de apodos y el gusto de escribir las cantidades en cifra y no en letra. Don Servando le dijo a don Esteban:

–Otra cosa, señor marqués, el buen militante ruega a quien corresponda que le haga comulgar con ruedas de molino. ¡Todo menos la razón, amado jefe! ¡Y nada antes que la obediencia ciega!

El veterinario Felicísimo Porma, dudaba, con Nietzsche, entre suponer que el hombre era un error de Dios o Dios un error del hombre; en cualquier caso, alguien se equivocaba. Cuando se sabía creyente Felicísimo optaba por el primer supuesto, que admitía la existencia de Dios que creó al hombre a su imagen (lo que tampoco se explica dado el resultado), y cuando se sentía ateo, o al menos agnóstico, Felicísimo se quedaba con el segundo, que reducía la noción de Dios a una criatura del hombre y a su imagen. Así no vamos a ningún lado y lo que se precisa es tener fe, no importa en qué suceso o espíritu. No lo crea usted si no quiere pero se me informa por fuentes autorizadas que el zurupeto Catulino, la otra noche, que estaba con una pea de pronóstico en el cabaret Satán, antes Los Siete Deseos, decía a voz en grito a todo el que quisiera prestarle oídos:

–Esto de negarme el Cervantes es como lo de matar a los Kennedy, una costumbre, algo así como un deporte nacional.

El cabaret Los Siete Deseos quebró por exceso de retórica; el cabaret los Siete Deseos estaba decorado con animales de delicado adorno, cisnes y galgos rusos (no animales de cálido adorno, guacamayos y serpientes de cascabel), flores secas y bellísimas, nenúfares y orquídeas, árboles inciertos, camelias y magnolias, y mujeres lánguidas y viciosas; el cabaret Satán se levanta sobre la ruina de su recuerdo. El zurupeto Catulino le decía a una puta gorda teñida de rubio:

–Mira, Margot, hace unos años, digamos que cuatro o cinco años, sentía un deleitoso e inevitable regodeo cuando leía en los periódicos que mi nombre sonaba con insistencia para el premio Nobel; después, a fuerza de no llevármelo, empecé a bañarme en humildad, virtud de la que hoy me siento empapado; me ayudó mucho, sin duda, el que no me dieran ni el Cervantes.

La gorda y rubia Margot usaba un vocabulario reducido, durante muchos años no dijo más que «palpa aquí, palpa aquí», después aprendió a preguntar la hora y a pedir pitillos. Estáte quieta, Margot, coño –le decía el seminarista Alex García–, en las universidades del este de los Estados Unidos, Harvard, Yale, Pensilvania, Princeton, Columbia, Cornell, ya no fuman más que las mujeres y los negros. Pero yo soy mujer. Sí, eso sí. El zurupeto Catulino, cuando dormía la borrachera se despertaba lleno de remordimientos y muy triste.

–Al final he descubierto, Margot, que lo único que no se ha movido en mi ánimo es el amor por la literatura que, en definitiva, es lo que más me importa e incluso lo único que me importa.

La cigüeña coja lleva ya tres años sin viajar, por los inviernos duerme en la corraliza de la tía Virtudes para defenderse del frío y del viento del norte, del malintencionado cierzo. El zurupeto Catulino le dijo a la puta gorda teñida de rubio:

–Mira, Margot, mi caso es muy dramático aunque te dé la risa. Ahora me doy cuenta de que fracasé en mi andadura por el camino del éxito y no sé si será ya algo tarde para empezar a marchar por el sendero de la felicidad; no estoy aún demasiado viejo ni muy enfermo, pero puedo estarlo en cualquier momento y eso me espanta. ¿No me encuentras cierto parecido con la cigüeña coja de la tía Virtudes? Mira, Margot, mi deseo sería morir ahogado en la mar, o enfermo y hambriento pero en la mar, y que mi cadáver no apareciera nunca; cuando las aguas se hielan sobre los cuerpos muertos y perdidos, en ese mismo momento, las historias de los pescadores arriesgados se atascan en las gargantas, en los corazones y en las cabezas. Mira, Margot, tú no me hagas caso, no me hagas nunca demasiado caso, yo tampoco lo necesito.

En el palomar de Hita ardió la tradición, también el rayo es una tradición, y ahora se están ordenando las moléculas de la tradición que nace. Don Braulio, el juez de delitos monetarios, no era misericordioso; es insano deleitarse con el derecho administrativo, es deformador y puede acarrear malformaciones del espíritu y sus tendencias: al norte, el amor al prójimo; al sur, la caridad; al este, la buena mano en el juego, y al oeste, la rara maña de encontrar a la primera tesoros escondidos.

Isidoro el Meón, el personaje central de *Símbolos y veleidades*, la novela que está escribiendo el zurupeto Catulino, el de doña Pura, se adelantó hasta las candilejas, carraspeó un poco para aclarar la voz y dijo:

–Lo único que no consiento a las mujeres es que se afeiten el sobaco; a mí no me gusta, vamos, que me parece una herejía que el sobaco de una cristiana tenga consistencia y calidad de coño de mora. ¿Que me llama usted racista? Bueno, llámeme lo que quiera.

Llevamos ya varias horas de día; seguramente alguien ha muerto mientras alguien nace y alguien escapa hasta de su sombra, es la ley que gobierna estos zurrados pagos históricos. El día se levantó frescachón y con todas las lámparas del cielo prendidas y en el aire brinca sus acrobacias el halcón jaquetón en sus orgullos, que por aquí no presume más que quien puede hacerlo aunque los demás sufran y se molesten. Sergio Casaldáguila el Tuerto se sentó ante el espejo algo despatarrado, se sacó la polla (no Acad.; sí carajo, cipote, picha), se sacó también la dentadura postiza, la colocó sobre el príato (no Acad., aunque sí prianismo; sí Fernández de Moratín y Pérez de Ayala), decía que la colocó sobre la verga a guisa de trofeo y sonrió. ¡Lástima de foto! La cigüeña coja de la tía Virtudes está como triste y amodorrada, el frío no le va y padece mucho hasta que se levanta con paso firme la primavera; las cigüeñas sanas, las cigüeñas viajeras, suelen presentarse por san Blas, naciendo el mes de febrero, aún con hielo en el aire pero también con la esperanza flotando en el aire. El veterinario Felicísimo Porma cultivaba ideas disolventes en el sentimiento. El enemigo del país es el Estado, ahora procede escribirlo con la inicial mayúscula para que destaque más; Max Weber llamaba asilo de prebendados al Estado, se trata de que cada cual juegue su carta y ensaye su personal aventura, por ejemplo André Malraux. Los países medrarían más lozanos y ágiles sin la viscosa rémora del Estado. Liborio Lagunilla, el fraile del antifaz, era todo oídos. El sinapismo de la nación es el gobierno. El fraile del antifaz se preguntó: ¿Se puede también pecar con el oído? Sé bien que se puede pecar con la vista deleitándose en la contemplación morosa de lo que está vedado por la decencia, y con el tacto palpando lo que no se hizo para ser palpado sin perder la honestidad, y con el gusto relamiéndose entre la gula y la lujuria, y con el olfato oliendo las interioridades pero, ¿también con las sensaciones que se cuelan por las orejas? Naturalmente; los oídos deberían taparse con plomo derretido para evitar que por ellos pudiera colarse la contagiosa blasfemia contra los santos gobernantes del mundo. Las naciones vivirían más sueltas y a su ser sin el atenazador y fantasmal cabrestante del gobierno. Blasito Sequeros, o sea José Pascasio Ramírez, Culopollo, pasó a llamarse fray Inmaculado de las Sagradas Vísceras cuando entró en religión. España es un pequeño país situado casi en la linde del tercer mundo que encierra una literatura desproporcionada, por sus gloriosas dimensiones y calidades, a sus escasos arrestos. La literatura española ha sido un timbre de orgullo y una patente de prestigio ante el mundo entero y tan sólo los gobernantes españoles, en su necedad histórica, en su dramática y mantenida estulticia, han desoído el clamor de su grandeza. ¿Para cuándo las ediciones de los clásicos solventes y al alcance de todos? ¿Hasta cuándo se seguirá suponiendo que los derechos de autor de los clásicos deben recebar las arcas de los comerciantes? El fraile del antifaz siguió pecando con el oído cuando escuchó que el parásito de las instituciones es el funcionario. ¿Usted cree que las instituciones marcharían mejor sin funcionarios? Sin duda; día llegará en que se basten con una computadora a la que se le habrá metido la ley por sus rendijas. Felicísimo Porma compuso su más resignada sonrisa para preguntarse:

–Salta a la vista que el queso está podrido pero, ¿que más nos da saber por dónde empezó a pudrirse?

Tu madre tomó el camino de la costumbre y no el del sentimiento y te hizo muy desgraciada. El día está calmo, sereno y brillador y en el aire ensaya sus gimnasias el águila en sus elegancias militares, en esto se parece al lobo que trota por las naves.

Catulino Jabalón Cenizo, el zurupeto Catulino el de doña Pura, solía pasear a eso de la puesta del sol con el veterinario Felicísimo Porma, el de las ideas europeas.

–Sé de sobra que cometí el error de no morirme joven, eso es algo que no me perdonarán nunca, yo debí morirme antes de cumplir los cuarenta años, nadie debiera vivir más de treinta y cinco o cuarenta años, hay que dejar sitio a quienes vienen detrás y tienen prisa por sentarse en el sillón del padre; un buen momento hubiera sido cuando iba por la cuarta o quinta novela, la verdad es que tampoco es necesario escribir más, ni necesario ni quizá conveniente porque los críticos se fatigan y los lectores se confunden.

El veterinario le dio la razón con argumentos que sería muy doloroso repetir aquí porque la literatura no se hace con ingenio sino con talento y sentimiento a partes iguales (proporción no matemática); hay razas y pueblos, también familias, claro, en los que están todos de tan mal humor que no tienen tiempo para la felicidad. El hermano Avelino, el de los milagros fáciles, dijo que había oído decir que el ingenio era el antifaz del talento y el excipiente del sentimiento; bueno, tampoco es así aunque pudiera parecerlo, las cosas se perfilan mejor confundiéndolas un poco. La vida no es jamás tan dura como algunos héroes religiosos y sociales suponen, y nacer, crecer, reproducirse y morir es más fácil de lo que parece a una primera vista (Frederic J. Sugar, *Adulterodromo II*, Coimbra 1903; cito por la 2.ª ed., Lisboa 1911, porque el ejemplar de la 1.ª que conservaba en mi biblioteca me lo robó María de la Visitación Méndez, la fallecida esposa de mi hermano Saturnino el cura).

En el palomar de Hita y en su cresta de viento rompen a volar, recién digerida la leche de paloma (que también es de palomo) que aún ayer les dieron las madres (y los padres), los pichones de la primera promoción después del rayo y las lagartijas de la muralla y los lagartos del polvoriento camino los miran con más aburrida indiferencia que espabilado interés. En la puerta de la muralla luce el escudo de los Mendoza y en un rincón cuelga a secar la ropa de la colada de alguien; de la picota no queda más que el fuste descabezado que se defiende sobre una base reciente pero salvadora. La cigüeña coja pasea para arriba y para abajo sin que los perros ni los niños la hostiguen; a veces se desata la paz por los senderos más ignorados y difíciles. La cigüeña coja cometió el error de no morirse joven, aunque fue perdonada. Hay quien dice que dentro de la cigüeña coja se esconde santa Mercedes Tadea, virgen y mártir, con su mismo corazón: santa venerada, tú que cifraste el ideal de la amable santidad en el fiel cumplimiento de la voluntad divina, haz que de tal modo conformemos a ella nuestros deseos, etc.; cuando alguien reza con verdadera unción estas palabras a menos de cien pasos de la cigüeña (se repite tres veces y se rezan tres padrenuestros, avemaría y gloria), la cigüeña está dos o tres días sin cojear.

En el cielo no se pinta ni una sola nube y el chamariz verde y amarillo brinca de rama en rama de la encina; el suelo está lleno de bellotas y Catulino piensa que hubiera podido criar un puerco entre ecológico y pata negra. La niña Micaelita Balazote me silba canciones y me va a recados y yo le correspondo regalándole chicle y tebeos. ¿Me silbas la *Marcha Real*? Sí, señor. ¿Y *Marcial, eres el más grande*? Sí, señor, también. ¿Me vas a buscar el periódico? Sí, señor. ¿Y papel de escribir? Sí, señor, también. Dentro de unos años a la Micaelita Balazote, que ya será mocita, la desvirgará cualquier gárrulo estudiante de derecho o escribiente de una oficina inútil, un juzgado inútil, un registro inútil, y la criatura estará diez o quince días sin silbar. Es probable que Catulino Jabalón Cenizo y la cigüeña coja de la tía Virtudes se hayan equivocado no muriéndose hace ya algún tiempo; lo que pasa es que ellos no se dan demasiada cuenta porque tampoco están tan mal ni desguarnecidos en este bajo mundo.

La tarde cae más templada que la mañana y de color de oro –la mañana era de color de plata o de rocío frío– y el ave carnicera, rebosante de dignidad y empaque, vuela de retirada hacia el alto risco. Han pasado ya tres meses del año y la cuenta se echa por refranes: Cada día que pasa de enero pierde ajos el ajero, en la ristra que no en el suelo. Como usted sabe, los ajos son buenos para el reuma, le dijo don Servando al marqués. Sí, amigo Soutochao, eso lo sabemos todos. Avena en febrero llena el granero. ¿Sabes hacer sopa de avena, dándole gusto con higadillo, molleja, sangre, madrecilla y yemas de codorniz y la planta que dicen alegría?, le preguntó Emerenciano Valle, al criado redicho, al vate Casto Bolbaite. No; yo, no, pero mi madre, q.e.p.d., la cocinaba muy sabrosa y hasta le añadía un chorrito de ajonuez bien pasado por el chino. ¿Recuerda usted aquello que se dice de que en marzo, los almendros en flor y los mozos en amor?, le dijo el médico Tárbega a la contralto Braga de Hierro, la tía de la niña Micaelita. Soy ya muy vieja y fui siempre muy decente, ¡pero vaya si me acuerdo! ¡Me acuerdo muy bien!

EL MIRADOR DE EL CLAVÍN

Asomado al mirador de El Clavín el curioso zurupeto Catulino puede ver medio mundo, bueno, digamos que casi medio mundo; éste debe ser buen sitio para subir en globo. Los árboles de hoja perenne, la encina maternal, el olivo prieto, el ciprés tupido, no se entretienen en fingir la muerte y siempre enseñan pájaros vivos en su regazo, pájaros que durante el frío no pierden ni el color ni la saltarina impaciencia. Por el norte, no se alcanza a divisar Atienza y las parameras de Soria porque las tapa la sierra de La Bodera, más allá del Robledo de Corpes, donde la afrenta a las hijas del Cid, y por el noroeste la vista se da con el Ocejón, el pico más alto del contorno, en la Tierra de Ayllón que también es segoviana. Los árboles de hoja caduca, el quejigo escuálido y noble, el sauce sentimental, el chopo airoso, juegan a engañar a la vida simulando la muerte y por eso Ceres, la celosa y munífica diosa de la verdura de todos los huertos y bosques, los castiga quitándoles los pájaros y poblándolos de fantasmas de ahorcados y de estrangulados.

El mirador de El Clavín está algo al sur del caserío de Guadalajara y a cuatro leguas escasas del palomar de Hita. El mirador de El Clavín se encuentra, recortado en su laderilla, en el rumbo del palomar del poblado de Villaflores y el campamento de Horche pero no en el camino de los lagos y la Alcarria de Cuenca sino en el de Chiloeches y la Alcarria de Madrid; por estas tierras que se pintan sobre el hondo tajo por el que el río Ungría se escurre en busca del Tajuña anduvo Álvar Fáñez Minaya ganándole el horizonte a los moros. El zurupeto Catulino tiene un amigo dadivoso, don Paco el de las truchas, que le regaló un catalejo con el que se pueden ver los hombres pájaros tirándose a volar desde el Colmillo de Alarilla, otra Taragudo y Humanes; descrismarse contra un cerro, piensa el zurupeto Catulino en su sincera timidez, es más decente que morir medio anestesiado y con la cabeza ida en un hospital. Jamás encierres tu alma en la prisión de tu pensamiento, le dijo Shakespeare a don Servando Soutochao.

Por estas fechas hace cinco años que Tórtola Méndez, hetaira turlequeña, moría degollada por un mocito barbero; poco antes de que le segaran el cuello, la putarazana Tórtola pronunció las siguientes palabras ante el espejo, a saber:

–Me pasé la vida yaciendo y yogando, o sea jodiendo y follando y ahora que voy a morir sólo quiero dar gracias a Dios por lo mucho que gocé y pedir perdón a Dios por lo mismo.

El zurupeto Catulino invitó a vermú a sus amigos los poetas Emerenciano Valle, el del jabón de los Príncipes del Congo; Casto Bolbaite, el que juró a su madre moribunda que no volvería a escribir versos jamás, y Medín Vallejo, que el pobre va a morir antes de un año; a Jesusito de Rosendo no le pudo invitar a vermú porque estaba ya muerto, se había ahorcado de un algarrobo, pero convocó su espíritu con el velador de tres patas y tuvo el deleite de poder contar con su comparecencia.

–Gracias, amigo Jesusito, sabía que no había de fallarme.

El zurupeto Catulino tomó aliento y empezó a hablar.

–Miren ustedes, mis distinguidos colegas –les dijo–, me he permitido ofrecerles esta modesta copichuela para rogarles que se sirvan escuchar el primero de los *Tres sonetos entre el amor y la muerte* que escribí en homenaje a don Francisco de Quevedo; otro día les recitaré los otros. No soy el barón de Sussex, bien lo sé, pero también me doy maña en esto de componer poesías, ya verán; a mí me parece que lo importante es el sentimiento ya que detrás de él marchan el argumento, el pensamiento, la emoción, la belleza, el equilibrio y todos los demás ingredientes de la poesía. Este primer soneto dice así:

Ya puedo acostumbrar mi calavera
al hueco justo y el terrón baldío.
Pruebe ya el frío si he de ser del frío
y luego salga el sol por Antequera.

Ya sé que abril no es todo primavera,
ni es toda luz la hermosa piel del río.
Por las ventanas rojas del estío
la sangre asoma su letal frontera.

Cruza, barquero, pronto la laguna,
que en mis bardas de ayer el sol se pone
trayendo noche a lo que fue la vida,

y acércame los cuernos de la luna
para que me persiga y me empitone,
y al fin salga por pies de la corrida.

¿Verdad que mis versos quedan muy líricos y sentidos? A poniente del mirador, las noches despejadas, se ve la luz de Madrid con sus estupores. Don Modesto Cabezabellosa, el recaudador de contribuciones, le preguntó al veterinario don Felicísimo:

–Lo contrario del sentido común, ¿será el sentido propio?

–Pues la verdad sea dicha, no lo sé, ¿qué quiere decir con eso del sentido propio?

–Lo ignoro, puede usted estar seguro, por eso me lo pregunto.

–Pues yo pienso, siguiendo un poco la huella de Epictete –terció don Servando–, que el sentido común quizá pueda ser la buena o, al menos, la normal disposición generalizada, esto es, el nivel de percepción y razonamiento al alcance de las inteligencias medias, que permite comprender las cosas, los hechos y los juicios.

Don Modesto dio un cierto giro a la conversación.

–Créame si le digo, amigo Porma, que la verdad no necesita cómplices; la verdad es o no es pero no necesita cómplice ni suerte alguna de andaduras mientras que a la mentira –y ésa es su servidumbre– no le bastan ya que también precisa encubridores.

–¡Está usted filosófico, querido amigo don Modesto! Por cierto, ¿resolvió ya el problema del incendio, el fraile y la avispa?

–No sea usted guasón, don Felicísimo, y no tome a cachondeo mis sentimientos!

A los políticos del mundo entero, más a unos que a otros como es natural, habría que exigirles que recordasen (o aprendiesen) que para Sócrates el mal comportamiento es un error; don Modesto Cabezabellosa piensa que el error también es un mal comportamiento. El fantasma del verdugo Estanislao era muy descuidado y hasta llevaba sucio el camisón y revuelta la pelambrera. Don Avelino de Blas, el párroco de los Dolores, se lo encontró lavándose los pies en el arroyo del Abroñigal, que hoy ya ha desaparecido y no es más que un recuerdo histórico, y fue y le dijo dice:

–Mira siempre con mucho respeto lo que está por venir, Estanislao, porque ni sabes siquiera si ha de venir o no o si has de verlo o no; la muerte y el azar son capaces de disolver el porvenir y borrarlo o de desviar el porvenir y cambiarlo por otro.

En el mirador de El Clavín las calles tienen nombres de árboles: los Olmos, los Castaños, los Robles, los Tilos; en un tejado de la calle de los Guindos, don Braulio, el inmisericorde juez de delitos monetarios, vio tres palomas del palomar de Hita posadas con elegante displicencia.

–¿Se da usted cuenta qué descaro, amigo Catulino, qué manera más despectiva de disimular?

–No, don Braulio, no lo tome usted a mal; no es más que su manera de ser.

Asomadas al mirador de El Clavín las quince almas en pena de los últimos húsares del despoblado de Fuenlespino hablan con las tres palomas del palomar de Hita:

–En cuanto os alcéis unas varas del suelo podréis tener a la mano las cuatro tierras: la Campiña, en el Camino de Madrid, entre el Jarama y el Henares; la Alcarria, que más allá de los lagos se mete en Cuenca hasta la Puebla de Don Francisco Ruiz Jarabo, o sea Garcinarro, y Cañaveras; la Sierra, que envuelve la Campiña y la Alcarria y linda con las provincias de Madrid, Segovia y Soria, y el Señorío de Molina que toca con el reino de Aragón, con los pagos zaragozanos y turolenses.

Don Servando comenta con el marqués de Santa Librada la colección *Archivos de ediciones críticas* de escritores americanos en lengua española y portuguesa en versión fijada por los más solventes estudiosos (noción que encierra no poco peligro) y publicada y lanzada bajo los más altos auspicios: la Unesco, el Rey de España y el presidente de Francia (?). La memoria y el buen entendimiento, siempre se dijo, son las dos cajas de resonancia del alma en sosiego. En España y en estos momentos hay diez o doce escritores vivos de la misma entidad que las diez docenas de difuntos hispanoamericanos que ahora se desentierran con tanto mimo; dejemos a nuestros españoles vivos que sigan viviendo en paz y no precipitemos acontecimientos ni exequias pero, ¿qué acontece con los gloriosos nombres de los prosistas del 98 y los poetas del 27? ¿Hasta cuándo la orfandad de una presentación y una comercialización inteligentes? ¿Para cuándo, la atención política y generosa de quien proceda? ¿Por qué el ministerio de Cultura, que anda a la caza de competencias para rellenar el hueco de las muchas que se le mermaron, no ensaya la defensa de la literatura española? ¿Por qué no equilibra prudentemente sus inclinaciones políticas y aun sus simpatías nacionales?

Los doctrinos de la catecumenia de Torrejón de Ardoz sacaron en hombros por la puerta grande a fray Inmaculado de las Sagradas Vísceras que iba mascullando por lo bajo:

–El hombre de acción escapa de la muerte jugando con la vida, ¿está claro?, mientras que el comtemplativo se libra de la vida acariciando la idea de la muerte. ¿Está claro?

El fantasma de don Íñigo López de Mendoza, marqués de Santillana, va mucho más aseado que el del verdugo Estanislao, ¡aún hay clases! Don Catulino Jabalón Cenizo suele pasear con él a la mañana temprana porque le gusta escuchar su español melodioso y bravo, sonoro y preciso como un trallazo en el aire. En la rama de un árbol se cuelga un enjambre bullidor al que un mozo mañoso mete en un capazo y se lo lleva. El 5 de mayo, o sea el día de san Sacerdote patrón de Sigüenza, don Modesto Cabezabellosa pensaba haber llevado a bailar a Tórtola Méndez, la rabiza natural de Turleque a la que el barbero Olegario Méndez (eran primos) degolló con tanto aseo como falta de miramiento.

–Yo no he mandado a mis tres enemigos del alma a luchar contra los elementos, ¡paciencia y barajar, hermano, que nunca falta un roto para un descosido!, la pena es que la pobre Tórtola, q.e.p.d., iba a estrenar la minifalda que le regalé; si la amortajásemos con la minifalda, ¿la dejarían entrar en el reino de los cielos?

Haya que ser de algún sitio para tener manías y mirar por encima del hombro a los demás, también para sentirse orgulloso y patriota. El zurupeto Catulino lleva ya algún tiempo pensando si no sería prudente, quizá fuera prudente, repoblar los despoblados con ecologistas de diferentes razas y aficiones: el de Arillares, más allá de Val de San García y por debajo de la sierra de Megorrón, con bretones gimnásticos que cultivasen patatas biológicas; el de la Conchuela, entre Mondéjar, Fuentenovilla y Pozo de Almoguera, con tiroleses musicales criando gallinas alimentadas a grillos y lombrices; el de Fuenlespino, con estudiantes frustrados y curas con la vocación borrada; el de Valdeolmena, con negros lustrosos; el de Fuenbellida, con pieles rojas añorantes y silenciosos; el de Santiago de Vilillas, con chinos armados de paciencia, y así sucesivamente. Desde el mirador de El Clavín se pueden situar los despoblados sobre poco más o menos, aunque la geografía es arte que perdona la imprecisión. La mirada sigue los caminos que se le reservan en el cuadro, decía Paul Klee, y nadie debe sentirse jamás mentor de nadie. Si los moralistas hubieran pactado con los modistas, las mujeres serían un dechado de decencia y llevarían la falda larga y el escote recatado, pero no supieron actualizar ni su táctica ni su estrategia, se empecinaron en usar artes prescritas y en querer seguir imponiéndose por el terror y esa actitud les llevó a que fracasaran en su propósito porque la mujer occidental (la otra no cuenta) hace ya muchos años que dejó de creer en Satanás y su caldera en llamas. Don Fabiol de Eustasio, del comercio, está en manos de médicos y farmacéuticos para combatir la depresión que padece, una depresión de pronóstico –o de órdago o de padre y muy señor mío– causada por la pretensión de su hija Evelina de matricularse en la universidad. ¡Qué falta de consideración la de algunos hijos y qué desprecio a la institución familiar! A don Braulio Repullés Chacón le tocó vivir tiempos muy duros y, en consecuencia, no tenía amigos porque tampoco tuvo tiempo de hacerlos; a don Braulio la vida se le presentó arreando candela y no pudo hacer más cosa que defenderse. Don Fabiol, antes de ponerse malo, solía tomarse unos vasitos de vino con don Braulio a eso de las siete de la tarde, en el establecimiento La Astorgana.

–Lo que yo le digo, amigo don Fabiol, es lo que decía Pirro.

–¿Quién es Pirro?

–¿A usted que más le da? Usted calle y atienda.

–Dispense.

–Pirro aseguraba que no hay diferencia alguna entre la vida y la muerte. ¡Anda!, le dijo uno de la tertulia, y entonces, ¿por qué no te matas? Y Pirro le respondió: ¿para qué, si no hay diferencia?

Acodado y aun de bruces sobre el mirador de El Clavín el respetuoso zurupeto Catulino el de doña Pura puede ver una parte de mundo que quizá sea pequeña pero que a él le parece grande. No hay duda alguna de que éste es un buen sitio para montar en globo; también lo es para instruirse con lo que Juan Ruiz piensa que es la literatura y aun la vida.

Las del buen amor son razones encobiertas:
trabaje dó fallares las sus señales ciertas;
si la razón entiendes o en el seso aciertas,
non dirás mal del libro que agora rehiertas.

¿Rehiertas: repruebas, desapruebas? Sí. Sobre la cháchara entre don Fabiol y don Braulio no merece demasiado la pena insistir. Son pocos los hombres que, pese a haber vivido una vida lo suficientemente larga, aprenden a morir con dignidad. Don Fabiol va a morir echando espuma por la boca del alma y monedas de peseta por el culo del alma. ¿Y don Braulio? No sé, no sé; es posible que muera con menor vileza, lo que tampoco es imposible. Ahora está muy en uso llamar cultura a todo, lo que no es verdad porque cultura no es sino una parte de ese todo; los periodistas, a veces, interpretan la antropología con mala fe y engañan, o al menos confunden, al lector incauto (casi todos los lectores de periódicos lo son). ¿Usted cree, con Séneca, que es mejor ser engañado que desconfiado? Sí, sin duda, ¡pero aun así! A la niña Micaelita Balazote, la de los Escobonales, todavía no le apuntan las tetas, a lo que pienso aún le faltan dos años. Don Servando Soutochao cazaba pajaritos con liga de muérdago para comérselos fritos, cabeza y todo; el cráneo de los pajaritos fritos es blando y tiene muy buen sabor. Ya les expliqué a ustedes quiénes son los que hacen daño a la literatura; ahora no me distraigan, que estoy a gorriones.

–¿Ha oído usted decir eso de que en España el que resiste, gana?

–Sí, lo he oído más de una vez; lo malo es que a algunos no les dio tiempo de ganar porque se murieron resistiendo.

–¡Vaya por Dios!

En la bodega de Fabián Tajuelo para el autobús y venden tachuelas y tiras de pegajoso papel pegamoscas; da asco verlo todo lleno de moscas y a algunos también les da risa viéndolas agonizar, todas peguntosas y contrahechas y cada vez con menos energías. Don Esteban Campisábalos, marqués de Santa Librada y representante para la Península Ibérica, excepto Gibraltar, de la Velontine Fay, el mejor y más célebre polvo de tocador, de arroz extra preparado con bismuto, no le retiró el saludo a Emerenciano Valle pese a que lo echó a la calle por cursi y relamido en el lenguaje; lo cortés no quita lo valiente y Emerenciano tampoco es mala persona.

El palomar de Hita, ahí enfrente, un poco al norte y no mucho más allá de Torre del Burgo, siempre tiene algún extranjero pintándolo a la acuarela; antes, los niños les tiraban piedras pero ahora hasta los miran con respeto. ¿Y con simpatía? No; eso aún no. Yo pienso que todo se andará, a lo mejor ya falta poco. Una paloma joven y fuerte en vuelo no tarda más de una hora en ir desde el mirador de El Clavín hasta el palomar de Hita; las palomas no yerran jamás el camino porque vuelan siempre con la cabeza alta y eso da mucha seguridad. Es doloroso ver cómo los amigos se mueren o se aburren, son pocos los que van al entierro del amigo con el dolor bailándoles en el corazón, en la garganta o en la mirada. El fantasma del verdugo Estanislao fue siempre muy descarado y lenguaraz, muy cínico y valiente.

–¿Le molestó a usted lo que dije el otro día?

–No; pero me desorientó un poco, se lo aseguro.

Don Avelino de Blas, el párroco de los Dolores, lleva tres años seguidos ganando el campeonato de mus de la multinacional Phoenix, productos alimenticios.

–¿Alimentarios?

–No; alimenticios. Sobre estos dos adjetivos ya se pronunció la Academia con claridad suficiente.

El vate Bolbaite no había ganado jamás una peseta con la literatura pero, por si acaso, estaba indignado con eso de que los derechos de autor prescribieran a los sesenta años de la muerte del causante.

–En el 1996, o sea dentro de siete años, pasarán al dominio público los derechos de Unamuno, de Valle Inclán y de García Lorca. Un español puede heredar un olivar o un coto de caza que viene siendo de su familia desde antes del descubrimiento de América, pero no la renta de un libro escrito por su padre, en cuanto el calendario da el aviso; no deja de ser un consuelo el que la ley que regula este expolio se llame de protección intelectual.

Sobre el mirador de El Clavín vuela la paz con su infinita y agradecida benevolencia mientras que el sol cae rodando al oeste de Madrid y la tarde, poco a poco, apaga los últimos brillos rojos de la buena esperanza: mañana será otro día y verá el tuerto los espárragos (don Modesto Cabezabellosa, el recaudador de contribuciones, nunca supo el alcance de tales palabras). Oteando el mundo desde el mirador de El Clavín el escarmentado Catulino el de doña Pura ve cómo se van encendiendo, con tanta dignidad como cautela, las estrellas del cielo y las bombillas de los pueblos a la mano.

ARTE POÉTICA

El vate Casto Bolbaite, el primo del ex cura Basilio Zapata se quedó mirando para el palomar y lo comparó con el verso, el calabozo de la poesía, y con el poema, la escuadra de las cien celdas, la cárcel de los innúmeros designios de la cesía, esa sangre revuelta que se desmadra por las emocionantes y peligrosas y tortuosas lindes del corazón doliente, la mitad girando como las agujas del reloj y la otra mitad en sentido contrario. Por encima del palomar de Hita navegan las nubes en su lentitud, mejor fuera decir en su cadencia, mientras el águila vuela, avizor y estremecida, en su militar parsimonia. ¿Sabe el águila que va a perder la guerra, que la tiene ya perdida aunque con decoro? Probablemente, no; Napoleón tampoco creía en la derrota y ni aun se la imaginaba. El ex cura Basilio reparte consejos entre los aficionados a escucharle.

–Hay que pensar en quienes sueñan pero les falta valor para seguir soñando, para vivir el sueño, porque no hay peor sordo que el que no quiere oír ni peor rico que el que se deleita en la pobreza a cambio de seguir acariciando el oro. Para Pessoa un estado del alma es un paisaje, al contrario que para Amiel, el soñador débil que suponía, en su felicidad indolente (es Pessoa quien señala), que un paisaje era un estado del alma. Todas las costumbres valen no más que por serlo y sólo a través de la costumbre el hombre puede ser libre y poderoso (Schiller). Hay que tener el aplomo suficiente para enfrentarse a solas con cada circunstancia –un paisaje, un estado del alma, la costumbre, la libertad, el poder. En el Evangelio de San Mateo se dice que el que no está conmigo, está contra mí; es una vieja inercia sentimental, que no intelectual, y falsa, ya que ni los amigos ni los enemigos de mis amigos son siempre mis amigos o mis enemigos.

Con una mano en la mejilla y los ojos medio cerrados, un soñador sin nombre (sin duda lo tiene aunque ninguno lo sepamos) piensa en el prudente orden del arte poética, esa zarabanda de palabras bellísimas, malos deseos e inocencias violentas. Primero es la poesía; después, el poeta; luego, el poema. El ex cura Basilio siguió perorando con su voz meliflua de grillo en trance amoroso.

–Tampoco hay nada más triste ni abdicado que el soñador que teniéndolo todo –imaginación, juventud, salud, incluso dinero– para hacer realidad los sueños, jamás se atreve a dar el paso que lo levante siquiera un palmo de la hirsuta costra de la tierra.

–¿Ese baldón?

–Sí; ese oprobio.

La poesía existe o no existe, eso es todo (Salinas). Si existe, no es mostrable ni expresable sino por la boca del poeta que habla: el que permanece mudo no es poeta ya que la poesía no se siente en silencio sino a voces, a mágicas y muy ordenadas voces de poeta. Catulino el de doña Pura se puso al lado del vate Casto Bolbaite y también quedó mirando para el palomar.

–Nadie pudo aclararme nunca si las palomas volando son como las sílabas del verso o el latido del corazón del poeta, que quizá sean una y la misma y ajena cosa.

–¿Misteriosa?

–No; tan sólo ajena. Permítame seguir. Una paloma vuela y sobre el aire traza las líneas más puntuales de la poesía que a lo mejor alguien sabe leer y descifrar. Hay una ley que gobierna las palabras y desecha los inconvenientes a los fines mágicos. ¿Es esto así?

–Sí, señor, lo más probable es que esto sea así.

–Bien. Siga atendiendo. Un poeta respira con la boca abierta y sobre el aire se pintan los versos que le van saliendo de la garganta como del ubérrimo manantial del monte; hay una norma que rige las ideas e incluso las intuiciones y disuelve las no adecuadas a los fines milagrosos. ¿Es esto así?

–Sí, señor, lo más razonable es que esto sea así tal cual dice.

Poeta es el que desnuda su alma con el lenguaje (Unamuno), y el alma del poeta –quizá no sea obvio decirlo– se supone habitada por la poesía. Lo que habla el poeta con expresa (jamás sonámbula) intención de fijar o de liberar, que tanto monta, la poesía, es el poema. No hay más poesía que la realizada en el poema (Guillén).

El zurupeto Catulino, de repente, se acordó de que en el monasterio de Piedra, que queda algo lejos de aquí pero tampoco en el otro mundo, canta el ruiseñor en la noche poniendo mucha emoción en la voz quebrada. Aquella relación de causa a efecto de la que nos hablaba Catulino, más allá del recuerdo del ruiseñor, no es suficiente para llevarnos a conocer qué cosas son la poesía, el poeta y el poema. Si la Tierra es plana, ¿por qué no se verá la Cruz del Sur desde el palomar de Hita? Don Servando Soutochao sabía de sobra, eso es algo que sabe todo el mundo, que la Tierra no era plana sino esférica, más o menos en forma de naranja achatada por los polos y ensanchada por el ecuador.

–Antes era peligroso decirlo pero ahora, desde hace algunos años, ya se admite.

Sin poesía no hay poeta y sin poeta no hay poema; también es cierto que sin poema no hay poeta y sin poeta no hay poesía, y que sin poesía no hay poema y sin poema no hay poeta, como ya se dijo, y esto que parece un juego de palabras, no lo es (represente usted cada noción con un símbolo o una letra griega, alfa, beta, gamma, y encárese a la pizarra con serenidad).

Emerenciano Valle metió tímidamente baza.

–Si usted supiera por dónde romper el círculo, ¿lo haría?

–No le quepa la menor duda, lo haría inmediatamente.

En la bodega de Fabián Tajuelo me guardan los recados del practicante, mañana subirá a ponerme la inyección; el practicante es bueno y barato, tiene mucha habilidad en esto de las inyecciones y también sabe sacar muelas y entablillar huesos quebrados. Vayamos al meollo de lo que se viene tratando. No es un problema de preceptiva literaria el que se nos plantea sino algo que va mucho más lejos y que desborda en mil leguas el doméstico campo de ese derecho administrativo de la literatura sin demasiado interés ahora y para nosotros, los dolientes y casi siempre desairados amantes de la poesía. Esa lagartija que habla y habla sin parar es el fantasma del verdugo Estanislao, que vive en los muros medio derruidos de la casa del Arcipreste.

—¿Se trata de averiguar qué es lo que queremos que la poesía sea?

—No; se trata de saber qué es lo que la poesía es.

Por los canchales de la sierra de Alto Rey, en el camino de Castilla la Vieja, cruza el lobo con su trotecillo y hoza el jabalí sus aburrimientos y sus desvelos; el lobezno rubiasco juega con su madre la loba alerta mientras los jabatos a franjas maman los pletóricos pezones de la jabalina. La ley del monte es muy ordenada y puntual y no permite un solo movimiento mal hecho. En su búsqueda de la última realidad de la poesía, alguien toma la palabra para decir: en los previos propósitos suele descarriar la última y más delicada intención de la poesía. En los previos propósitos —y esto ya lo apuntó Unamuno con tanta sagacidad como certeza—, suele haber mucha más retórica que poética, y el poema (seguimos con Unamuno) es cosa de poscepto; el contrario del dogma, que es cosa de precepto.

El ex cura Basilio Zapata, lo primero que hizo cuando colgó los hábitos fue dejarse bigote. Los curas, los cómicos y los toreros no gastan bigote —solía decir—, es algo que no se estila ni va con la costumbre. Los alabarderos llevan mostacho; los cocheros de casa grande lucen patilla poblada, y los lobos de mar, sotabarba. Cada oficio se pregona con los pelos de la cara para que nadie pueda confundirse ni llamarse a engaño. El practicante no me cobra, a mí nunca me cobraron los practicantes, pero cada vez que me pone una inyección suelo invitarle a un par de chatos de vino del país; Fabián Tajuelo me hace rebaja en las consumiciones. El practicante se llama Venancio Salvanés y es natural de Miralrío, en el camino de Jadraque. Cuando está de buen humor, el practicante Venancio suele recitar un verso que se sabe de memoria:

En China un mandarín
gastaba en el sobaco peluquín
y en Vigo un tal Angulo
tocaba el clarinete con el culo.
Moraleja:
para hacer desatinos,
no hay como los gallegos y los chinos.

Siga usted por donde iba y no se distraiga. Los supuestos, los apriorismos, las declaraciones estéticas –y aun éticas– de principios, suelen conducirnos a una adivinación ideal (?) de la poesía, por completo ajena al inteligente entendimiento de su substancia real. El ex cura era pelirrojo y con su bigote desafiador y un poco a lo káiser parecía un piloto de la RAF de los años 40. Es probable que no acertemos a definir la poesía, pero es excesivo afirmar que la poesía sea indefinible, como hacen Manuel Machado y tantos más; de la ignorancia de lo que fuere, no puede obtenerse el corolario de la no existencia de lo que fuere. Ni todas las palomas tienen nombre ni tampoco hubiera sido prudente que lo tuviesen. Podemos plantearnos, siempre individualmente y hablando en primera persona, la evidencia de aquella nuestra ignorancia así y de ninguna otra manera:

No sé, a ciencia cierta, qué cosa es la poesía. La voz de Nietzsche resuena desde el otro mundo: Estoy tan acostumbrado a perder que cuando gano me pregunto, ¿no habré hecho trampa? La literatura es como un animal salvaje y Terencio tampoco era domador de lobos. Tengo un lobo sujeto por las orejas –decía Terencio– y no sé ni cómo soltarlo ni cómo sujetarlo. Se iba hablando: Con la novela me sucede lo mismo, que tampoco sé lo que es, no obstante las largas horas que llevo pensándolo. Es probable que cada día distinga menos las lindes con las que se quiere parcelar el fenómeno literario, el paso que –como contrapartida, a resultas de ello y paradójicamente– cada día entiendo más claro el fenómeno literario en su conjunto: que es aquello a lo que, en definitiva, aspiramos quienes hacemos oficio del pensamiento (en esta esquina del pensamiento donde se cría, con varia suerte, la literatura). El ex cura Basilio también compone versos pero, quizá como tributo a sus tiempos de seminario, evita las malas palabras, que sustituye por la inicial seguida de puntos suspensivos:

En Zaragoza en un café cantante
quisieron dar por c... a un elefante,
mas él, al advertir el artificio,
se tapó con la trompa el orificio.
Moraleja:

de lo dicho se infiere
que el que toma por c... es porque quiere.

El vate Casto Bolbaite Alcozarejos, que padecía de almorranas aunque esto no haga ahora al caso, siguió a su aire. Tampoco me importa demasiado –continuó diciendo– mi confesada ignorancia y pienso que las definiciones que de la poesía puedan darse corren siempre el peligro de no trasponer la frontera de lo meramente ingenioso (las nueve definiciones de Gerardo Diego, por horro ejemplo). Catulino el de doña Pura recibió la confesión de Benigno el Cabrito, el asesino de Teosonte el Mierda, el amante de su señora: Lo único que me duele es la idea de que una vez muerto jamás recordará que lo maté yo. Usted tranquilo, amigo Benigno –le argumentó Catulino–, ahora cuando le den garrote y se lo encuentre usted en el purgatorio, le podrá refrescar la memoria; le honra a usted el no compadecer al muerto, para Francis Bacon el que compadece a un enemigo no tiene compasión de sí mismo. ¡Hace usted muy bien en no compadecer al muerto desmemoriado! Repare en que su muerto era de carácter apocado, ¡desconfíe de los enemigos tímidos! Ahora ya no le va a dar a usted tiempo, me parece, pero a lo mejor le sirve esa desconfianza en otra reencarnación. Sigamos por donde íbamos. Más dura aún de admitir es la premisa de Manuel Machado de que la poesía sea inefable, invertida imagen de espacio de la realidad. La poesía se expresa, y aun se explica, precisamente con palabras porque es, por esencia, fable, decible, y no existe si no se fija en la palabra, con la palabra. No hay actitudes, ni paisajes, ni amores poéticos sino prepoéticos y la poesía, recuérdese, no nace ni se desarrolla ni se exhibe sino en el poema. El 12 de mayo, san Pancracio, florece el perejil en la Capadocia, su patria (hay otro san Pancracio, natural de Sicilia, que no está provisto de tantas dotes y eficacias); el nuestro cura los sabañones y los calambres y es patrono de los caballeros teutones. Pancracio significa todopoderoso y de ahí la lucha libre americana a la que dicen *pancrace* en la que todo vale y todo se puede, hasta la patada en las partes: la dolorosa patada en las partes nobles. San Pancracio, como su nombre indica, es el protector del páncreas, que no es (pero pudiera serlo) la víscera que destila la insulina y vierte en la sangre la adrenalina que regula los cabreos. El zurupeto Catulino me explicó una tarde que sus sabidurías se las había soplado la familia Perera. Adelante. A la política hay que restarle dramatismo y solemnidad, así como a las declaraciones estéticas. La esencialidad de la palabra es la poesía y, en justa correlación, Antonio Machado adivina que la poesía es la palabra esencial en el tiempo; de ahí la necesidad de fechar los poemas y todo lo que el hombre hace; de ahí la saludable precisión de implicar al poema y a todo lo que el hombre hace, en un tiempo determinado al que, sobre todas las cosas, debemos lealtad. Suponer que la poesía es la esencia misma del espíritu y de la inteligencia, como hace Juan Ramón Jiménez, no es sino muy ingenuo pecado de soberbia. La poesía tiene poco que ver con el espíritu, salvo que sea entendido como síntoma de algo que acontece al espíritu, y nada con la inteligencia; la poesía es un fenómeno tangencial al espíritu y ajeno a la inteligencia pero no a la historia, eso que no se hace con inteligencias sino con sucesos curiosos, gloriosos o ahogados por el vilipendio, que poco importa ahora. Salvo el vate Bolbaite y el zurupeto Catulino Jabalón, los demás ya se habían perdido sin remedio. El poema es el receptáculo de la poesía y también su vehículo. El poema es el nexo entre el misterio del poeta y el del lector, acertó a decir Dámaso Alonso. Nada más cierto: el poema, esto es, el vivo objeto fabricado con poesía por el poeta, se realiza y cobra entidad poética cuando anega el misterio del lector: en ningún caso antes. De esa actitud nace la condensada poética de Aleixandre: poesía=comunicación. Pero no, quizá, comunicación de poeta a lector sino, más ceñidamente, comunicación de poema a mundo circundante. Fray Inmaculado de las Sagradas Vísceras, o sea Blasito Culopollo, sabe de sobra que defecar no significa mentir ni deglutir sino filtrar o quitar las heces y expeler los excrementos; en consecuencia, ¿es la poesía una defecación?, ¿lo es su realidad, el poema? Evidentemente, no, puesto que no siempre la poesía o el poema enseñan la turbia nobleza del vino, la turbia y mortal nobleza del opio. Pinto Méndez Ferdinando, el caballero del *valentine* de Edgar Poe, tampoco decía toda la verdad. Fray Inmaculado defendía la verdad absoluta contra viento y marea: si la verdad es Dios, ¿por qué no hemos de comulgar con la verdad? El poema nace del poeta pero se independiza de él, vuela con vida propia, con alas propias. El poema es el síntoma del poeta pero no el de su poesía. El síntoma de la poesía es el poeta mismo, el poeta en los cueros vivos –lo único temporal en el arriesgado juego–, y el del poema, agotando posturas ideales, es la misma y desamparada poesía, esa fuente de ruinas y bellísimas desesperanzas.

El vate Bolbaite, el primo del ex cura Zapata, se quedó mirando para el palomar y lo comparó con un internado de señoritas viciosas, el calabozo del amor sin objeto, del amor que muere en sí mismo, y con el plan de estudios, el batallón de la farsa descabellada, atroz y venenosa; cuando una señorita del internado se muere, no es enterrada sino devorada por las demás para que el clímax no pierda su grado de tensión. La poesía –y quien habla lo dice con todos los temores y sus consecuencias– es un gozoso y doloroso «pati» del alma que el poeta lleva a cuestas, con furia o con resignación, incluso contra la hirsuta marea de la voluntad; su único antídoto es el poema que, si aborta, infecta, y si se desproporciona, estrangula. Al heroísmo y a la santidad les acontece lo propio que a la poesía. Por eso no es posible querer ser poeta –ni héroe, ni santo–, ni tampoco querer dejar de serlo. Cuando los médicos lleguen a demostrar lo que ya se intuye, esto es, que el huevo de las tareas físicas se incuba en el alma, se entenderá con claridad mayor este discurso.

Sobre el palomar de Hita vuela un coro de musas todas en camisón color de rosa, mientras el zurupeto Catulino el de doña Pura espera a que se ponga el sol para darse un refocilo con doña Marianita la Borde, la administradora del internado de doncellas nobles. A la catecumenia de Torrejón de Ardoz tuvieron que cerrarla durante unos días porque estaba infestada de piojos, pulgas, ladillas y otros animalitos hediondos y de difícil destierro.

EL VICIO DE LA LECTURA

—Como decían los catalanes del claustro de la Universidad de Cervera: lejos de nosotros la funesta manía de pensar.

—¿Y de leer?

—Sí, claro; también de leer.

Leer, etimológicamente, quizá fuera mejor decir históricamente, es voz emparentada con la noción de enseñar; el Arcipreste dice de su obra: «Non cuidedes que es libro de necio devaneo, /nin tengades por chufa algo que en él leo», algo de lo que en él enseño; los ingleses llaman *lecture* a la conferencia y los españoles decimos *lector* al enseñante de su lengua materna a los extranjeros. Joan Corominas, en glosa al verso del *Libro del Buen Amor* que dice «A Ovidio don Amor leía en el escuela» (612 a), comenta: ...tengamos bien presente que no se trata de *leer* en el sentido del actual «leer», ni aplicado a lector alguno, sino en el de «dar clase a base de un texto determinado». Pues bien, en el modesto entendimiento que hoy tenemos del acto de leer (la primera acepción del diccionario) sabemos que el hombre es el único animal que lee, si bien no todos los hombres leen. Los españoles no somos demasiado aficionados a la lectura aunque quizás haya síntomas de que tiende a mermar ese menosprecio; el optimismo es virtud que siempre se debe tener en cuenta porque reconforta el ánimo y robora las potencias del espíritu, amén de dar gracias al gusto y brillo y vida a la mirada.

—¿Se siente usted reconfortada con las miradas lascivas que le dirijo, señorita Renata?

—Sí, caballero, muy reconfortada y en sazón.

—Me congratulo, señorita Renata; procedamos, pues, en consecuencia.

La señorita Renata y el caballero rosacruz don Teodoro de Kios II, se fueron a pasar el fin de semana a la fonda La Onubense. Se aclara que don Teodoro de Kios I, tío del anterior, fue el que dijo aquello de que los muertos no muerden. El eunuco Salem al-Lubiyá no era español pero tampoco había leído jamás una línea cuando le cortaron la cabeza; a los analfabetos no merecería la pena decapitarlos, pero a los jueces les resulta cómodo justificar el jornal mandándolos para el otro mundo porque casi nadie protesta. En el estado actual de las maduraciones la protesta no suele ser más cosa que un mero testimonio en pos de algo no necesariamente inmediato, que de serlo tendría mayor y más lógica justificación. Las protestas contra la orden de Jomeini de enfriar a Rushdie, por ejemplo, no son sino el llanto de todos los cocodrilos que se callaron cuando el imán descubrió y proclamó que la mujer era un enemigo político y empezó su denodada lucha desde el poder contra el sufrido sexo (más sufrido en el mundo árabe que entre nosotros; en la España democrática la mujer ya no lo pasa tan mal; en la España democrática, según la sabia sentencia dictada por la Audiencia de Barcelona, «toda mujer por prostituta o débil mental que sea, tiene total derecho a que sólo le toque el culo quien ella consienta»); a los periodistas, los escritores y los políticos que saludaron la llegada del imán Jomeini con alborozo no conviene felicitarlos con excesiva vehemencia, no sería prudente.

Las palomas no leen —ni lo necesitan, ni falta que les hace—, pero vuelan con muy antigua dignidad, en seguida se ve que llevan muchas generaciones volando, muchas páginas de su confusa historia contando los lances del batir de alas sobre el aire, surcando el aire. El gran espectáculo hubiera sido ver a las palomas de mi palomar no en vuelo, sino posadas sobre los tejados de Hita y recitando con voz entrecortada y emocionada los versos del Marqués de Santillana:

Usa liberalidat
e da presto:
que del dar, lo más honesto

es brevedat.
Mensura la calidat
de al que darás;
e vista non errarás
en quantidat.

Además de las palomas tampoco leen ni los leones, ni los caracoles, ni los pigmeos; el índice de analfabetismo entre las tres especies y la subespecie citadas es absoluto y, por ende, idéntico. Micaelita Balazote, la de los Escobonales, la niña que silba pasodobles casi a la perfección, sabe leer y escribir y además le gusta hacerlo; a veces los jóvenes tienen aficiones infrecuentes, eso se conoce que es algo que se va moviendo de cada vez y sus resultados no se cosechan sino pasado el tiempo. El veterinario Felicísimo Porma se paró a conversar con don Servando Soutochao.

–En la lucha contra la afrenta, ¿llegará el instante en el que la maduración del hombre le lleva a temerla más que a la ley?

Y don Servando Soutochao le respondió lo que se dice a renglón seguido.

–Fray Ambrosio de Aspariagos, en su *Gozo y deleite de la vida eterna*, dice que ése era el sueño de Cleóbulo de Lindos, hijo del rey de Rodas y uno de los Siete Sabios, y por ese camino marcha –y Dios haga que no se desvíe– la niña Micaelita con su falda plisada y su afición a leer letra de molde y a escribir en letra inglesa.

El zurupeto don Catulino Jabalón Cenizo, el de doña Pura, es buen amigo del contribuyente don Camilo José Cela, el afamado novelista padronés (debe llamársele siempre así porque ese señalamiento a nada compromete); como sus iniciales coinciden, se pueden intercambiar –y aun heredar– las camisas e incluso hacerse pasar el uno por el otro, como a más de un comentarista se le ocurrió caer en sospecha. El zurupeto Catulino le explicaba un día a don Esteban Campisábalos, marqués de Santa Librada y representante para el reino de León (provincia de León, Salamanca, Valladolid y Palencia, porque Zamora, a efectos de la representación, quedaba incorporada al reino de Galicia) del célebre reconstituyente y vigorizante Hierro Bravais, anemia, clorosis, falta de fuerzas, consunción, no ocasiona estreñimiento, no fatiga el estómago, no ennegrece los dientes, le explicaba un día, le iba diciendo:

–En España la gente lee tan poco que aunque el afamado novelista padronés, con lo conocido que vino a resultar, le da varios golpes a cada artículo de periódico, nadie protestó nunca.

Interrogado el que se dice, dijo lo siguiente.

–Es cierto; don Catulino tiene razón y no he de ser yo quien se la quite, aunque no fuere más que por decoro propio. Los artículos que publiqué en la cadena de Prensa del Movimiento y después, cuando me echaron a la calle porque me editaron *La colmena* en Buenos Aires, donde podía, los fui reuniendo en varios libros, *Mesa revuelta*, *Cajón de sastre*, *La rueda de los ocios*, *Los sueños vanos, los ángeles curiosos* y quizás alguno más. Pues bien, al cabo de los años volvieron a las páginas de la prensa diaria sin más que cambiarles el título y, como bien dice don Catulino, esta resurrección no produjo ni la menor protesta.

Don Celestino del Buey, afinador de pianos y peluquero de señoras, se encaró airadamente con el afamado novelista.

–¡Le culpo a usted de publicar refritos!

–Dispense, mi buen amigo, pero no puedo aceptar sus razones; refrito es lo rehecho o de nuevo aderezado, vaya usted al diccionario a verlo, y mis artículos volvieron a aparecer tal cual y sin que yo los rehiciese ni les añadiera aderezo alguno. ¡Líbreme Dios de querer autoenmendarme la plana, como solía hacer Juan Ramón Jiménez! Le voy a dar a usted en un papel, bien apuntada con letra clara y sin tachones, una docenita de fraile para que le sirva de muestra y pueda comprobar cuán cierto es lo que le digo. Delante le pongo en letra cursiva el título que llevó cada artículo en su primera aparición y en el libro, y después, entre comillas y entre paréntesis, el nombre con el que se publicó por tercera y última vez, por ahora. Ahí va.

El papel que le dio el afamado novelista a don Celestino era tal cual se copia, con los intercalados inevitables que, claro es, no son de su minerva sino, en suerte alterna y correlativa, del vate Bolbaite y de fray Inmaculado, en el siglo Blasito Culopollo.

Sobre pueblos, aldeas, villas, ciudades y una capital: Madrid. («Noticia de la villa de Madrid».)

–¿Qué se hizo del ciclo velazqueño y del agua de Lozoya?

Llanto por el urogallo, pájaro en desgracia. («Defensa de un pájaro hermoso».)

–El urogallo le dijo a la urogallina: Sé que me van a matar cuando te llame, pero te juro que nada me importa.

Visita a Rubens en su casa de Amberes. («Mi amigo Pedro Pablo Rubens».)

–Nadie lo dice pero los hombres las prefieren gordas y blancas.

Hombres dinámicos y hombres cinemáticos. («La dinámica y la cinemática».)

–Cinéfilo es el amante del movimiento, el amante en movimiento, no el aficionado al cine, ¡y allá cada cual!

Don Asmodeo F. Polisario, protésico dental. («Confusas noticias familiares».)

–También es protésico dental don Servando –y además numísmata– y nadie le dedicó jamás un artículo.

Sucedió hace cincuenta años. («Al paso de medio siglo largo».)

–Ahora hace medio siglo exacto que acabó la guerra civil, aquel Guadiana de buenos y malos que nadie quiere enterrar de una puta vez.

Contribución a la onomástica indígena. («Nombres de pila».)

–Todos los días descubro un nombre nuevo, de hombre o de mujer; la nómina del santoral, aun sin contar los indios pieles rojas, que tampoco eran santos pero tenían nombre, no tiene fin conocido.

Cuando me propusieron ser ministro. («Razones de una negativa».)

–Reconforta torear a pitón pasado pero, ¡qué suerte tuve!

Loa de los humildes y generosos refrescos artesanos, antecedida de algunas ingenuas cogitaciones. («Elogio de los refrescos desaparecidos».)

–La horchata de chufas, la zarzaparrilla y la clara con limón no habían caído todavía en manos de las multinacionales y quizá por eso los españoles conservaban intacta su afición a los toros, al catolicismo y a las guerras civiles. Como dijo Franco cuando le mataron a Carrero Blanco, no hay mal que por bien no venga (o al revés).

Recibo una herencia insólita. («La herencia imprevista».)

–¿Para cuando la abolición de la ley de herencia? ¿Por qué no se ensaya a dar a la munífica y atrabiliaria riqueza en bienes materiales el mismo trato y fin social que reciben ya, o a que ya se condenan, los bienes espirituales? Aquéllos tienen un soporte físico, un cortijo, un lingote de oro, un cuadro, algo que se puede tocar con la mano, y estos otros carecen de él, una poesía, un pensamiento, una canción, y su algo sólo se puede oír con el oído. Recuérdese que cada uno de los sentidos del hombre tiene cinco sentidos, como el hombre. Y así pudiera hablarse de la vista (y del oído, del olfato, del gusto y del tacto) de la vista; del oído (y de la vista, del olfato, del gusto y del tacto) del oído; del olfato (y de la vista, del oído, del gusto y del tacto) del olfato; del gusto (y de la vista, del oído, del olfato y del tacto) del gusto, y del tacto (y de la vista, del oído, del olfato y del gusto) del tacto. El vate Casto Bolbaite o fray Inmaculado de las Sagradas Vísceras, uno de los dos, tomó aliento para continuar. Si aquella que atrás quedó dicha fue la pauta por la que se guió el legislador, no merece la pena que le felicitemos. Las dos nociones que barajaba Joubert para redondear su divisa, la filantropía y el arrepentimiento, quizá pudieran jugarse aquí con algo de habilidad y mucha suerte.

La buena educación. («Las buenas formas».)

–Mi primo Apeles Gómez, teniente coronel de carabineros en situación de reserva, decía siempre a su mujer, cuando le recriminaba su zafio comportamiento en sociedad: ¿para qué voy a quedar bien pudiendo quedar mal?

Sardanas y gigantes y cabezudos ante la catedral de Barcelona. («Fiesta mayor en la gran ciudad».)

–La gran ciudad, si no conserva sus huellas dactilares y sus olores, sus sabores y sus tactos, se convierte en un campamento, en un cementerio o en un vertedero. Y no pongo ejemplos para que cada cual se arrepienta, si puede.

A la atención de los técnicos de futbol. («A la vista del Mundial 82».)

–Han pasado siete años pero jamás nadie escarmentó en cabeza ajena. O dicho de forma contraria y aun inversa: el hombre es el único animal que tropieza dos veces –y mil veces– en la misma piedra.

Llegado este punto, al vate Bolbaite y al fraile Culopollo se los lleva el viento (presente histórico, no hay descuido) mientras el afamado novelista le cuenta al peluquero de señoras su argumento.

—¿Le parece larga la lista? Ya le dije: una docenita de fraile porque para muestra bien valen trece botones. Hubiera podido darle muchos más, pero no lo hice porque me había parecido abuso de su paciencia.

Está cayendo una heladora aguanieve en el campo y sobre el caserío y las palomas, ateridas y con el plumón pegado al pellejo, esperan los mejores tiempos que tampoco tardan tanto en venir. Hoy es buen día para leer (para enseñar, como quería Juan Ruiz).

Muy blanda es el agua e da en piedra muy dura:
muchas vegadas dando faze grand cavadura;
por grand uso el rudo sabe grande letura;
mujer mucho seguida olvida la cordura.

La gota de agua horada la piedra, la letra que cae tras la letra y sin sosiego —recuérdese, como el amor, que faz sotil al homne— acaba dándole luz al romo de entendederas, tampoco siempre, y la mujer a la que se pone sitio se rinde enloquecida de amor o, al menos, cae, y si no que se lo pregunten al sacristán de la petaca. El fantasma del verdugo Estanislao tardó una semana larga en curarse un entripado de higos martinencos, se conoce que bebió demasiada agua fría y le zurró el cólico con sus vergonzosos y dolorosos gluglús. La colipoterra Tórtola Méndez y el fantasma escuchaban medio embobados lo que les decía el poeta Medín Vallejo, al que le quedaba menos de un año de vida.

—Doña Neus Siguán es un poco caballuna, ya lo sé, pero también es una pensadora de muy sagaz doctrina, antes no había pensadoras pero ahora sí. El hombre, se decía doña Neus, ¿es capaz de utilizar con buen sentido el conocimiento, sabe sacarle provecho y beneficiarse de él? El mundo está muy lejos de moverse empujado por la verdad y se rinde culto a la mentira porque es más fácil capitalizarla y hacerla rentable; no se busca el fin inminente sino el fin latente y todo el artilugio dialéctico se monta sobre el rumor que deviene en calumnia.

—¿Y eso es consecuencia del culto al adjetivo?

—Probablemente, sí. Los políticos, los comerciantes, los periodistas y, en general, todos quienes trafican con algo, se entregan al adjetivo, adoran y reverencian al adjetivo y hasta sueñan con convertirse en adjetivo, ¡y así van las cosas! Toda mentira es perversa pero la peor es la que se disfraza de relativa verdad; paralelamente pudiera decirse que todo adjetivo es falaz y peor aún si se disfraza con la máscara humilde de la confianza. La mentira suele ser secuela del adjetivo, esa trampa con la que juega el lenguaje para engañar al entendimiento. El hombre ecuánime y sereno debe perdonar a sus enemigos pero, tras haber leído con mucho amor a Heine, no antes de verlos colgados y con la lengua fuera. El imán Jomeini quiere bañarse en la sangre de Rushdie, según el prudente consejo del Corán, y en el Tibet jamás faltó un guerrero que ignorase que el hígado del enemigo es la mejor vaina de la espada. Discúlpeme, pero es que se me atraganta la emoción.

El vicio de la lectura se nutre con más y más lectura y no tiene fin conocido. Hay gentes que suponen que los animales no leen, los mamíferos, las aves, los insectos, siempre ha habido hombres muy ignorantes, pero de la maraña del vuelo de la abeja las demás abejas miden la distancia y aciertan el rumbo en el que se columpia la propicia flor del romero y el cantueso y el tomillo; el optimismo es virtud que templa el alma y decora el cuerpo y, a resultas de su ejercicio, el optimista que no sabe leer aprende en seguida. A Micaelita Balazote, la de los Escobonales, le espera un futuro lleno de dudas e ilusiones porque le gusta leer todos los días sin dejar ni uno. El zurupeto Catulino no sabe echar las cartas ni leer las rayas de la mano pero sí sabe, en cambio, jugar al mus y recitar de memoria todas las capitales de Europa antes de la Gran Guerra; ahora se las está enseñando a la niña Micaelita, porque el saber no ocupa lugar. Las palomas del palomar de Hita jamás yerran los mil caminos del cielo, con nubes o sin nubes, y van siempre a donde quieren ir; cuando meten a alguna en una jaula y la llevan lejos, a los toros de Guisando, digamos, o aún más allá, al Campo de Arañuelo o a Cáceres, vuelve siempre en cuanto la sueltan, se conoce que sabe leer los carriles del aire. Hay muchas maneras de leer, a lo que voy viendo, y no es lo mismo leer una poesía, que un río o que un encinar o un alcornocal; cada bestia, cada yerba, y cada piedra lee a su manera y, según dice la experiencia, jamás leen todos lo mismo. Cuando el hombre primitivo hacía unas rayas en la pared de la cueva, tan sólo dos o tres ancianos sabían lo que quería representar o decir. El mensaje amoroso no lo lee más que el enemigo y la amenaza de muerte no la descifra sino el enfermo moribundo o el sano condenado a muerte. La lectura, a fin de cuentas, quizá sea una adivinación de lo que se está leyendo porque antes ya había sido imaginado, y el vicio de la lectura, a la postre, quizá no sea sino la terapéutica que ahoga el hastío existencial, concepto pedante, sí, pero también preciso.

LA LOCOMOTORA SARITA

Un forastero me mató una paloma con cerbatana, el dardo le entró por un ojo y el animalito se quedó de un aire y cayó a plomo sobre el empedrado; de no venir ya muerto, hubiera muerto de la costalada que se pegó. El forastero, que era zanquilargo y bisojo y estaba muerto de risa, decía en su extraña lengua ¡buena puntería, buena puntería! y daba brincos y hacía cabriolas con su desgargada figura de jamelgo. Don Braulio, el juez de delitos monetarios, mandó a Sergio Casaldáguila el Tuerto que reprendiese al forastero, quien escuchó –aunque no entendió– estas palabras:

–Oiga, usted, gringo de la mierda, ¿a usted no le han partido nunca la boca de un lapo bien dado?

El forastero debió adivinar por el tono el sentido de lo que se le decía porque cesó en su alborozo, juntó las manos en ademán de súplica de perdón como si fuera un japonés saludando y se dio el bote con diligencia y más corrido que una mona.

El ferrocarril de los abuelos del afamado novelista padronés, o sea el amigo de Catulino Jabalón Cenizo, se llamaba el Te Bés, escrito The West Galicia Railway; el primer tramo, de Santiago de Compostela a Carril, 41 kms., se inauguró, llamándose El Ferrocarril Compostelano y durante la I República, el día de san Cornelio de 1873, y el segundo, de Carril a Pontevedra, 32 kms., el día de santa María Magdalena de 1899. La concesión se hizo a la Sociedad del Ferrocarril Compostelano de la Infanta Isabel, que abrevió y podó su nombre con el cambio de régimen, y el constructor que fue Mr. John Stephenson Mould, que después fue gerente de los tranvías de vía estrecha de Madrid a los que llamaban cangrejos porque iban pintados de rojo; su viuda, que tocaba con mucho sentimiento *El vals de las velas* en el realejo, murió por los años 20 y un poco a la sombra de la familia del afamado novelista, en Iria Flavia, en una de las Casas de los Canónigos en las que ahora está la Fundación Camilo José Cela. Liborio Lagunilla, el fraile del antifaz, no come más que vegetales porque su regla le prohíbe solazarse con los deleites carnales gulosos o lujuriosos, tanto tiene, y el veterinario Felicísimo Porma se ríe de él y lo toma a cachondeo.

—Oiga, usted, rumiante sacrosanto, ¿me despreciaría una sopera de rabo de choto?

—¡Quite, usted, allá, demonio tentador, quite, usted, allá, que por su boca habla el mismo Belcebú!

El veterinario ni le escuchaba.

—¿Y otra de morro también de choto, para contrapesar?

—¡Calle, calle, por amor de Dios! ¡No me haga encenagarme en el pecado!

El veterinario gozaba abusando, saltaba a la vista, saltaba a la vista.

—¿Y un par de pichoncitos con ajos confitados?

El forastero que andaba a palomas resultó ser un alemán que componía poesías y tocaba la flauta: Schubert en la dulce, *Serenata*, *Al mar*, *La muerte y la niña*, y Schumann, en la travesera, *Escenas de baile*, *El álbum de la juventud*, *El carnaval*; hay gente muy aplicada y que da trabajo tanto a los duros y pegajosos instintos como a las delicadas inclinaciones. En el túnel del Faramello, poco antes de llegar a La Esclavitud viniendo de Santiago, había una fuente de agua muy fina y fresca y algunos maquinistas paraban un momento el tren para llevar el botijo propio o las tres garrafas ajenas que solían llevarle a doña Nina, la abuela del afamado novelista. El vate local José de la Hermida y del Castro, a quien llamaban Pepe Natillas porque era muy lamerón y melifluo, habla de ella en el librillo *Tipos irienses*, publicado en el 1888, en el que le dedica unos versos titulados *El Norte y Mediodía* que dicen así:

En juntanza nupcial
Engendraron la rubia

De encanto sin igual,
Que mora en aquel nido
De dulce recordar,
Cabe del manso río
Que busca ansioso el mar.
Allí la vi yo un día
De primavera,
Con aquel atractivo
Que es sólo de ella;
Y desde entonces...
¿A qué negarlo?
Siempre ha tenido a honra
Ser su paisano.

Pepe Natillas no era fray Luis de León, según salta a la vista y al oído, pero el hombre hacía lo que podía y además demostraba buena voluntad.

–¿Quiere usted darme la ficha bibliográfica del libro donde vienen esos versos?

–Con mucho gusto, espere un momento que lo mire: Tipografía de *La Gaceta de Galicia*, San Francisco 5, Santiago, 20 páginas en octavo.

La paloma de palomar no es pieza cinegética y matarla no tiene emoción y ni siquiera gracia; las otras tres clases de palomas, la silvestre o bravía, la torcaz y la zurita o montesa, ya son otra cosa. La torcaz es la más común y abunda mucho en el invierno; es ave migratoria, como la zurita y a diferencia de la bravía, y en la pasa, o sea cuando pasa por los pasos, Echalar, el valle de Arán, la sierra de la Demanda, Urbión, de un tiro se matan diez o doce. La torcaz es la mayor de todas, tiene casi cuatro palmos de envergadura y los sentidos finos y es muy asustadiza y recelosa. La montesa se confunde con la bravía y de ella vienen todas las palomas mansas; es más ágil y rápida y difícil que la torcaz y tiene el pico de color de oro; se le llama también zurita, zurana y zura. La torcaz se le atrae con cimbel, que es arte traidor, y no es bueno llevar perro porque se asusta.

Don Servando Soutochao sabía de mañas cazadoras.

–El gran duque es buen cimbel para la caza del gavilán porque son dos solitarios que se odian.

Y don Modesto Cabezabellosa, el recaudador de contribuciones, no se le queda a atrás.

–Sí. Y la paloma o el pajarito son buenos cimbeles para las palomas y los pajaritos porque son muy sociables y se aman: les gusta estar juntos, puede que para esperar la muerte juntos.

El itinerario del The West no tenía un trazado económico sino estético, quiere decirse que el tren no iba por el camino cierto que hubiera convenido para levantar riqueza y llevarla de un lado para otro, sino por la senda incierta del paisaje donde se deleitaba la vista y se solazaba el espíritu con la armonía y la paz: la catedral de Compostela y su empaque, la iglesia de La Esclavitud y su silueta airosa y espigada, la desembocadura del Ulla y su misterio, las Torres del Oeste y sus recuerdos del cadáver del Apóstol pasando en barca de piedra en busca de Pedrón. John Keats aconsejaba mantenerse en la incertidumbre: la belleza es verdad y la verdad es belleza, nos dijo, y si la poesía no nace espontáneamente como las hojas del árbol es mejor que no nazca de modo alguno. El zurupeto Catulino pensaba que el tren de los ingleses también había nacido, quizá precisamente por inglés, por artes mágicas, espontáneas e inciertas.

–¿Sabe usted con cuántas locomotoras arrancó aquella compañía?

–No lo sé, por lo menos con cuatro; el día de la inauguración, el canónigo penitenciario de la catedral señor Palacios bendijo las cuatro que le pusieron delante.

El palomo y la paloma quieren incubar los huevos en solitario y sin la compañía de la pareja, los dos sirven para dar calor, y llegan a matarse en el nido para defender su soledad; cuando los huevos se rompen o los pichones mueren en la pelea de los padres, vuelven la paz y la concordia.

A Sergio Casaldáguila el Tuerto no le gustaban los forasteros.

–La mitad o más no son de ningún lado y andan dando vueltas por el mundo porque no saben dónde quedarse; eso de matar palomas con cerbatana es de desgraciados. ¡Yo no sé para qué está la guardia civil!

La paloma es el enemigo de Venecia, también lo son las algas que crían unos ácidos corrosivos, pero las autoridades no han podido acabar con ellas porque la gente las defendió con argumentos espirituales: la pedrada al guardia, la voz desaforada que pide la cabeza de alguien, el muñeco de trapo, al que se ahorca y después se quema a falta de mejores reos de muerte, etc. A lo mejor se acababa el problema repartiendo algunas cerbatanas entre los forasteros que componen poesías y tocan la flauta; los forasteros sentimentales suelen llevar un habilidoso y vehemente verdugo escondido entre los pliegues del alma. El cronista de los forasteros y las palomas (su nombre era Benigno Reixas y se alimentaba de queso de teta con carne de membrillo) se murió de un golpe de tos, empezó a bizquear y a congestionarse y al final se murió, al final estiró la pata casi sonriendo. No pocos cronistas adecuados al trance de la adaptación de cada cual tienen –o fingen tener o hacen denodados esfuerzos por tener– ideas políticas, religiosas y sociales de izquierda e ideas éticas, estéticas y económicas de derechas. Ese incordio que les brota en el alma infectándoles el entendimiento les lleva a la idealización de la debilidad, la suciedad, el vicio y el miedo, sin darse cuenta de que el hombre es ya lo bastante débil y sucio y vicioso y miedoso como para que pueda empujársele en la apuesta. El zurupeto Catulino, el de doña Pura, le exponía al ex cura Zapata su desconfianza de los cronistas que se sienten misioneros.

–Adoptan un aire moralizador y trascendente porque quieren que los vinculen al presupuesto y para conseguirlo serían capaces de vender a su padre; no hay nada más arriesgado ni que juegue más duro que un cronista municipal, un novelista histórico o un lírico menesteroso.

El vate Casto Bolbaite, o sea el primo del ex cura Basilio Zapata, puso cara de que se le iba a ocurrir un pensamiento deleitoso en su sencillez y plácido en su elegancia y comentó con ademán circunspecto:

–Sí; bien me hago cargo de que es punto menos que imposible mantener la serenidad cuando es una virtud que, en nuestro atribulado mundo, no sólo no se cultiva sino que incluso se desprecia.

Una de las locomotoras que bendijo el canónigo, la que se dibujó en el cartel en seda hecho para conmemorar el acontecimiento, se llamaba Santiago, como el Apóstol que arribó a Iria Flavia y heredó su diócesis, y a la otra le decían Sar, como el río que pasa por Iria Flavia, aldea que es el eje natural e ideal y quizá también hasta geométrico de esta verdadera historia ferroviaria. El afamado novelista padronés no recuerda el nombre de las otras dos y a lo mejor nunca lo supo aunque piensa lo contrario, ya que estos recovecos del recuerdo son siempre muy misteriosos y tenebrosos, muy enmarañados y confusos y por ellos no es difícil perderse. El amigo y cuasi tocayo del zurupeto se cayó a las aguas del Sar siendo niño y llegó buceando y medio desmayado hasta el molino donde la muela no lo molió para hacer cierto el verso de Heine que proclama que Dios protege al insensato. A la locomotora Sar la gente le decía Sarita, aunque lo normal era llamar a las máquinas con el nombre del maquinista: Lourido, Pereira, Varela, Fernández, Fabeiro. Xa pasou Lourido e eu non o vin. Hoxe ven a tempo Pereira. Varela parou no paso a nivel de Iria para que baixase o neto de don Johniño. Fernández leva máis dunha hora de retraso. Fabeiro descarrexou a pouco de saír do túnel de Conxo. En el benemérito Museo del Ferrocarril, en la madrileña Estación de las Delicias, se guarda el nombramiento de fogonero de Varela: «The West Galicia Railway Company Limited. Gerencia. He acordado nombrar a V. fogonero con el sueldo anual de pesetas mil ciento veinticinco. El nombramiento impone a V. las obligaciones que prescriben las leyes generales sobre ferrocarriles, etc. Villagarcía 12 de Sptbre de 1915. El Gerente, J. Trulock, firmado. Sr. D. José Ramón Varela.» El cronista Benigno Reixas, antes de morir, claro, le dijo a don Modesto Cabezabellosa que tampoco tenía por qué achuchar al Tuerto contra los forasteros.

—Usted dispense, pero no fui yo el achuchador sino don Braulio.

—¡Anda, pues es verdad! Perdone, don Modesto, estaba confundido.

—Ya veo, ya veo.

También en la Estación de las Delicias duerme la locomotora Sarita, la locomotora de Varela, sus nostalgias del río Sar y el verde paisaje iriense. Lo más posible es que a don Jesús y a don Julio, también a don José y a don Julián, ¡qué cosecha de jotas!, les remuerde un poco la conciencia, a veces, cuando vean morriñenta a la Sarita. Montaigne decía que el nombramiento de liberalidad ya suena a libertad y la Sarita, entre tanto hierro ajeno y solemne, puede que se sienta como presa. La Compañía del Oeste, cuando heredó el The West, puso a la locomotora el número 191 y Renfe la volvió a numerar con el 030-0201. El barbero Caurgamandera que degolló a Tórtola Méndez, la hurgamandera turlequeña, cumplió condena y cuando lo licenciaron de presidio se metió a santero en un pueblecito de Teruel, nunca pude saber su nombre. Fray Inmaculado de las Santas Vísceras carraspeó para arrancar la flema o pollo y siguió defendiendo sus puntos de vista.

–El Museo del Ferrocarril no tiene por qué encerrarse en las angostas lindes de la Estación de las Delicias, ¿no le parece a usted? Lo que hace falta es un catálogo con todo el material posible clasificado y localizado, recuerde lo que decía Keats de la incertidumbre, la belleza, la verdad y la hoja del árbol. *El entierro del Conde de Orgaz* o *La Venus del espejo* no sólo no están en el Museo del Prado, sino que ni siquiera pertenecen a su fondo y, sin embargo, existen y sabemos dónde. La cultura es cada día que pasa menos ordenancista y más flexible porque, aunque con gran esfuerzo, el derecho natural le ha ganado la batalla al derecho administrativo.

–¡Jo, con el fraile, y parecía bobo!, pensó el veterinario Porma en un momento de lucidez, ¡qué culto nos ha salido!

Doña Marianita la Borde, la administradora del real colegio de doncellas nobles de Santa Isabel de Hungría, olvidaba el decoro en cuanto se ponía el sol.

–Dime, Catulino, amor: de todas las doncellas que aquí duermen, ¿cuántas serán doncellas de verdad y con el virgo en su sitio?

–Pocas, pocas, Marianita, cachonda mía, yo creo que no llegan ni a la media docena.

Los concesionarios españoles del Ferrocarril Compostelano, don Joaquín Caballero, don Domingo Fontán y don Inocencio Vilardebó, riñeron con sus socios ingleses porque el primer año de explotación Mr. Mould se quedó con todas las ganancias: el 60 % para compensar gastos y el 40 % a cuenta de sus créditos. Al final acabaron todos a la greña y fueron al pleito que ganaron, quizá porque tenían razón, los españoles que apoyaban a los ingleses; la espoleta que disparó la traca fue la memoria de la junta general de accionistas de 8 de febrero de 1875, siendo presidente del consejo de administración don Eugenio Montero Ríos quien, a sus cuarenta y tres años de entonces, ya había sido ministro de Gracia y Justicia con Prim. Más o menos por aquel tiempo fue cuando vino a España el abuelo del amigo de Catulino el de doña Pura, inglés aficionado a la vía del tren y a la pesca del salmón que dejó familia en España y a quien le viven dos hijas solteras y talludas y dieciséis nietos: seis Cela Trulock, ocho Rodríguez-Losada Trulock y dos Trulock Sanmartín; los pequeños, no, pero los mayores recuerdan bien el empaque con el que la locomotora Sarita caminaba, si no como una emperatriz, sí al menos como una infanta, por aquel paisaje que era el suyo y que tantas y tantas veces cruzó con su panza de hierro llena de fuego y su penacho de humo pintándose sobre el gris azulado del cielo y el gris verdoso del suelo.

Por encima del palomar de Hita la torcaz vuela en busca de la vida aunque a veces se tope con la muerte. A lo mejor, al forastero que me mató una paloma con cerbatana lo castigó Dios enviándole un cólico miserere.

—¿Verdad que es desairado morir vomitando mierda? Creedme, mínima Catalina, porque yo ya estoy muy visto y de vuelta de todo y ya puedo decir lo que dijo el poeta romántico sin que le temblara la voz: He obtenido un gran éxito como moribundo.

—¿Porque devoráis corazones pero no podéis digerirlos?

—Exactamente.

Apeles Gómez Alarcón, el teniente coronel de carabineros en situación de reserva, se empujaba con los dedos comiendo y se ponía perdido.

—En una mano tengo el pan y en la otra el palo: elegid la que queráis, le dijo Sancho el Bravo al embajador marroquí.

—¿Y qué le contestó el moro?

—No lo sé; hace ya mucho tiempo de eso.

Don Fabiol de Eustasio, del comercio, combatía la depresión colocando con mucho esmero billetes de mil, cinco mil y diez mil pesetas en un álbum de fotografías forrado de símil piel.

—No hay virtud que se pueda comparar al ahorro. El Congreso asignó una pensión de tres mil pesetas anuales al poeta Zorrilla para que no se muriese de hambre, y el ayuntamiento de Valladolid aprovechó para suprimirle su pase de cronista. Años después, por los tiempos en que la locomotora Sarita se paseaba entre Santiago y Carril, el presidente del Congreso le quitó los caramelos a los diputados. ¡No hay virtud que se pueda comparar a la del ahorro!

Por encima del palomar de Hita la zurana vuela en pos de la soledad y la muerte; para Bécquer, la soledad es el imperio de la conciencia, y para Keats, hoy toca recordar a Keats, la muerte es el más alto premio de la vida. Al amigo de Catulino, el de doña Pura, le dijeron que la locomotora Sarita sonríe cuando se le recuerda por alguien de la familia y él, que es un sentimental, prefiere creérselo a pies juntillas.

EL INGENIO, LA INDIGNIDAD Y LA LUCHA POR LA VIDA

Veamos de proceder con cierto orden para evitar, sobre todo, dos cosas deslucidas y siempre desmerecedoras: joder la marrana, que es lo que hicieron todos los Roques, que fueron siete, de la familia que se pasa a decir, y pringarnos antes de asar, como es frecuente entre no precavidos.

El tatarabuelo de don Roque de Celestino y Marimón, alias Rock and roll Petit, o sea don Roque de Celestino y Méndez, propietario, licenció a la querida, Vicenta Morano Zamora, la de los Vivillos, alias Marrana, prometiéndole una manda en el testamento, lo que cumplió nada más llegado al otro mundo. En el palomar de Hita se columpia el misterio y se convienen las más extrañas alianzas en la obscuridad; desde la Muela de Alarilla el águila ve cómo se mecen en el aire los elegantes mozos voladores. Don Felicísimo Porma, filósofo autodidacto, siempre pensó que el ingenio era uno de los peligros que acechan a la literatura desde dentro, el otro es la facilidad; de los peligros que merodean pero no habitan la literatura ya se habló a su tiempo y en su ocasión debida.

El bisabuelo, don Roque de Celestino y Fernández-Angulo, ganadero de reses bravas, cesó a la querida, Ramonita Collado la de los Cacariques, alias Marrana II, regalándole la huerta que queda detrás de la casa cuartel. No se debe pedir dignidad a quien ni la tiene ni la necesita; la dignidad, como el valor, se enseña cuando quiere y jamás a contrapelo de la voluntad, ese adorno que no siempre es digno. ¿De quién es la culpa de que casi ninguna paloma tenga nombre? Don Servando Soutochao no fue amigo de Shakespeare, aunque él presumía de haberlo sido.

–Willy y yo –decía algunas veces–, solíamos tomarnos una cerveza en el pub de Timothy Hertford, que había sido verdugo suplente en la prisión de Chelmstown.

El abuelo, don Roque de Celestino y Azcárraga, del comercio, se libró de la querida, Brianda Torija la de los Pilatos, alias Marrana III, poniéndole una casa de huéspedes, viajeros y estables. Cada cual vive de lo que puede y es grave falta de educación pedir consecuencia al padre de familia que tiene que dar de comer a su familia (mujer con depresión, cinco hijos en edad escolar, suegra vieja y enferma y cuñada abandonada); la lucha por la vida es muy dura y el hambre ni contemporiza ni perdona. La curva del movimiento demográfico europeo dejará pronto de ser ascendente y quizás, entre nosotros y dentro de unos años, los niños no sean sino unas raras y escasas bestezuelas agazapadas en la memoria; a los chinos les pasa lo contrario y cada vez hay más. Don Braulio le preguntó al ex cura Zapata por qué los europeos no importábamos chinos y el ex cura le respondió que porque éramos racistas y preferíamos acariciar la idea de la muerte a ejercitar el sentido común.

–Si a los chinos no se les notase tanto que son chinos, o sea, si no parecieran chinos a la legua, a lo mejor ya los habíamos llamado.

El padre, don Roque de Celestino y de la Vega, funcionario, se desentendió de la querida, Mimí Montoto la de los Pelorratas, alias Marrana IV, pagándole la carrera de cura a su hijo Paquito. Vocación deriva del latín *vocatio, -onis*, acción de llamar, y se supone que tanto en la vocación religiosa como en la elección de Papa quien llama es el Espíritu Santo; cuando son más de los acostumbrados los clérigos que cuelgan la sotana, los teólogos admiten que sus vocaciones no fueron sino espejismos; cuando el Papa demuestra demasiado velozmente su estulticia, los teólogos enmudecen mientras el Espíritu Santo lo llama sin pérdida de tiempo a su divina presencia (tal fue el caso de Juan Pablo I). El Espíritu Santo adopta la forma de paloma para mejor encelar y vigilar al pecador que alborota y escribe la historia y a violentísimos brochazos.

Don Roque de Celestino y Marimón, banderillero que fue de la cuadrilla de Nicanor Villalta, facturó a la querida, Marujita Paredes la de los Villamorondos, alias Marrana V, instalándole una peluquería de señoras con todo a su nombre, menos el secador; así se lo aconsejó don Olegario Lagrela, enseres sanitarios, don Olegario Lagrela y Cocho, que era hombre precavido.

–Con estas furcias todas las precauciones son pocas porque al menor descuido van y le venden a uno el secador, se lo pulen por ochenta duros en mano, ¡menudas son!

Don Marcelo Taberner y Ballester, jubilado, le dijo a su yerno el señorito Marcelino Zapater y Carreter, meritorio:

–No se puede cambiar la voz por la locución, hijo político mío, la palabra por la frase, porque es actitud empobrecedora de la lengua e inequívoco signo de su mal uso e ignorancia. La Constitución cae en ese vicio con no poca frecuencia –fuerzas armadas, tercera edad, medio ambiente– y te aseguro que los esfuerzos que hice cuando era senador para evitarlo terminaron siempre en el fracaso. Hoy quisiera hablarte del último de los lugares comunes dichos, pleonasmo propio de tecnócratas con veleidades literarias, que hizo empujado por la malsana inercia que poco a poco va derribando al español.

El hijo, don Roque de Celestino y Núñez, filatélico, dio el canuto a la querida, Mari-Loli Garrote la de los Magros, alias Marrana VI, abriéndole una boutique. Don Marcelo reanudó el hilo de su discurso.

–La noción *medio ambiente* en el diccionario vale por:

a) Conjunto de circunstancias físicas que rodean a los seres vivos.

b) 2. Por ext., conjunto de circunstancias físicas, culturales, económicas, sociales, etc., que rodean a las personas.

–Creo que ambas acepciones se podrían refundir y abreviar en:

c) Conjunto de circunstancias que rodean a los seres vivos.

–¿Y quizá también a los inanimados?

–Sí, ¿por qué no? Sigo. Aun siendo cierto y no demasiado difícil de ver que $a \pm b = c$ no es mi propósito de hoy el demostrarlo. Ahora sólo quisiera señalarte, aplicado Marcelino, que en la frase *medio ambiente* se cae en flagrante reiteración ya que sus ambos términos significan o pueden significar lo mismo. Veamos primero la voz *medio*; tú apunta lo que te vaya leyendo en voz alta.

d) 35. Conjunto de circunstancias culturales, económicas y sociales en que vive una persona o un grupo humano.

–¿Por qué no físicas también?

e) 37. Elemento en que vive o se mueve una persona, animal o cosa.

–Incluso admitiendo que las cosas vivan y se mueran, es evidente que bastarían unas nociones de álgebra para hacer de todas estas definiciones y acepciones una sola y más flexible y cierta.

Don Marcelo hizo una pausa en su sermón al señorito Marcelino.

–¿Me das fuego? Gracias. También en el diccionario, tú sigue apuntando, se define así la otra voz, *ambiente*:

f) 3. Condiciones o circunstancias de un lugar, que parecen favorables o no para las personas, animales o cosas que en él están.

–Supongo que no pasará a la historia el definidor que dijo lo que queda dicho pero al margen de eso, ¿tú no crees que *medio* y *ambiente*, aludiendo a las ideas que expresan, suponen tautología no retórica y, por ende, repetición inútil y viciosa? Quizás algún día te hable de las paciencias del santo Job, benemérito patriarca al que casi todo le salió mal y al revés.

Y por último el nieto, don Roque de Celestino Henarejos, diputado del grupo mixto, mandó a la mierda a la querida, éste fue el más cruel de todos, esto es, a Vanesa Pérez la de los Frascuelos, alias Marrana VII, con una maniobra en cuatro etapas: avalándole una galería de arte, presentándole a pintores, escultores, grabadores, etc., escribiéndole alguna frase para los catálogos y casándola con Rufo Puig, diseñador industrial (también les regaló la nevera y el televisor). Un hombre pájaro del Colmillo de Alarilla se encontró al demonio que, agazapado tras una nube, se estaba comiendo una paloma sin desplumar.

–¿No te da vergüenza –le dijo– portarte como la raposa del monte?

Don Salvador Puig y Pernetas, hermano del diseñador Rufo y padre agustino muy versado en teología moral, le explicaba al señorito Marcelino:

—Según Huarte de San Juan para el justo no son necesarias las leyes ni precisos los derechos. ¿Qué sería, entonces, de los abogados si todos fuéramos justos? La respuesta es fácil. Serían los valedores de la justicia justa, esa noción que va más allá de la ley y aun del derecho, y los protectores del justo en su hastío de la justicia que fluye como el agua del arroyo: nítida, mansa y constante.

Otro hermano del diseñador Rufo y del padre agustino don Salvador, ahora se alude a Pau Puig i Pernetas, contable de la productora de cine Propelín, especializada en porno duro (aclaro: Propelín, productora películas indecentes), estaba atónito escuchando la perorata del zurupeto Jabalón Cenizo, pese a que había interrumpido el parlamento jurídico del fraile.

—Italo Calvino —empezó diciendo el ponente con la voz trémula y el ademán patricio—, en sus ingenuas propuestas de valores literarios para el próximo milenio, ¿no será pecado de soberbia el señalar tan largo plazo?, no considera la dignidad ni la indignidad ni se pronuncia ante la evidencia de la lucha por la vida o por la muerte; los cinco temas que baraja son todos adjetivos y olvida que la literatura es algo que nace y muere en sí misma y ni siquiera en la memoria o el ánimo del lector, ese cómplice necesario. Fray Ambrosio de Aspariegos, en su *Discurso sobre las cogitaciones infernales*, advierte de los tres falsos espejos de la vida pública y su expresión, la oratoria, a saber: la adoración del dinero, la deificación del cinismo y la multiplicación de los efectos secundarios, porque ni el dinero es Dios y aún menos el único Dios, ni el cinismo puede convertirse en norma moral, ni los cauces políticos, sociales y económicos son los adecuados a la literatura, cuya función, al decir de George Santayana, es la de convertir los sucesos en ideas. Y no al revés, me permito decirles a ustedes, porque cuando las ideas se mudan en sucesos los hombres acaban matándose. Y las matanzas, como bien observa y suele comentar nuestro respetado contertulio don Servando, llevan fatalmente a la dictadura de la policía o lo que es peor, a la del ejército convertido en policía. La lucha por la vida conduce a la abyección; es ley de fatalidad aunque de ella no se pueda obtener muy claro corolario puesto que también ésa es la órbita del amor, delicia a la que puede ahuyentar la desidia y, si no, que se lo pregunten al Arcipreste cuando moqueó a destiempo.

Yo era enamorado de una dueña en abril;
estando delante ella, sossegado e muy omil,
vínome descendimiento a las narizes muy vil:
por pereza de alimpiarme perdí la dueña gentil.

Así, con estos versos, terminó de hablar el zurupeto Catulino el de doña Pura.

–A lo mejor sigo luego, ahora prefiero salir a tomar el aire.

Don Avelino de Blas, el párroco de los Dolores, estaba carmenándose la hirsuta pelambrera cuando acertó a pasar bajo su ventana la droguera Mila, que no es porque uno lo diga pero estaba como un tren.

–¿Quiere que le traiga zotal, don Avelino?

A don Avelino le entró la digna ira santa de los acorralados.

–¡Calla, pécora! ¡A ver si eres más respetuosa con los ministros del Señor! ¡Tú vete a jamerdar la colada, que es lo tuyo! ¡A ti nadie te dio vela en este entierro!

–¡Ave María purísima, qué modales!

El fraile Puig i Pernetes tenía veleidades ácratas, eso le pasa de vez en cuando a los agustinos y es síntoma que no encierra la menor gravedad.

–Lo malo no es la ley sino el reglamento y lo peor no es el reglamento sino el funcionario que lo interpreta. Reparen ustedes en lo que decía Temístocles a su cuñada Consolación Gaviota: dame un punto de apoyo y moveré el Estado a tu capricho y voluntad. Quinto Curcio descubrió que para el hombre fuerte todo país es su patria, pensamiento que deja en albos paños menores a los patriotas. Y a usted, don Catulino, que siempre me recuerda la idea de Shakespeare de que el orgulloso se devora a sí mismo, piense en lo que decía el nunca bien ponderado san Agustín, mi mentor y guía, de que el orgullo no es grandeza, sino hinchazón, y quede claro que no quiero señalar a nadie.

Fructuoso Gómez-Bembibre y Gómez-Bembibre era hijo de primos, según salta a la vista, pero no había salido demasiado tonto; eso tampoco es obligatorio y hay casos en que sí y casos en que no. Fructuoso se sabía las cuatro reglas de la aritmética y cuatro afluentes del Ebro, todos consonantes, Rudrón, Tirón, Jalón y Aragón, y otros tantos del Guadiana, todos esdrújulos, Záncara, Búrdalo, Lácara y Gévora.

–Con esto ya se puede uno ir defendiendo, ¿verdad, usted?

–¡Hombre, sí! Para consumero tampoco hacen falta mayores letras.

Fructuoso no sólo no sabía sino que ni siquiera creía que los esquimales, en vez de tener un alma cada uno como los españoles y los ingleses, tenían varias, a lo mejor seis o siete, todas pequeñitas como verderoles.

–¡También son ganas de joder, don Salvador! ¡Eso debiera estar prohibido!

Un hombre ingenioso no hace mejor la digestión que un hombre lerdo; escondido en el corazón de no pocas palomas del palomar de Hita duerme un paladín dignísimo con úlcera de estómago. Don Servando Soutochao insistía con muy aburridas palabras acerca de los enemigos de la literatura.

–Al cura y al barbero no les guió la mesura en el expurgo de la librería de Don Quijote y mandaron quemar, sin que les temblase la más minúscula arruga del alma, las crónicas en las que se referían las gestas de los caballeros andantes Amadís de Grecia y Félixmarte de Hircania y Bernardo del Carpio y Don Olivante de Laura y Palmerín de Oliva y Lepolemo, el Caballero de la Cruz, y tantos y tantos paladines en el cuento de cuyas vidas heroicas se sospechaba, quizá con excesivo celo inquisidor, que pudiera guarecerse el demonio. Pido perdón a todos ustedes por la demora en el silencio.

La indignidad es espoleta que puede convertirse en rémora, según soplen los vientos de la historia; agazapado bajo el plumón de algunas palomas del palomar de Hita, tampoco tantas, languidece un traidor que quiso ir demasiado de prisa. El veterinario don Felicísimo Porma, a quien todos consideraban ilustrado y más que descreído, tenía varias muelas y los dos dientes de arriba de oro.

–En España siempre ardieron los libros, siempre se les plantó fuego, y ya en democracia, hace de esto como tres o cuatro años, el ayuntamiento de Bilbao mandó quemar la entera edición de un libro de cuentos por él mismo premiado y publicado, porque alguien descubrió –y denunció– que en tales prosas se contenían palabras malsonantes y se describían situaciones obscenas. ¡Hasta ese grado de indecencia podían llegar las cosas!, dijeron algunos que se callaban ante el estampido de las parabellum, ¡eso es una vergüenza que no se puede tolerar!

El veterinario tomó aliento para continuar.

–Y como en todas partes cuecen habas, hace cosa de un par de meses, quizás algo más, las autoridades municipales de un pueblo extremeño mandaron a la hoguera numerosos y muy ilustres libros de los siglos XVI, XVII y XVIII para dejar sitio a los nuevos en la biblioteca ya que, según la concejala de Cultura, el local era pequeño y además ya nadie leía los textos antiguos. También yo pido perdón a todos ustedes por lo mismo que don Servando.

El zurupeto Catulino el de doña Pura tomó la palabra para terciar con los versos del rabí don Sen Tob que dicen:

Por ende tal amigo
no hay commo el libro:
para los sabios digo,
que con los torpes non libro.

–Voy a ser breve para no tener que pedir perdón como quienes me antecedieron en el uso de la palabra. No es tan sólo con el fuego con lo que se ensaya a combatir la página en la que pueda anidar el huevo o la clave del ciempiés del mal camino (y la tarántula del mal ejemplo y el tiburón del peor provecho) ya que son innúmeras las máquinas al servicio de la obscuridad que se persigue aunque no siempre se sepa por qué ni para qué. Búsquenlas ustedes.

La lucha por la vida condiciona, desvía las intenciones e imprime carácter. No es lo mismo escribir editoriales para el Heraldo de *Madrid* que para *El Debate* y la duda está en saber si los editorialistas proceden por convicciones o por la paga. Con la iglesia hemos dado, Sancho –le dijo Don Quijote a su escudero en trance adecuado. Pues yo les digo a ustedes que es aún peor darse con el hambre. También en el Quijote se advierte que asaz de desdichada es la persona que a las dos de la tarde no se ha desayunado. Y Marco Catón, según Plutarco, decía que es vana empresa entrar en discusiones con el vientre porque no tiene orejas. Las palomas se buscan la comida con más naturalidad que el hombre, también con mayor eficacia y mejor provecho, porque vuelan siempre con la cabeza alta, lo repito a ver si se lo aprenden, y sujetan y no dan pábulo ni al ingenio ni a la indignidad, lo que crea y agiliza la lucha por la vida. El marqués de Santa Librada y el párroco don Avelino disculpaban y aun justificaban la prosa de los editorialistas. Todo el mundo tiene que comer y que vivir y, de otra parte, ¿qué importa quién escriba las necedades, las ingeniosidades, las vilezas? Don Obdulio, el primo del marqués y canónigo lectoral de la catedral de Coria, prefería el hambre y el martirologio, se supone que para la masa de los fieles creyentes y no para los señalados por el dedo del demonio.

1993

Todo esto es futurología puesto que se escribe mediado el 1989 o sea cuatro años antes. Julio Verne se hizo famoso con sus novelas *Cinco semanas en globo, Viaje a la luna* y *Veinte mil leguas de viaje submarino*, entre otras, y adivinó inventos que se inventaron mucho más tarde; el fantasma del verdugo Estanislao piensa que ése es su mérito porque escribir, lo que se dice escribir, mejor escribieron otros de los que no se guarda tan respetuoso recuerdo. El año pasado se conmemoraron, con mayor o menor oportunidad y fortuna, tres quintos centenarios: el del Descubrimiento de América, que fue puesto en tela de juicio por algunos españoles y casi todos los americanos; el de la toma de Granada, que levantó oleadas de indignación entre los jomeinistas andaluces y los hay muy bravos, y el de la expulsión de los judíos y de los moriscos de España, suceso que no recordó casi nadie pese a las graves consecuencias políticas y económicas que tuvo. El 1492 fue un año revuelto y emocionante en el que acontecieron muchas cosas, buenas y malas según quien las cuente y quien las escuche. El veterinario Felicísimo tiene un primo en Miami cuya mujer, la gorda Betty Webster, desde que nació el 1993 y tras lo que se dijo en el 1992, pregona que:

a) El Nuevo Mundo, con iniciales mayúsculas, no fue descubierto por los españoles sino por los italianos, según salta a la vista y sabemos todos.

b) Hablar de Hispanoamérica es muestra de paternalismo cuando no de imperialismo, dado que lo correcto es decir Latinoamérica siguiendo el ejemplo de multinacionales tan prestigiosas como la Compañía de Jesús o la CIA.

c) Los colonizadores españoles, que carecían de intendencia, se hicieron antropófagos en México, con x, e inventaron la cecina de tres gustos, azteca, choroteca y zapoteca, alimento con el que consiguieron sobrevivir, depredar y sojuzgar; no hay más que leer a fray Bartolomé de las Casas, horrorizado testigo de tan luctuosos aconteceres.

La gorda Betty Webster, ahora Betty Porma por razón de su estado civil, ignora que a raíz de la conquista de Granada, los Reyes Católicos mandaron cerrar los cien baños públicos que allí había para abrir en su lugar, cincuenta prostíbulos y otros tantos conventos; la sabiduría no era una de las características de la gorda, que tampoco tenía conocimiento de la Santa Inquisición y sus mañas. El vate Casto Bolbaite, copiando al zurupeto Catulino el de doña Pura, dijo, ¡tanto tiene!, y la órbita de las estrellas siguió su curso como si tal. Dejémonos ir con la inercia y aun la querencia de los trances.

–¿Puedo salir un momento, a orinar?

–Sí, pero no tarde.

A Hermógenes Zapardiel Urioste le brotó una piedra en los sesos y, claro es, se volvió loco pero, como no lo trataron con pócimas sino que lo dejaron a su ser, el paciente, o sea Hermógenes, no degeneró en tonto y pudo llegar a viejo y morir de viejo y desvariando, sí, pero sin que se le cayera la baba ni el moco ni la caca ni el meo, vamos, sin que se le derramara ningún humor del organismo ni detrito alguno de su cuerpo perecedero. Don Servando Soutochao padecía de la vesícula y su afición al escabeche no era lo más indicado para que su fisiología rigiera con fundamento. Don Servando le dijo a don Atanasio da Silva, perito mercantil de origen portugués:

–Desengáñese, don Atanasio, es preferible perdonar a vengarse, es preferible para la salud del alma aunque quizá no para la del cuerpo.

–Mire, don Servando, déjese de conhas. Un servidor no aspira a ser más de lo que es y piensa que sería vano propósito cualquier otra actitud.

–¿O cualquier otra postura?

–Es lo mismo.

Quizá dentro de poco vuelva a permitirse la esclavitud; quizá dentro de poco se anule la ley que prohíbe la esclavitud, con lo que se deja la puerta abierta para que se restaure. Algunas mujeres turcas quieren abolir la ley que prohíbe el velo, pudiera ser que por celosa envidia de la mujer iraní, que lo lleva por obligación; desorienta no poco el hecho de que Jomeini, jugando a la contra, le pueda ganar la batalla a Kemal Ataturk, que jugaba al pelo. El caballero rosacruz don Teodoro de Kios II y la señorita Renata fueron, como de costumbre, a pasar el fin de semana a la fonda La Onubense; llevaban tres lustros yendo muy puntualmente to fuck as though there was no tomorrow y tenían ya cierta confianza con la patrona, doña Matilde Peinado viuda de Macho, conocida por Tres Lunares, dama metida en años y en arrobas que ignoraba la caridad con sus pupilos; a don Teodoro y a la señorita Renata los trataba con mucho más miramiento que a los otros (a algunos hasta les daba con la mano) pero, ¡aun así! Veamos de transcribir el casi ritual intercambio de saludos.

Don Teodoro. –Buenas, doña Matilde, aquí nos tiene usted dispuestos a gozar, como siempre, de su acogedora y benemérita hospitalidad.

Señorita Renata (casi pisando la última palabra del anterior). –Una servidora, lo mismo. Buenas, doña Matilde, me sumo a lo que dice mi Teo de su hospitalidad.

Doña Matilde. –Buenas, don Teodoro y Renatita. (Dando mayor densidad a la voz y mudando el gesto en grave y solemne.) Sí, de mi hospitalidad, de mi hospitalidad..., a lo que vienen ustedes, ¡si lo sabré yo, que les oigo rugir!, es a gozar de los deleites carnales refocilándose como alimañas. En fin, ¡allá cada cual con su conciencia!

Y así sucesivamente. Al caballero rosacruz del que se habla no le quedaban sino dos características positivas: buena voluntad y un afán infinito de no irse para el dudoso otro mundo, el confuso otro mundo, el difuminado y desvaído otro mundo, el revuelto otro mundo del que nadie tiene información de primera mano. Los cueros de don Teodoro de Kios II fueron vareados por la adversidad sin clemencia alguna y los médicos, mirándose en el espejo de la prudente inercia, le impusieron un régimen de vida diz que saludable, sí, pero resignadamente triste y un punto menos que luctuoso: leche descremada en lugar de leche como Dios manda; yogur desnatado en lugar de yogur bravo, como el que toman los campesinos búlgaros; sacarina, mal supliendo al azúcar de caña o de remolacha o a la miel (es recomendable tomar la de Teodoro Pérez –quizás entre otras– ya que, amén de dulce, es mágica porque está criada por abejas benditas); café descafeinado y no café café; colines y no cristiano pan de pueblo; carnes blancas, sin sabor y tirando a pasadas de horno, en el plato en el que se hubieran preferido carnes rojas gustosas y sangrantes; no embutidos, no vísceras, no caza, no féculas, no picantes, nada de alcohol y nada de tabaco. Don Teodoro de Kios II convocó al espíritu de Cristian Rosencruz y se confesó con él diciéndole las palabras que ahora se transcriben.

–¡Sólo me falta ponerle un piso en las afueras a una muñeca hinchable, reverendo padre!

–Ten paciencia, hijo, ten paciencia –le respondió el espíritu del fundador–, que mientras el cuerpo aguante, no se puede decir que se haya perdido la esperanza.

Micaelita Balazote, la de los Escobonales, ya no es una niña, aunque sigue silbando pasodobles, y va camino de ser una real hembra, de convertirse en una mujer de bandera; su tío Claudio, farmacéutico y estudioso de la obra de Valle-Inclán, tenía afición a templar gaitas, a desfacer entuertos y a proteger viudas.

–Desengáñense ustedes porque las cosas han cambiado mucho. La R.·. L.·. Renacimiento n.º 15 de La Coruña (la R con el triángulo de los tres puntitos y la L con lo mismo significan Respetable Logia) permite a sus hermanos elegir las creencias religiosas y las militancias políticas según el libre albedrío y el personal criterio de cada cual, y esto, hace unos años, hubiera sido difícil de entender y admitir, vamos, que no se lo hubiera creído nadie.

Don Claudio pidió otra pepsicola y continuó.

–Ahora ya es otra cosa. Uno de los hermanos, cuyo nombre no revelo por discreción, se confiesa católico, socialista, galleguista, europeísta, ecologista y seguidor del Deportivo. No digo que antes no se toleraran estas actitudes, pero lo que sí digo es que no eran frecuentes, ¿no les parece a ustedes?

–Hombre, sí; nosotros pensamos que más bien, sí.

El hermano Ciruelo se volvió hacia don Ginés Pelegrín y sin más ni más le preguntó va y digo dice:

–¿Usted cree en Dios, don Ginés?

Y éste le respondió va y dice digo:

–Eso no tengo por qué explicártelo, mierdento frade, y es cosa que yo mismo ni sabría. Si creo en Dios o no, es algo que sólo Dios sabe. Comprenderás que mi respuesta es ya una profesión de fe.

Sobre el horizonte se dibujan con toda nitidez los signos de las convicciones y las premoniciones mientras el coro de padres de familia de APRODISFIGU (Asociación provincial de disminuidos físicos de Guadalajara) entona el *Himno a la decencia* que compuso el maestro Gómez Salmorejo, don Senén, aprovechando unos versos de Antonio Machado:

Adoro la hermosura, y en la moderna estética
corté las viejas rosas del huerto de Ronsard;
mas no amo los afeites de la actual cosmética
ni soy un ave de esas del nuevo gay-trinar.

El zurupeto Catulino considera que las instituciones, a fuerza de dar pábulo a las licencias estéticas y cosméticas, acabaron cayendo en manos de esas aves del nuevo gay-trinar, que es viejo como el mundo mismo.

–¿Y usted piensa que podremos levantar cabeza sin mayor detrimento?

–No creo, porque están bien organizados y se saben hasta la letra pequeña del derecho administrativo.

–¿No ha oído usted decir que Dios jamás tuvo el menor aprecio por el derecho administrativo?

–Dios no interviene en estas minucias, mi querido amigo y compañero, Dios se reserva para otros menesteres de mayor enjundia.

Don Teodoro de Kios II premiaba a la señorita Renata, cuando se portaba bien y era amable y complaciente, aumentándole la ración de concluda, que es pienso propio de aves de cetrería que se hace con tuétano, azúcar y canela, entre otros ingredientes.

–¿Me das más concluda, Teo?

–¡Cállate y no seas latosa!

La caza de la torcaz, cuando ya el cimbel atrajo al bando volador, se remata con la holgadera, una paloma a la que se cegó quemándole los ojos con un cigarro puro encendido.

–¿Y no le tiemblan los pulsos del alma a nadie?

–Pues no; parece ser que no.

Betty Porma, nacida Webster, decía que el Papa besaba la tierra al llegar a los aeródromos porque venía muerto de miedo; las gordas fueron siempre muy irreverentes con las dignidades eclesiásticas. En la Sagrada Escritura se dice que Noé bebió vino, se embriagó y se quedó corito, o sea en pelota, en mitad de la tienda; Cam, Sem y Jafet, sus hijos, estaban muertos de vergüenza y procuraban disimular. También se dice que la exposición de Sevilla, la olimpiada de Barcelona y la capitalidad cultural europea de Madrid fueron tres éxitos, quizá más meritorios aún por casuales pero, ¿y ahora, qué? Cómense mejor los buenos bocados de la suerte con el agridulce del azar, nos dejó dicho Baltasar Gracián, creo que en *El héroe*; los españoles confiamos casi enamoradamente en la casualidad y a veces acertamos pero, ¿sabremos vivir y aprovechar toda la obra muerta de estos tres barcos que aún ayer veíamos navegar? El recinto de la exposición de Sevilla de 1927 fue languideciendo y muriendo porque nadie supo lo que hacer con él. La contralto Gertrudis Balazote, Braga de Hierro, la tía de la niña Micaelita la de los Escobonales, había oído decir que la olimpiada de Barcelona estuvo en el alero y a punto de irse al garete porque el munícipe y el generalizado, desoyendo el prudente consejo del olímpico, tardaron más de lo debido en ponerse de acuerdo; al final se arreglaron las cosas y, aunque con la pintura todavía mojada, pudo levantarse el telón. Fue providencial que los catalanes se libraran de tener que hacer suya la idea que expresó Amiel diciendo: Hemos fracasado y no sabemos perdonarnos. Sergio Casaldáguila el Tuerto quería torear turistas, en vez de toros, en la plaza de la Maestranza.

–No es por mala intención, don Catulino, podría jurárselo; es para que escarmienten.

En las ventanillas todavía se dice «vuelva usted mañana», pero sin mala intención, se conoce que es un hábito difícil de desarraigar, sobre todo cuando el Estado no funciona. Hermógenes Zapardiel se murió con la piedra bien anclada en los sesos y creyéndose Napoleón Bonaparte o Nuestro Señor Jesucristo, según las fases de la luna.

–Esa vara parece buena para cimillo, ¿me la regala?

–Bueno, llévesela. ¡Anda, que parece que le ha hecho a usted la boca un fraile!

Desde los tiempos de Larra la administración se ha endurecido y la burocracia ha afinado sus formas para mejor encelar y estrujar al contribuyente. Ortega estudió en muy sagaces páginas y con originales argumentos, la rebelión de las masas, y el zurupeto Catulino el de doña Pura supone que alguien estará estudiando ahora las tres rebeliones pendientes ya en marcha: la de las máquinas, la de los funcionarios y la de los niños. El año pasado y coincidiendo con la plena integración de España en la Europa del mercado común, los aficionados a la especie humana enterramos el último esquimal; acabar con ellos fue un éxito de los ecologistas y los cinco eslabones de la cadena que condujo a su extinción son fáciles de recordar.

–Decidme, don Avelino, ¿cuál es el primero?

–Los sacerdotes no tenemos por qué responder a esta clase de preguntas.

–Dispense, no he querido faltarle al respeto. Dígamelo usted, pues, don Fructuoso.

–Con gusto: el primero fue que se les prohibió cazar focas.

–Muy bien, muchas gracias. ¿Y el segundo, don Felicísimo?

–Pues fue que les asignaron un subsidio, se conoce que para compensarles.

–Exacto, don Felicísimo, muy agradecido. ¿Y el tercero, don Apeles?

–No sé, no sé, pero creo recordar que es que los ochavos del subsidio se los gastan en bebidas espirituosas.

–Exacto, don Apeles, también exacto; lo recordó usted con toda precisión. ¿Y el cuarto, don Fabiol?

–Pues que como están borrachos, no hacen nada.

–Absolutamente nada, como usted bien dice. Y por último, ¿el quinto, don Servando?

–Pues que perdieron el instinto genésico, les pasó como a los rinocerontes y se olvidaron hasta de..., bueno, ya me entiende, hasta de cohabitar.

–¿Quiere decir que incluso perdieron la afición?

–Pues, sí; eso es lo que quería decir, más o menos.

–Bien. ¿Podría usted resumir lo oído, don Modesto?

–Creo que sí: pues que empezaron a morirse de hastío y de cirrosis hepática y acabaron desapareciendo.

Entre los esquimales, no, según se ve, pero entre nosotros crece la media de vida y, en consecuencia, cada vez hay más españoles que no se mueren a tiempo; el síndrome del sillón del padre es una de las enfermedades mentales que acechan con mayor y más aplicada incidencia. Don Obdulio Valdesangil, el canónigo lectoral de Coria, terció en la conversación.

–Crece la media de vida, crece también el nivel de vida y decrece, salta a la vista que decrece, la curva del movimiento demográfico. ¿A dónde iremos a parar con nuestra vapuleada osamenta? Don Enrique decía que todo se puede cambiar menos las costumbres, don Enrique solía tener razón aunque fuera agnóstico, don Enrique fue uno de los últimos hombres con sentido común que vivió entre nosotros, la muerte de don Enrique Tierno Galván fue una gran pérdida para todos.

–Sí, eso es cierto. Hablando de otra cosa, ¿usted cree, don Obdulio, que es correcto considerar al hijo como una enfermedad venérea?

–En algunos casos, sí, a no dudarlo; en algunos casos, sí, pero no siempre. La mesura, amigo Felicísimo, debe ser el norte de nuestros pensamientos.

No se debe talar un árbol en cuarto menguante porque su madera se astilla y desmerece.

–¿Y se convierte en serrín?

–Pues mire, casi.

–Lo que sí sé es que los ajos hay que plantarlos en luna llena para que estén dulces y no den paralís.

En el 1993 el orate Hermógenes todavía sigue vivo y aun terne, contra lo que se suponía poco atrás; el caballero rosacruz don Teodoro se lo encontró haciendo las cochinadas con la señorita Renata y no tuvo más remedio que partirle la boca.

–¿A guisa de escarmiento?

–Usted lo ha dicho. Y también por eso de los reflejos condicionados de Pavlov; a la gente conviene atarla corta para que no se desmande.

Los periódicos han olvidado para siempre los artículos literarios (ahora la gente se da a la economía, a la sociología, el diseño y a la especulación abstracta) y los congresos de escritores dependen ya de manera definitiva de la Secretaría de Estado de Beneficencia y Bienestar Social, Moral e Intelectual, SECRESBETISOMOIN, de la que es titular la licenciada doña María Eladia Macho Peinado, alias Nuca Pelá, la hija de doña Matilde Peinado viuda de Mocho, alias Tres Lunares, la patrona de la fonda la Onubense. Entre los olímpicos del mundo entero crecen con lozanía las ideas de catequesis que aspiran a arreglar el mundo por la vía del despotismo ilustrado. Nunca tuve una tristeza, decía Montesquieu, que una hora de lectura no haya conseguido disipar. La gente está triste, pensaba el zurupeto Catulino, ¿no será que se ha olvidado de leer? En el ex libris que le dibujó Picasso al afamado periodista padronés amigo del zurupeto, se lee: Un libro y toda la soledad. A veces da mal resultado creerlo a pies juntillas. Recuérdese que Goethe advertía, con muy sabia palabra, que quien se retira a la soledad, pronto se encuentra solo. Don Esteban Campisábalos Garciotún, marqués de Santa Librada y campeón de correlativa del distrito de Buenavista, confía en que en el año 2000 se puedan arreglar las cosas que quedaron pendientes en el 1992; lo que conviene es tener algún tiempo por delante para que el personal se ilusione con la esperanza.

DATOS PARA LA HISTORIA

Las palomas mensajeras vuelan mucho más de prisa de lo que corren los negros de las olimpiadas y además no se cansan, bueno, tardan en cansarse. El negro Salem al-Lubiyá, como todos los reos que pagan su culpa con la vida, reencarnó en una paloma blanca y con largas plumas cayéndole por ambos lados de la cabeza; unos le dicen paloma monjil y otros de toca, pero al eunuco Salem al-Lubiyá le daba lo mismo. Las palomas mensajeras vuelan a sesenta kilómetros por hora o sea que hacen los cien metros en seis segundos; algunas muy fuertes llegan a los ochenta y cinco kilómetros por hora o, lo que es lo mismo, pasan los cien metros en poco más de cuatro segundos, menos de la mitad que el campeón del mundo. A veces pienso e incluso he dicho en voz alta que el zurupeto Catulino, el de doña Pura, era primo mío; pues bien: no es cierto, lo decía sólo por presunción, the sixth insatiable sense de Carlyle, olvidando el decir turco que proclama que una onza de vanidad echa a perder todo un quintal de mérito. Pastoro, el palomo que me mató un niño ruin, bizco y con el pelo de color zanahoria, tardó cinco días en ir desde los montes de Toledo hasta la isla de Mallorca; aunque las palomas no vuelan de noche, se ve que tuvo el rumbo medio perdido porque se demoró algo más de la cuenta en llegar; me llevé una gran alegría cuando lo vi sobrevolando el palomar porque pensé que le había salido al paso un ave rapaz o un cazador. En Castilleja de la Cuesta oí cantar una soleá que decía, como ya dije y ahora repito porque me viene al pelo:

Yo soy como el árbol solo,
que está en mitad del camino
dándole sombra a los lobos.

Pues bien: a veces me siento como el árbol solo y le pido al zurupeto que me haga compañía porque, recordando lo que se dice en el *Eclesiastés*, temo caerme y no encontrar quien me ayude a levantarme. El amigo del zurupeto se sabe bastante bien el libro del Arcipreste, lo ha leído vez tras vez y sin cansarse nunca y siempre se ha deleitado con su enseñanza. Juan Ruiz, a lo que recuerda el amigo del zurupeteo, habla en su libro de la paloma y también de otras muchas aves mayores y menores, bravas y mansas: el águila, el milano, la cigüeña, la grulla, la corneja, el ruiseñor, la calandria y el papagayo que, entre otras varias y diversas, salieron a recibir a don Amor; iban cantando y en compañía de clérigos y legos y frailes y monjas y dueñas y juglares, y eran todos felices. Micaelita Balazote la de los Escobonales sonríe con gratitud cuando se lo cuentan.

Día era muy santo de la pasqua mayor,
el sol salié muy claro e de noble color;
los omnes e las aves e toda noble flor,
todos van recebir, cantando, al Amor.

A la paloma mansa le dicen también paloma duende, puede que por lo suave y vagarosa; los duendes son los dueños de la casa y no siempre se muestran zascandiles ni jaraneros. Los doctrinos de la catecumenia de Torrejón de Ardoz conmemoraron con un guateque el aniversario de don Régulo Lyttelton, el pensador de Extramundi que se alimentaba de lamprea –en abril para mí y en mayo para el criado– y que pensó, poco antes de morir en su recién estrenada Villa Mauricette, su señora se llamaba Mauricette Ceboleiro, que cuando se acaba de levantar una casa en ella entra la muerte; los catecúmenos se conoce que bebieron más sangría de lo que fuera prudente porque cogieron semejante jumera o papalina que, en el desmadre, hasta se oyeron vivas a la república.

–Perdone, usted. ¿Tiene más nombres el feo vicio?

–Sí; tiene doscientos o trescientos más, al menos, pero ahora no hacen al caso.

John Diosdado Busuanga, un filipino muy rico que andaba de excursión por Europa, regaló a fray Inmaculado de las Sagradas Vísceras un casal de palomas con una mancha roja en la pechuga, en su país les llaman apuñaladas; el fraile, como no sabía lo que hacer con ellas, le preguntó al zurupeto Catulino si podía echarlas en el palomar y éste, que a veces era de un fino abrumador, le dijo que sí, que bueno, que con mucho gusto, que no faltaría más, que encantado, etc. Al principio no fueron bien recibidas por las demás palomas pero a los pocos días ya fueron admitidas con naturalidad. Régulo Lyttelton, hasta que se murió, claro, se conservó siempre ágil y fuerte porque Mauricette, su señora, le daba de desayunar limonada purgante un día sí y otro no.

–El vientre es la llave del cuerpo humano, el metrónomo que marca el compás del organismo, y a mi Régulo lo llevo como un reloj con mis cuidados: lunes, miércoles y viernes, compota de ciruelas y una emulsión de serrín en leche descremada; martes, jueves y sábados, zumo de limón, zumo de melón y zumo de melocotón a partes iguales, con sifón y un minúsculo tiento, vamos, una pizquita de raíz de jalapa. ¡Es mano de santo!

Régulo Lyttelton llevaba más de seis meses conversando sobre la vanidad y el orgullo con el calefactor Méndez, antes Justo Rameseiro o Modesto Cachafeiro, según la estación.

–Partamos de supuestos muy elementales, mi querido Méndez: ni el sol se levanta para oír cantar al gallo, ni la galerna revienta para asustar a la hija del pescador. El poeta Marcial decía que no huele bien quien siempre huele bien, lo que quiere decir que para oler bien quizá convenga, a veces, oler mal: a lombarda cociéndose, a fraile yéndose de copas, a colipoterra sudando o a jubilado escagarruciándose por la pata. Repare usted, mi querido Méndez, en la razón que asistía a Luis Vives cuando proclamaba que en toda clase de vicios, excepto el orgullo, pueden coexistir la paz y la concordia.

Un hijo de John Diosdado Busuanga, el joven Clark Enmanuel Busuanga, estaba preparando la tesis doctoral sobre *La familia de Pascual Duarte*, la primera novela del afamado novelista padronés, y manejaba material de primera mano muy interesante; su padre era hombre que no reparaba en gastos y se había gastado un verdadero potosí en el suministro.

–Mire usted estas dos cartas, licenciado Jabalón, y verá cómo se fue escribiendo la historia contemporánea de la Madre Patria; se las puedo mostrar y, es más, hasta pienso darlas a la imprenta, porque son palabras sintomáticas, sí, pero ya prescritas; los insultos, las ofensas, las injurias y hasta los malos propósitos y las mayúsculas necedades también prescriben. La primera es del Ilmo. Sr. Don Tomás Cerro Corrochano, director general de Prensa; va dirigida al Ilmo. Sr. Don Pedro Rocamora Valls, director general de Propaganda, lleva fecha de 11 de junio de 1946 y copiada al pie de la letra dice así:

Querido Rocamora:

He tenido un pequeño incidente en censura, con motivo de una novela de D. Camilo José Cela, titulada «La familia de Pascual Duarte», que, en su cuarta edición, lleva un prólogo del Dr. Marañón. Me figuro que esta novela se ha publicado con la debida autorización. Por si te es de alguna utilidad, te diré que el protagonista describe el adulterio de su madre y el de su propia mujer, la vida de prostitución de su hermana, la escena en que viola a una chica de su pueblo en el cementerio y sobre la tumba en que acaba de ser enterrado su hermano (fruto adulterino de los amores de su madre antes aludidos) y todo ello lo hace «con tal brutal crudeza» (la frase no es mía sino de la referencia bibliográfica publicada en el número 140 de ECCLESIA), que sinceramente te confieso que por mi parte lo considero en absoluto intolerable. Si necesitas la novela, la tengo a tu disposición. Por cierto que me costó cuarenta pesetas.

Un abrazo,

TOMÁS CERRO

Al arzobispo Carranza, por sus *Comentarios sobre el catecismo cristiano*, la Inquisición lo tuvo diecisiete años en la cárcel; en el fondo, el amigo del zurupeto tuvo suerte con el calendario. En todas partes cuecen habas y si no que se lo pregunten a Galileo, a Casiodoro de Reina, a Miguel Servet o a Cipriano de Valera; el aire de España es muy comburente y los herejes arden que da gusto verlos, pero el aire de Italia, ¡pues anda que el del Vaticano!, o el de Suiza o el del resto de Europa, ¡pues anda que el de fuera de Europa!, no desmerece ni un punto. La carta que más arriba se transcribe es copia calcográfica del original. Por aquellos tiempos, las señoritas de la sección femenina de FET y de las JONS iban por los pueblos enseñando a las indígenas a lavar niños, bailar jotas y curtir pieles de conejo. En Casas de San Galindo, entre las recias costanillas montunas y el valle del río Henares y entre Hita y Jadraque yendo por el camino, las señoritas dichas tenían que aliviar sus vientres en el corral del cura, que se suponía sitio recatado y de confianza; sin embargo una noche, estando ellas a la necesidad, se escuchó una agria voz que reprendía a un mozo:

—¡Aparta de ahí, muchacho, y no mires por el agujero, que están cagando las falangistas!

La respuesta a la carta anterior es de fecha 19 del mismo mes y año y copiada también al pie de la letra, dice así:

Querido Tomás: Contesto a tu carta del 11 del cte. sobre la novela de Camilo José Cela titulada «LA FAMILIA DE PASCUAL DUARTE».

Camilo José Cela me parece un hombre anormal. Tengo la satisfacción de haberle suspendido en derecho civil. Su novela me la leí el otro día a la vuelta de Barcelona, en las dos horas que duró el viaje en avión. Después de llegar a mi casa me sentí enfermo y con un malestar físico inexplicable. Mi familia lo atribuía al avión, pero yo estoy convencido que tenía la culpa Cela. Realmente es una novela que predispone inevitablemente a la náusea.

Esta novela fue autorizada antes de llegar aquí yo; la única novela que ha intentado publicar el genial Sr. Cela siendo yo Director General, he tenido la enorme satisfacción de prohibírsela. Creo que en peñas y cafés enseña alegremente la hoja de censura en que consta esta prohibición.

Te envía un fuerte abrazo.

Firmado: PEDRO ROCAMORA

Esta carta, a diferencia de la anterior, no es copia calcográfica sino inmediata transcripción del original firmado y rubricado que el amigo del zurupeto guarda en una notaría y va escrita en el papel tenebrado del cargo.

A mí, lo que se me hace difícil de entender es que se digan estas cosas por escrito estando los despachos de ambos directores generales separados no más que por un tabique; me dicen que aún quedan muchos conocedores de aquella casa de Monte Esquinza, 2, esquina a Génova. Tampoco es razonable que las guardasen tan mal. El veterinario don Felicísimo Porma le preguntó a don Roque de Celestino, el ex banderillero:

–¿No será que eran unos meapilas medio agilipollados?

–Pues sí; lo más probable es que sí.

La carta del director general de Prensa no es más que una denuncia, tampoco demasiado razonada, a la que se suma el lamento por las cuarenta pesetas que le costó el libro, pero la del director general de Propaganda destila cierta mala baba doméstica y no buena salud neurovegetativa; las dos declaradas satisfacciones del firmante, facilitan el diagnóstico. La novela que tuvo la enorme satisfacción de prohibirle al genial Sr. Cela fue *La colmena* y el verdugo ejecutor de la sentencia fue don Andrés de Lucas Casla, Pbro., un clérigo grasoso y renegrido que vivía en Jorge Juan, 100, frente a los solares de la antigua plaza de toros y que, entre otras carencias, ignoraba dos virtudes: el aseo y la caridad. Hace ya muchos años, cuando el amigo del zurupeto Catulino, el de doña Pura, bajaba las escaleras de la casa del clerizángano inquisidor con el rabo entre las piernas y la copia mecanografiada de *La colmena* mechada de tachaduras inclementes, iba recitando por lo bajo los versos de Gonzalo de Berceo en loor de Nuestra Señora:

Varones e mugeres por madre te catamos,
Tú nos guya, sennora,
Commo tus fijos seamos,
Peccadores e justos tu merçed speramos,
Façernos a Dios la suya por ti,
Commo fiamos.

El amigo del zurupeto siempre pensó que el que no se conforma es porque no quiere, ya que los males que no tienen fuerza para acabar la vida, no la han de tener para acabar la paciencia (Cervantes). Liborio Lagunilla, el fraile del antifaz, no conseguía publicar sus versos en loor de la Virgen del Perpetuo Socorro y estaba rabioso, parecía un moro con gonorrea o al menos con cistitis; en *La Estafeta Literaria* y en *Fantasía* le hicieron concebir ilusiones pero al final quedó todo en agua de borrajas.

–Pero, vamos a ver –decía el fraile a punto de saltársele las lágrimas–, mis versos, ¿están medidos como Dios manda?, ¿pegan o no pegan?, ¿tienen sentimiento o no tienen sentimiento?, ¿son portadores de mensaje o no?, ¿tocan la fibra sensible o no?, ¿se insertan en la línea de la poesía social, subgrupo religiosa, o no?, a ver, a ver, eso es lo que yo quisiera que se me dijese, ¿por qué no me los publican?

A don Esteban Campisábalos le colaron una partida entera de preservativos lavables e irrompibles La Alsaciana Blonda en malas condiciones, una gruesa de cajas de a docena, total mil setecientas veintiocho unidades; como no le admitieron la devolución se tuvo que quedar con ellos y a fin de no desacreditarse y perder la clientela, optó por ofrecérselos a guisa de regalo a:

I. Las hermanitas de los pobres que regían el asilo de ancianos desamparados, para uso de alguno que pudiera precisar su empleo (supuesto improbable).

II. La famosa casa de lenocinio de Madame Teddy, Gravina, 20, para uso del cabritaje transeúnte (cuya admisión hubiera redundado en un manifiesto deterioro de su prestigio).

III. La caja de recluta, para uso de jefes, oficiales, suboficiales y clase de tropa de Oficinas Militares (oferta invalidada por razón de principio puesto que el personal pertenecía al arma de infantería).

Las tres instituciones rechazaron el donativo con la disculpa de que su aceptación no estaba prevista en el reglamento. Al macho del halcón peregrino le llaman terzuelo porque abulta la tercera parte de la hembra; hay veces en que la naturaleza deja de fingir y se descara. El halcón es enemigo de las palomas aunque no tanto como el azor, el halcón palumbario, que goza asustándolas, persiguiéndolas, acosándolas, matándolas y comiéndoselas. El joven Clark Enmanuel Busuanga también tenía noticia de que la novela de su interés se había presentado al premio Nacional de Literatura de 1943 o 44, aún tenía que precisarlo –fue el año que se lo dieron a *La fiel infantería*–, y que a su autor, el amigo del zurupeto Catulino, le devolvieron el ejemplar que había obrado en manos del jurado, sin abrir siquiera; entonces la dirección general de Propaganda era todavía delegación nacional y el delegado debía ser don David Jato Miranda.

–Ese extremo del ejemplar intonso le va a ser difícil documentarlo.

–Sí, sin duda; el que no quiera, que no se lo crea, pero cierto, ¡vaya si es cierto!

La fiel infantería, de Rafael García Serrano, fue censurada y aprobada, editada, anunciada, lanzada a bombo y platillo, premiada, prohibida y retirada de la circulación a la chita callando, por la delegación nacional de Propaganda de la vicesecretaría de Educación Popular a cuyo mando estaba don Gabriel Arias Salgado, de pintoresca y luctuosa memoria, el gobernante preocupado por los crecientes índices de la masturbación adolescente. Hay historiadores que a este cúmulo de poderes llaman la unificación; parece que hablamos de tiempos del Diluvio Universal, pero no: todo esto que se cuenta aconteció todavía anteayer. La historia de España se escribió casi siempre con muy mala letra y llena de borrones y tachaduras, y la historia de España contemporánea aún más. Isidoro el Meón, el protagonista de *Símbolos y veleidades*, la novela que lleva ya varios años escribiendo el zurupeto Catulino, le dijo a su vecina Micaela Menéndez, cuarenta y ocho años, casada, sus labores, siete hijos (uno de ellos mongólico), bachiller elemental, diabética, tesorera de la Asociación de Madres de Familia Numerosa y Poco Pudiente del Partido Judicial de Torrejón de Ardoz, AMAFANUPOPUPARJUTORRAR, y algo bisoja:

–¿Quiere usted que le diga una frase de Cicerón en latín? Me la sé de memoria.

–¿Mande?

–Que si quiere usted, ¿me entiende?, que le diga una frase en latín; es de Cicerón, del famoso Cicerón, y me la sé de memoria.

–Pues, no, ¡ya ve! La prefiero en español porque a una servidora el latín no se le da.

–Como guste. Preste usted atención. Es en forma interrogativa, vamos, que es pregunta, y dice así: ¿Quién ignora que la primera ley de la historia es que no hay que osar decir nada falso, y que no hay que temer confesar toda la verdad? ¿Le gusta?

–Sí.

Las palomas mensajeras vuelan más de prisa que el pensamiento y además no se cansan. El local social de la AMAFANUPO etc., estaba pared por medio de la catecumenia y a veces, los doctrinos y las madres de familia se cambiaban información sobre los OVNIS, los fenómenos parapsicológicos, el más allá, los problemas de los drogadictos, la conservación de la naturaleza y el impuesto sobre la renta; esto de las asociaciones está muy bien porque el personal se entrena para la democracia. Las palomas mensajeras vuelan casi a la misma velocidad que los ángeles porque llevan siempre la cabeza alta, jamás me cansaré de repetirlo.

PALABRAS ALREDEDOR DE LA TAUROMAQUIA

Fabián Tajuelo, el de la bodega, está bien arrimado de rabia, o sea que es arrogante de natural y no se para en filamentos ni circunloquios. Fabián Tajuelo, el de la bodega, exclamó con voz tonante ¡jo, macho!, le salió del alma, tanto y con tal frenesí, que se quedó medio bizco del esfuerzo, cuando se enteró de que en el tiro de pichón caían más de dos millones de zuritos todos los años.

–¿Sabe usted lo que le digo? Pues lo mismo que Albert Camus, ni más ni menos: que la verdad no es una virtud sino una pasión, de ahí que nunca sea caritativa.

El Papa san Pío V, que había sido inquisidor general, excomulgó a los taurinos y a la reina Isabel I de Inglaterra; el santo excomulgador, aunque era delgadito, los tenía muy bien puestos (los riñones, se quiere decir) y aliado con los españoles y los venecianos en la Santa Liga, le sacudió estopa a los turcos. El Dr. Jerónimo Tárbena, enfermedades secretas, tratamiento de las hemorroides por electrocoagulación activa y de la blenorragia por electrolisis atómica y acupuntura, se pasó la vida dando cornadas al viento y esforzándose en vano en defender causas perdidas. El Dr. Jerónimo Tárbena era aficionado al tiro al plato, no al otro, al del pichón, y enemigo de la tauromaquia, las carreras de galgos y el deporte del balompié.

–¡Qué quiere! A mí eso me parece de tontos sanguinarios, el culto a la sangre es muy vicioso y puede conducir a extremos históricos terribles; es mucho más bonito el dominó y la petanca, ¡y no digamos el tiro al plato!, y además no se apuñalan reses bovinas, ni se fusilan pájaros, ni se revientan canes, ni se dan patadas unos hombres a otros, ni se le rompe un hueso a nadie y menos a un semejante.

–Sí, eso también es verdad, ¡para qué negarlo!

El zurupeto Catulino, el de doña Pura, no sabía expresarlo con belleza y menos aún con precisión, pero pensaba que la ética al uso se confunde con la moral del resentido, ese botarate débil que para afianzarse precisa negar al prójimo.

–Oiga, doña Gertrudis (es la contralto doña Gertrudis Balazote, alias Braga de Hierro), ¿se acuerda usted del guerrero Havís, el moro que reinó en el castillo de Montemayor y se pasó cien años peleando, amando y componiendo versos con el corazón?

–Pues, no; la verdad es que no, ¡qué quiere que le diga!

–Pues para que se vaya enterando: aquí mismo donde está usted, palmo más, palmo menos, escuchó su hijo el cantarín rumor del agua, el bien acordado trino del ruiseñor y el melodioso canto de la odalisca.

–¡Caray, qué suerte!

Doña Gertrudis era alta de agujas y estaba bien puesta de pitones.

–¿Se da usted cuenta del trapío?

–¡Claro que me doy cuenta! ¿Se cree que estoy ciego?

El Papa Gregorio XIII, que no llegó a santo pero tenía sangre torera y predisposición al tumulto y a la alegría, inventó los nuncios, arregló el calendario, disfrutó con la matanza de los hugonotes de la noche de San Bartolomé y alivió las penas a los taurinos perdonando a los legos. Cuando el rayo me mató todas las palomas del palomar sin dejar ni una, aproveché para enlucirlo bien por dentro y tapar los agujeros por donde se colaban las ratas, que son peor que la peste para las palomas y llegan a despoblar los palomares; ahora parece que la cosa va mejor y creo que he conseguido desterrarlas, ya veremos por cuánto tiempo.

–Y si vuelven, ¿qué va a hacer usted?

–Pues nada: joderme y seguir matándolas. ¿Qué otra cosa quiere usted que haga?

El Papa Sixto V, que era aficionado al arte, recordó a los clérigos dos obligaciones: el celibato y la no descarada complacencia ni el palmario regodeo con los festejos de toros; su breve *Nuper si-*

quidem, dirigido al obispo de Salamanca, fue protestado por la Universidad con un papel escrito por fray Luis de León.

–¿Vio usted ese papel?

–No; yo, no.

–Pues tampoco se fíe; lo más probable es que sea un invento de los enemigos de la tradición.

–¡Puede!

La gorda Betty Webster, la mujer del primo que tiene el veterinario Felicísimo Porma en Miami, es enemiga jurada de las corridas de toros, de los negros y del pescado; la cosa ni precisa mayor explicación, ni tampoco sería fácil encontrársela. Don Ladislao de Jácome y Porlier, alias Ladislavsz de Katowice, capellán de las clarisas del Burgo de Osma, murió de un calentón en el guáter de caballeros de la discothèque La Pilarica, en Calamocha, cuando fue de que sucumbiera a los embates de la carne mortal y pecadora; su cadáver no fue habido jamás y hay quien piensa si no se lo habrá llevado Belcebú hasta el más hondo abismo. En el guáter de señoras de la mencionada discothèque apareció un cabás con sus iniciales conteniendo un braguero inguinal de elaboración casera, unos tirantes con los colores de la bandera española, dos condones usados y el original manuscrito de la novela de su autoría *Epistolario de una comadrona virgo*.

El Papa Clemente VIII era de natural perdonador y absolvió a Enrique IV de Francia y de Navarra con la misma elegante generosidad con la que permitió a los clérigos sentirse taurinos. La paloma mansa es de origen foráneo y no demasiado preciso; los animales nacen, viven, se reproducen y mueren desentendidos de las convenciones administrativas y a espaldas de las evidencias políticas y, a diferencia de los hombres, hablan entre sí con una única lengua por especie, con una sola lengua de muy pocas palabras o, quizá fuera mejor decir, de muy contadas frases hechas: el arrullo o el zureo, por ejemplo, entre estas aves de las que hablamos. La paloma indígena es la zurita: brava, fuerte, veloz, resistente, valiente, sobria. El zurito del país es muy buscado en los campos de tiro por sus especiales condiciones; Fabián Tajuelo, el de la bodega, se quedó de un aire cuando supo que en el tiro de pichón se abatían más de tres millones de zuritos al año.

–Antes había hablado usted de dos millones.

–Sí, eso es cierto, pero no me negará usted que todo sube.

Cuando el diseñador Rufo Puig se casó con Vanesa Pérez la de los Frascuelos, o sea Marrana VII, la que había sido novia de don Roque de Celestino Henarejos, diputado del grupo mixto, su amigo Andrés Tulla Sánchez, que tenía peor intención que un miura, le regaló un cencerro pintado de purpurina.

–Y esto, ¿para qué sirve?

–Pues, servir, servir, la verdad es que no sirve para mucho; esto es tan sólo por un por si acaso.

Juanito Apiñani da el salto de la garrocha en la plaza de Madrid, según nos cuenta Goya en uno de los grabados de la *Tauromaquia*, y Fernando Savater, siglo y tres cuartos más tarde, nos habla de la lata remilgada y redicha del teatro del inevitable Lorca (los adjetivos son suyos). Don Atanasio da Silva tuvo amores con doña Matilde Peinado viuda de Macho, pero esto lo sabía poca gente. Los taurófilos y los taurófobos ni tienen razón, ni tienen por qué tenerla, ni la necesitan, porque los hombres aman u odian no más que por entretenerse y justificarse a medias, que tampoco de cuerpo entero; el tema empezó debatiéndose en el Vaticano y en las más altas instancias, pero fue cayendo en picado hasta hacerse materia de ingeniosa y sentimental catequesis sobre la que no merece demasiado la pena insistir porque tan sólo jugando con las palabras, aunque se le arrime emoción, no se desenmarañan los embrollos ni se ve claro en la noche del alma. Tampoco debe echarse en saco roto la evidencia de que en un país como España en el que su lengua común, el español, da cabida a numerosas locuciones adverbiales y proverbiales con aroma taurino (Cossío registra cerca de tres centenares), no es fácil enfrentarse con objetividad bastante al problema de la licitud o ilicitud de la fiesta. El zurupeto Catulino Jabalón Cenizo, el de doña Pura, supone que aún menos lo podrán hacer los europeos hablando francés, inglés o alemán, ya que parten de posturas previas y con harta frecuencia oxidadas e ignoran de qué va la cosa.

–No lo asegure porque eso no lo sabe ni Dios.

–Se equivoca usted; Dios sí lo sabe, lo que pasa es que no se detiene a considerar los gestos y las alharacas de los hombres, aunque se anuncie que vaya a haber toros y cañas, y se limita a dar la alternativa a los ángeles y a ver los toros desde la barrera manque la sangre salpique. Un cómico español muy inteligente dijo que los dioses saben poco de los hombres porque no tienen ignorancia bastante. El hombre sujeto a norma llega siempre al final previsto. En las palabras que el afamado novelista padronés escribió para el taurino Luis Nieto Manjón hablaba de las cinco normas inabdicables que su familia le inculcó de niño; hablo de su familia inglesa, claro es, porque la española, más preocupada por la lucha por la vida y por el gran negocio de la salvación del alma, no estaba para más normas que las de la intuición y, con suerte, la inercia. Las normas a las que se alude eran las siguientes: no vestir con desaliñada afectación, para no parecer artista; no hablar a gritos, para no parecer político; no caminar con gallardía, para no parecer plebeyo enriquecido; no hacer proselitismo de nada ni en nada, para no parecer alemán, y no exteriorizar los sentimientos, para no parecer romántico. En ese rigor no tenían cabida las lucubraciones sobre la crueldad, la estética y la dromomanía, ya que sólo estaba permitido cultivar el *spleen*. No hay hondura mayor que la del hastío, decía Unamuno.

–¿Y eso es bueno?

–Nadie lo sabe: pero sin duda alguna, es una evidencia.

El ex cura Basilio Zapata lo ensayó primero para su capote y después habló en voz alta.

–La tauromaquia, como la música o el ajedrez, es arte geométrico –adivinada o intuida, que no adobada o discurrida– y de ahí que haya habido siempre niños toreros o músicos o ajedrecistas y no niños filósofos o dramaturgos o novelistas. Contra la tauromaquia se quiere luchar, como usted bien dice, con la espingarda del sentimiento o la historiada culebrina del ingenio y, según es de ley, la máquina no funciona porque a ambas pólvoras las moja el agua de la conformidad doméstica y la rutina burguesa; nadie olvide que la una y la otra no son sino muy tímidas virtudes comerciales, que no intelectuales.

–¿Y hay que aguantar marea?

–Sí, sin duda. Hay que apretarse los machos, echarse la muleta a la izquierda y torear al natural. El que no se conforma es porque no quiere ya que, según se dice desde hace mucho tiempo: no hay más bronce que años once, ni más lana que no saber que hay mañana. Y quien cae en la rutina, en el pecado lleva la penitencia porque, como también se cuenta desde siglos atrás: tordo en campanario, no se espanta a golpe de badajo.

Ireneo Aguacato el Présbita, comadrón de la Universidad de Valencia y viudo de la primera esposa del cómico Íñigo de Velasco, a quien ajusticiaron porque, olvidándose de la humildad de su oficio, galanteaba a las damas como si fuera un caballero, pronunció una conferencia en la cátedra Luis Vives que empezó así, tras un breve exordio de circunstancias:

–Confundir el procedimiento con el derecho, como tomar la letra por el espíritu, no conduce sino a la injusticia, que es fuente –y a la vez secuela– del desorden.

Antes había colocado sobre la mesa un letrero advirtiendo:

No se escriben prólogos.
No se hacen declaraciones.
No se responden encuestas ni cuestionarios.
No se admiten meriendas.

A la media ladera, el águila no vuela encima sino enfrente; cuando se vive en una casa a la media ladera, las piedras amansadas y limadas por el viento regalan paciencia y sabiduría, a partes iguales, y las estrellas brindan serenidad, conformidad y hasta elegancia. La literatura es, o puede ser, la falacia, la simulación, el fraude; el deporte y la política, también, pero no la tauromaquia. En el drama incide la sorpresa porque a la anécdota cabe conducirla por el carril del argumento, pero no en la tragedia, donde se sabe siempre –salvo desgracia– lo que va a pasar y lo que importa no es el suceso sino la calidad y armonía de los lances del suceso, esto es: no cuenta lo que pasa sino el cómo y de qué artística manera pasa, que la historia es la misma aunque en ella quepan todos los matices de la belleza y aun del horror. Alejandro Dumas, tras ver una corrida de toros, exclamó:

–¡Escriba usted literatura, después de esto!

Liborio Lagunilla, el fraile del antifaz, le dijo al ex cura Basilio:

–¡Más vergüenza debiera usted tener! ¡Al toro, que es una mona!

Y el ex cura Basilio, tras respirar con la boca abierta para tomar un poco de aire, volvió a hablar.

–Un suspiro separa la vida de la muerte y un quilate es capaz de inclinar la balanza sobre el abismo, que aquí nadie puede cantar victoria hasta que se pone el sol. ¿Sabe usted lo del marido cabestro y tonto?

–Sí que lo sé, pero me gustaría oírselo repetir.

–Gracias. Ella va y le dice: Cornudo sois, marido. Y él va y le pregunta: ¿Y quién te lo dijo?

Para Bergson, la meditación es un lujo y la acción, una necesidad, lo que medio explica, aunque no lo aclare del todo, el diálogo entre el marido dócil, negado y cabrón, y la mujer de rompe y rasga que se dormía en la deleitosa suerte del cachondeo.

El zurupeto Catulino Jabalón Cenizo escuchó la confesión de su contrapariente Calixto Álvarez Olmo, quien de joven se había caído en la gran sartén de hacer churros de una romería y salió medio frito.

–Vengo a sentar cabeza y a estirar la pata, porque ya estoy harto de jugar de farol. La muerte anda de cacería por el mundo, ¿se acuerda usted de quién dijo esto?

–¿Alfonsina Storni?

–La misma. Pues bien: la muerte ronda ya por mi coto y a no mucho tardar me acorralará contra una encina y me partirá el alma con la guadaña.

El arcipreste cuenta que la serrana le dio

mucho gaçapo de soto,
buenas perdizes assadas,
hogaças mal amassadas
e buena carne de choto.

–En aquel tiempo todo el mundo sabía lo que era una perdiz, ¿entiende por qué lo digo?

–Pues, no; la verdad es que no acabo de entenderlo del todo.

–Pues lo digo, para que se vaya enterando, porque hoy ya nadie sabe nada de perdices: lo más, lo más, generalidades y chorradas al ten con ten. La perdiz vuela más rápida que la paloma, también más corta, y hoy ya no se la recuerda con amor: hoy, con decir que es brava, ya se cumple.

Calixto Álvarez, antes de morir, le dijo al zurupeto Catulino Jabalón Cenizo que en el *Vocabulario de la caza* publicado por el Ministerio de Agricultura en 1950 faltaba la palabra «perdiz», vamos, que se olvidaron de ponerla; hoy ya nadie sabe nada de perdices. En el *Vocabulario* dicho, de «perdigones», esferillas de plomo, etc., se pasa a «perlas», prominencias óseas que tienen en su base los cuernos de los ciervos, corzos y gamos, etc. Fabián Tejuelo, el de la bodega, decía siempre que comer ajo y beber vino no es desatino porque, si el agua cría ranas y pudre la madera, con el cuerpo, ¿qué no hiciera? Pese a todo, el toro de lidia lleva una vida regalada y se le permite morir defendiéndose; es el único animal al que el hombre mata sin antes humillarlo. La miel de las abejas es aun anterior a la seda de los gusanos y la paloma mensajera es anterior al telégrafo, aquí siempre alguien es anterior a alguien. Y el hombre, ese animal que todavía no acertó a olvidar las guerras, no es ni anterior ni posterior al otro hombre que confunde el culo con las cuatro témporas y el mero ingenio con el malintencionado sentimiento de la sinrazón (esto casi se dijo ya antes). El problema no estriba en el calibre o el ritmo del cuentagotas de la crueldad sino en la frecuencia del sutil y equívoco latido de una certeza culta e insoslayable: Goya, Vicente López, Zuloaga, Solana, Vázquez Díaz y Picasso, entre cien más, y con otra herramienta, el Duque de Rivas, Salvador Rueda, Manuel Machado, Lorca, Fernando Villalón y Gerardo Diego, entre otros cien y aunque aquí no se citan más que muertos. Para el padre Feijoo, mejor verá el sol el águila sola que un ejército de lechuzas. Don Enmanuel Capistrano le preguntó al sacristán de la Milagrosa:

—¿Usted sabía que en la Malasia el marido se puede comer a la mujer adúltera, si ése es su deseo y tiene apetito y voluntad?

—Pues, no, la verdad, no lo sabía.

Por encima del palomar de Hita vuelan las torcaces saludando a los serafines y a los querubines de la corte celestial mientras por el purgatorio de los toros de lidia vagan, atónitas y errabundas, las almas de los toreros muertos en traje de luces, o sea con las botas puestas, como suele decirse, y a san Pepe-Hillo le encienden velas las viudas: una por cada uno de los siete pecados mortales. Marianita la Borde, la administradora del internado de doncellas nobles, después de darse el lote con el zurupeto Catulino, recuerda que, para Ortega, el hecho de sorprenderse y extrañarse es el comienzo del saludable entendimiento. No cultivemos la tristeza si no queremos ahogarnos en tristeza, y huyamos de la pirueta del hipocondríaco que, una mañana cerrada en lluvia, se puso ante el espejo para decirse a sí mismo:

–¡Qué alegría! Hoy tengo derecho a estar triste.

MARCAS Y PATENTES

(Primera parte)

El amigo de Catulino Jabalón Cenizo, el de doña Pura, escribió una vez unas cuartillas a las que tituló *La bandada de palomas*; se subtitulaban *Cuento para niñas muy pequeñas* pero al editor no debió gustarle esta licencia porque mandó quitarla. Cuando un rumor madura y toma carta de naturaleza en la memoria colectiva, las estrellas se hacen guiños las unas a las otras para anunciar que el aburrimiento se destierra. Albert Camus habla del odio de los editores hacia los escritores; el amigo del zurupeto Catulino ignora la proporción de desprecio que se amalgama con este odio, y también si ambas incómodas y heridoras aristas son conscientes o inconscientes, deliberadas o no, pero sabe que existen, que real y fatalmente existen, y qué feroces puntos calzan; lo que no consigue aclarar en su cabeza el amigo del zurupeto es si el odio prevalece sobre el desprecio o al revés, aunque más se inclina a suponer que el odio, que es vicio de tarados, tiene aún más vigorosa salud que el desprecio, que puede ser virtud propia de los elegidos. El caíd de Almusafes pensó en decapitar al negro Salem al-Lubiyá con alfanje de palma para que sufriera aún más todavía; le quitó la idea de la cabeza el verdugo Habib al explicarle que el sufrimiento puede ser tanto que llegue a convertirse en deleite cuando resbala sobre los surcos que hace el alma al contraluz de la silueta de Dios.

–Permitidme usar alfanje de plomo, que es capaz de producir el necesario sufrimiento, y recordad que ningún reo de muerte, tras la ejecución de la sentencia, pudo reconfortar jamás ni al juez ni al verdugo con su palabra.

El editor suele odiar al escritor –y en algunas actitudes muy sutiles, también despreciarlo– porque intuye que tan sólo el dinero no es garantía bastante, aunque quisiera poder pensar lo contrario, y el hecho de que el escritor, con harta frecuencia, sea un ser despreciable, no resta validez alguna al supuesto. Don Servando Soutochao, a vueltas con su discernimiento y sus obsesiones, no se cansaba de tronar contra los cautelosos enemigos de la literatura, los taimados enemigos.

–¿Y no se rinde?

–No, nunca: prefiero morirme de un ardor que de aburrimiento.

Los mandarines de la literatura mudados en archiveros de las palpitaciones del espíritu –los siempre obedientes funcionarios de la política cultural, los periodistas desbordados por su excesivo y mal administrado poder, los mercenarios de los comités de lectura, los profesores, los editores, los críticos con vocación de policía odian el objeto considerado, la literatura, y su primera fuente, su único manantial, el escritor, porque, aunque se esfuerzan por anestesiarla, tienen mala conciencia de su parasitismo. A Evgueni Dieff le rechazaron en tres importantes editoriales su novela *Las resignaciones y las sublevaciones (Himno para malditos)*, que tanto éxito habría de alcanzar más tarde, y se consoló bebiendo la mezcla que dicen Onán II –tres partes de cerveza, dos de arguardiente de orujo, una de ginebra, unas gotas de ajenjo, un aroma de vermú blanco y un pellizco de polvo de mostaza Colman's– y recordando que Gallimard, que en su momento fue el más prestigioso editor del mundo, también había devuelto originales a Proust, Mauriac, Celine, Malraux, Bernanos y Julien Grancq, entre otros; aquí, en este oficio, el que no corre vuela, y el más tonto, hace relojes. Más o menos hacia el tiempo en que el marqués de Santa Librada y apoderado general del gran establecimiento de baños La Margarita en Loeches, antihepática, antiescrofulosa, antisifilítica, antibiliosa, antiparasitaria y altamente reconstituyente, en un año más de dos millones de purgas, o sea don Esteban Campisábalos, puso de patas en la calle a su criado Emerenciano por necio y cursi, mandó insertar un anuncio telegráfico en el *Blanco y Negro* (de una a quince palabras, una peseta; por cada palabra más, diez céntimos) que decía así: «La quiero muchísimo. Amor basta. Contestación, daría cien años vida. Nos vimos siete noches; amigo Sebastián señas mías; secretos, lo sé. Confío en su amor para mí y siempre suyo hasta la muerte. L.»

En el palomar se me coló un gato que tuve que matar a tiros; era desgarbado y negro, a lo mejor se trataba de un disfraz del demonio, y se le quedó el mirar como de vidrio cuando un balín le entró por debajo de la oreja y pegó un brinco para morir por el aire y aun antes de caer al suelo. Nadie sabe por dónde entró el dichoso gato y tampoco hay que descartar la hipótesis de que alguien pudo haberlo metido por una tronera; la guerra, a veces, no es más cosa que el arte de recurrir a las malas artes. El fantasma del verdugo Estanislao tomaba el sol a la misma boca de su grieta; los lagartos suelen ser muy comedidos en el ademán a diferencia de las lagartijas, que ni las piensan y hacen lo primero que se les ocurre.

El poeta Casto Bolbaite Alcozarejos le dijo a su musa Pascualita:

–¿Verdad que es muy triste ver a un soldado en derrota pidiendo limosna por amor de Dios?

Y la musa Pascualita le respondió:

–Sí. Casto, tristísimo. La derrota la anunció el diablo cuando lo mandó desfilar, cubierto de piojos, tras la victoria. Observa, bienhadado vate, que todas las patrias acaban olvidando a sus ex combatientes; a veces, el proceso de maduración se acelera y entonces, en lugar de olvidarlos, los persiguen.

El poeta Casto Bolbaite se quedó pensativo.

–¿Por qué será que los domadores de circo hablan siempre a las fieras en francés?

En el registro de marcas y patentes son muy serios y no se dejan sorprender así como así; los nombres de las personas no son marcas de fábrica sino meras referencias de origen, tampoco demasiado preciso, y no pueden ser registrados ni patentados porque lo prohíbe el reglamento. El zurupeto Catulino, que sabe bastante de leyes, piensa que un nombre público y notorio no puede darse a un personaje ficticio sin presunción de mala fe, pero nada impide que dos o más personas reales, esto es, con el corazón latiéndoles en el pecho, puedan llamarse de la misma manera; la homonimia no es delito cuando es cierta, aunque pudiera serlo si es inventada o forzada.

–Uno de los espectáculos más amargos que pueda haber –le dijo el hermano Avelino Micieces a Dionisio Papadopoulos, el cobista de cámara de la corte del rey Artús– es el de una palmera y una araucaria en decadencia; en casa de mis abuelos había una palmera y una araucaria en decadencia.

Cuando era niño, el amigo de Catulino Jabalón Cenizo, el de doña Pura, tuvo una novia a la que decían Flor, que llevaba puntilla en la enagua. Un día que paseaban cogidos de la mano por la corredoira de Extramundi, el niño y la niña tuvieron la siguiente conversación (empieza hablando el niño):

–En casa de la abuela hay caballos.

–Los caballos me dan miedo.

–Y vacas.

–Las vacas me dan rabia.

–Y conejos.

–Los conejos me dan asco.

–Y pajaritos.

–Los pajaritos me dan grima.

Como es de sentido común, el amigo de Catulino Jabalón Cenizo dejó de cortejar a Flor.

–¿Y tuvo suerte?

–En este negociado siempre se tiene suerte porque nunca falta un roto para un descosido.

En España, según las cuentas del amigo de Catulino Jabalón Cenizo, el de doña Pura, hay siete Pascuales Duarte y once Camilos Cela y nos pongamos como nos pongamos no nos toca sino conllevarnos con paciencia los unos con los otros. Se supone que están todos vivos, o al menos ése es el mejor deseo del cronista, y citados por el orden del calendario son los que se pasa a decir. Pascual Duarte Sánchez, natural de Mallén, Zaragoza, nacido el 30 de mayo de 1898. Lo importante es el culto al deber, aquello que mantiene enhiesto el espíritu y terne la lealtad hacia lo que fuere: una iglesia, una patria, un partido político, una clase social, un club; cada día que pasa se hace un poco más confusa esta noción y el cambio de chaqueta, lo que antes se llamaba cambio de chaqueta y hoy transfuguismo, busca de dar carta de naturaleza a la magnificación de lo no magnífico. Camilo Cela Mateos, natural de Herreros, León, nacido el 1 de abril de 1900. Dentro de ciento cincuenta años el mundo no hablará más de cuatro lenguas: inglés, español, árabe y chino; todas las demás se quedarán para la poesía lírica, las añorantes conversaciones al amor de la lumbre y los epistolarios amorosos. Nada hay más cruel que la despedazadora lucha de las lenguas, ese pleito que pregona la traición e ignora la nobleza de los últimos gestos; recuérdese que, para Cervantes, nunca dijo bien la crueldad con la valentía. Pascual Duarte López, natural de Jerez de los Caballeros, Badajoz, nacido el 30 de enero de 1907. En el número de la revista *Tiempo* de 12 de octubre de 1987 se publicó la lista ordenada, por provincias, de los españoles más ricos, y en la de Badajoz figura un Pascual Duarte, sin constancia de segundo apellido, constructor; no es el que aquí se dice porque éste es analfabeto. Don Servando Soutochao le dijo a don Avelino de Blas, el párroco de los Dolores:

–Sí, don Avelino, desengáñese usted, más vale tener que desear porque la abundancia da jactancia, prestancia y arrogancia, observe el fluir de mis palabras, e incluso elegancia, mientras que la escasez no brinda sino mangancia y ganas de cagarse en el padre del primer transeúnte que cruce por el paso de cabra.

–Repórtese, don Servando, por favor se lo pido; el hecho de tener razón, no le autoriza a usted ese vocabulario descocado.

–Dispense, don Avelino, pero es que uno se embala.

Sigamos con la lista. Ahora viene el cuarto: Camilo Cela Guillén, natural de Murcia, nacido el 31 de mayo de 1909. La Nicolasita, o sea la mujer de don Claudio Tejeruela Méndez, el telegrafista, padecía de juanetes y, en consecuencia, calzaba zapatillas de orillo; el marido, para oírla venir, le puso una campanilla al cuello como si fuera un gato. Don Claudio Tejeruela decía siempre:

–La Nicolasita está de mal humor; todas las mujeres del mundo están de mal humor.

Y don Plácido, el de la droguería, le objetaba.

–No crea, yo conozco una que está muy contenta.

–¡Si usted lo dice!

Ahora viene Camilo Cela Navarro, natural de Cartagena, nacido el 14 de febrero de 1911. Alguien dijo hace ya algún tiempo que nadie muere cinco minutos antes. Los mendigos tienen que ser dignos porque un mendigo sin dignidad puede llegar a ser algo vergonzoso. La familia de Boni de Felipe, la ahijada del Dr. Jerónimo Tárbena, pasó siempre mucha calamidad y penuria; en su casa no se comía o casi no se comía, pero se sentaban todos a la mesa muy serenamente. El padre de Boni, que era sumamente mirado, decía a la señora y a la prole:

–Sentémonos. Ya que vamos a no comer, vamos a no comer cuanto antes; no empujaos porque no sólo no hay para todos sino que no hay para nadie. Guardad silencio un instante: bendecid, señor, los alimentos que vamos a no tomar, etc.

Le toca a Pascual Duarte Vallés, natural de Farlete, Zaragoza, nacido el 2 de junio de 1915. Purificación Hermoso, la boticaria de Granja de San Vidal, soñó con un entierro en el que todos eran esqueletos: el muerto, el cura, el monaguillo, el acompañamiento, los caballos... El padre de Purificación, cuando la mandó a la universidad, le explicó la teoría del flogisto.

–Mira, hija, el flogisto es el espíritu de la materia, el aliento que se le escapa a la materia durante la combustión, y el éter es el limbo del alma, el limbo de los justos del Karma de cada cual; yo creo que con estas dos nociones ya puedes irte defendiendo.

–Sí, papá.

El día de santa María Salomé del año 1928 fue detenido un tal Pascual Duarte, cuyo segundo apellido no consta, en la partida de Las Labercas, término de Farlete, en compañía de su amo, Julián Sánchez, acusados ambos de sembrar en tierra ajena; nadie dice que tenga relación con nadie, ni que un Pascual Duarte sea el otro Pascual Duarte, pero nadie tiene por qué callarse que Farlete tampoco es Nueva York; de él se ocupa un auto del juzgado de instrucción de Pina de Ebro de fecha 15 de noviembre, san Serapián, de 1928. El día después de los Santos Inocentes del año 1934, Pascual Duarte Gamboa atracó en Zaragoza al ex matador de toros y ex empresario taurino don Nicanor Villa (no es Nicanor Villalta) a la puerta misma de su domicilio, Casa Jiménez, 5, 1.º izquierda; el amigo del zurupeto no tiene más información de este Pascual Duarte que la noticia que lee en *Heraldo de Aragón* de 30 de diciembre del año que queda dicho, por lo que, al no encontrarlo en las retahílas del documento nacional de identidad, no lo incluye en esta nómina que es tan sólo de vivos. Lo mismo hace con el padre del afamado novelista padronés y con otro Camilo Cela Fernández, éste muerto en el exilio, en Pezilla-la-Rivière, al sur de Francia. También pudiera ser que este Pascual Duarte Gamboa del que ahora se habla, fuera el sembrador furtivo de la partida de Las Labercas porque el otro, Pascual Duarte Vallés, tenía tan sólo trece años cuando el suceso. El general don Venustiano de la Palma, que fue dictador de una república centroamericana durante más de medio siglo, llevaba todos los años una compañía al Teatro Nacional para que le cantasen tres óperas de Verdi, que era su preferido: *Nabuco*, *Rigoletto* y *Aída*. A veces, durante la representación, hacía una seña a un edecán para decirle estas o muy parecidas palabras:

–Deseo cepillarme a la contralto; adóptense las medidas oportunas.

–¡A la orden!

Ahora le corresponde el turno a Camilo José Cela Trulock, el afamado novelista, natural de Iria Flavia, Padrón, La Coruña, nacido el 11 de mayo de 1916. En el *Cronicón Iriense* se narran por lo menudo las completas aventuras de Damián Fabairo, alias Queiruguiño, cuya mujer, la Paquita Flores, le mató el perro dándole a comer esponja frita, que hincha en el bandujo y lo revienta a causa de los retortijones cruzados; la Paquita, que era roma de sentimientos, metió el perro muerto en la cama de matrimonio y le dejó una nota al marido diciéndole que le esperaba en el pub El Perpetuo Socorro, en Cesures. A san Pedro de Mezonzo, el autor de la Salve, que fue obispo del lugar, le pareció muy desafortunada la cruel licencia de la Paquita.

–¡Esta criatura no escarmienta y un día se va a encontrar con la horma de su zapato!

El amigo del zurupeto Catulino, el de doña Pura, o sea el afamado novelista padronés, habla casi todas las semanas con san Pedro de Mezonzo, cuyo espíritu no es nada renuente a la convocatoria del velador.

–La vida política, social e intelectual española ha llegado a tal grado de deterioro que no tiene ya el menor interés; incluso la vida familiar, que funcionó bien durante mucho tiempo, está hoy muy maleada y oxidada. A lo mejor es que se aproxima el fin del mundo.

–Puede, pero no creo. ¡Qué quiere usted que le diga!

–No, nada... ¡El año 2000 sería buen momento para mandar todo a hacer puñetas!

–¡Pero, hombre, san Pedro! ¡Lo veo a usted muy pesimista!

Siguiendo el orden viene Pascual Duarte Aláez, natural de Sotillos de Sabeto, León, nacido el 17 de mayo de 1928. Liborio Lagunilla, el fraile del antifaz, estaba en muy animada cháchara con Segunda Ruesca, la cocinera de la señorita Adelaida.

–La gente incrédula duda de los misterios, sobre todo del de la Santísima Trinidad, que es claro como la luz del sol, ¡bien se dice que Dios ciega a quienes quiere perder! Uno y trino, salta a la vista que es así: Dios Padre, Dios Hijo y Dios Espíritu Santo y un solo Dios verdadero. ¡Naturalmente! Es como los nabos, las nabizas y los gralos. ¿O no?

–Sí, señor, para mí que no hay duda alguna.

–O como las nueve *Sinfonías* de Beethoven, los seis *Conciertos de Brandeburgo* de Bach o la tabla periódica de Mendeleiev. ¿Lo entiendes?

–Pues, la verdad, no mucho.

–Bueno, no te preocupes. Tú sácate una teta por el escote y calla.

–¡Jesús!

Detrás viene Camilo Cela Recio, natural de Valdoré, León, nacido el 6 de noviembre de 1929. Isidoro el Meón también era amigo de Segunda Ruesca.

–Mi padre, cuando salí de casa, me dijo: Hijo mío, si vas a triunfar, no dejes de triunfar. ¿Me sigues?

–No, señor.

–Bien, yo, como fray Liborio, tú ya sabes lo que tienes que sacarte por el escote. ¿Estamos?

–Sí, señor.

–Bueno, pues ahora atiende. Con las cuestaciones benéficas, a los niños los adiestran en la mendicidad y a las niñas en la prostitución. ¿Me sigues?

–No, señor.

–No importa, tú sigue atendiendo. A la sociedad le conviene

fabricar especímenes mansos para el mejor gobierno de los pueblos y aseo de las almas. ¿Estamos?

–Sí, señor, estamos.

El cuento *La bandada de palomas* empezaba así: «Había una vez, hace ya muchos años, una niña que se llamaba Esmeralda porque tenía los ojos verdes como las ramitas de los más tiernos helechos.» El amigo de Catulino Jabalón Cenizo, el de doña Pura, le dijo a Adelaida Rossetti:

–Vamos aún por la mitad de la lista, llevamos nueve, cuatro Pascuales Duarte y cinco Camilos Cela, y nos quedan otros nueve, tres Pascuales y seis Camilos, que no me caben ya en esta página. ¿Qué hago?

A lo que Adelaida Rossetti respondió:

–Pues, hombre, no sé. ¿No se le puede añadir a la página un palmo por abajo?

El amigo del zurupeto lo pensó un poco.

–Pues, no, no creo; eso plantearía muchos problemas técnicos. A mí no me parece viable esa solución.

La cocinera de Adelaida Rossetti, o sea Segunda Ruesca Sediles, terció en la conversación.

–¿Puedo hablar?

–Sí, hable usted.

–Muchas gracias. Con la venia, ¿por qué no sigue usted la semana que viene?

MARCAS Y PATENTES

(Segunda parte)

Patrocinio Ruesca Sediles, una de las hermanas de Segunda, tenía un palomo zurito en una jaula de mimbre; se lo había regalado Liborio Lagunilla, el fraile del antifaz, a cambio de ciertas veniales tolerancias. El veterinario Felicísimo Porma, con sus ideas enciclopedistas, aceleraba los diagnósticos e incluso las premoniciones.

–Mire, usted, Culopollo, bueno, Ramírez, usted dispense, atienda a razones y no se deje llevar por la inercia del vacío. ¡Desengáñese de una buena vez, hombre de Dios! Cuando una familia empieza a declinar, siembra la mesa del comedor de frasquitos de medicinas, es algo que no falla.

–¡Anda, pues es verdad! ¡No había caído!

Las hermanas Ruesca eran siete y todas dadas a la complacencia, a saber: Primitiva, que estaba casada con un ciego cabrón de romería, el Robustiano Coirós Montesalgueiro, que tocaba *Corazón santo, Muévete Irene* y la *Marcha Real* a la zanfoña; Primitiva era muy presumida, gastaba pachulí para sujetar el tufo del sobaco y otras partes sudadas y llevaba siempre un tiento de mano de gato en la mejilla. Don Amancio, el cura de Santa Eufemia de Requeixo, decía siempre un refrán con un portillo abierto a la amargura: A muller do cego, ¿para quen se compón? El zurupeto Catulino le dijo al albéitar Felicísimo:

–Hace ya algún tiempo le expliqué a usted el error que pienso que cometí al no morirme joven; ahora quisiera aclararle que a mí la muerte no me da miedo sino vergüenza, repare en que es muy vergonzoso quedarse inerte y sin defensa en mitad del tumulto. Ya ve usted el cadáver de Jomeini, rodando por el suelo.

–Sí, eso sí; yo pienso que no le falta a usted razón.

Después viene María Segunda o Segunda sólo, que era la criada de Adelaida Rossetti y también la musa del fraile del antifaz y otros machos licenciosos; de ella se habla a veces en esta verdadera historia. Fray Inmaculado de las Sagradas Vísceras, cuando era aún Ramírez Culopollo, apuntaba en un cuadernito forrado de hule negro todos los agravios que había recibido de su padre.

–Me dio la vida, ya lo sé, pero ahora quiere quitármela poco a poco a fuerza de desplantes y mala leche, ¡menudo es el viejo! Yo no soy vengativo, pero al que me la hace, me la paga, ¡vaya si me la paga!

Siguen Cosma y Damiana, que eran gemelas e idénticas en las facciones y en las inclinaciones: las dos pelirrojas, las dos chatas, las dos con los ojos pitañosos, las dos putas, las dos bailonas y ambas con alergia al polvo, ¡también es mala suerte, con el gusto que da!, como si fueran señoritas. A Enriquito Santos Giménez, con g, Quique, con q, le quitaron el carnet de conducir durante seis meses porque tuvo un accidente en el que mató a dos desgraciados siguiendo la teoría del chino, a saber:

–No, señorita jueza, un servidor ni frenó ni miró porque en la maniobra del cruce, según todos sabemos porque lo dijo el chino, se debe hacer todo lo contrario, esto es, acelerar y no mirar ya que, cuanto menos tiempo se esté en él, menos posibilidad de colisión hay, según le puedo demostrar a usted en la pizarra.

La quinta es Patrocinia, la del palomo enjaulado, que era muy suya y ensimismada y a veces se quedaba como una vaca mirando al tren.

–Pero, chica, ¡qué te pasa!

–¿Mande?

–¡Que qué te pasa!

–Pues no me pasa nada, ¿por qué?

–¡Ay, hija, creí que estabas ida!

–Pues, no, ¡ya usted puede verlo!

El hermano Avelino, el que hacía milagros como si tal y

hasta quitándoles importancia, estaba hablando de música con el vate Bolbaite.

–A mí me gusta mucho la música, sobre todo cuando es a base de ringorrangos y estremecimientos; lo malo son los músicos, que ponen cara de circunstancias, y las señoras del auditorio, vamos, del público, que ponen cara de ovejas parturientas. Por lo demás, sin novedad.

–Eso es inevitable, amigo mío, porque el arte tiene sus exigencias.

–Sí; eso, sí.

La sexta, es Escolástica, que se había quedado coja de un paralís que le dio de niña, y cierra la lista Pepita, que cantaba en la catequesis y hacía recados a la estanquera, quien le correspondía dándole una cajetilla de celtas todos los sábados.

–España nace con los Reyes Católicos –le decía don Modesto Cabezabellosa, el recaudador de contribuciones, al caballero rosacruz don Teodoro de Kios II–, con la toma de Granada y la expulsión de los moros y los judíos; antes estaba todo demasiado revuelto. España es una nación que no toma cuerpo hasta fines del siglo XV.

–No sé, no sé –le respondió el caballero rosacruz–, según como se mire; recuerde que en el poema *Razón d'amor*, del siglo XIII, ya se dice: Mas amaría contigo estar / que toda España mandar.

Si las hermanas Ruesca Sediles hubieran sido como Esmeralda, la heroína de ojos verdes de *La bandada de palomas*, con ellas hubiera podido repoblarse un palomar. Blasito Sequeros (se viene hablando mucho de él pero como gasta varios nombres no se recuerda) desafió a echar un pulso a Sergio Casaldáguila el Tuerto y, claro es, perdió; el Tuerto no conocía rival en todo el contorno y se lo llevó de calle.

–Aleja las pretensiones de la cabeza, amigo Blasito, y no te hagas vanas ilusiones porque, a esto y a jugar a la taba, se murió el que me ganaba.

Diego Sánchez era amigo de mirarle las tetas a las mujeres, sin dar de lado a las monjas.

No me las enseñes más,
que me matarás.

Estábase la monja en el monesterio,
sus teticas blancas
de so el velo negro.
¡Más,
que me matarás!

Habíamos quedado en que los nombres de las personas no son marcas de fábrica ni pueden ser registrados ni patentados; las leyes pueden ser buenas o malas e incluso peores e injustas, pero no están sujetas a juicio porque lo prohíbe la ley, que puede ser buena o mala e incluso peor e injusta, etc.; esto es como el cuento de la buena pipa o la pescadilla que se muerde la cola. Si un hombre dice «no creo en Dios pero no soy ateo» se está confesando creyente. Dicho de otra manera: el único que sabe si Dios existe o no existe es Dios, y si Dios tiene ese poder de decisión, es que Dios existe porque, de no existir, no podría pronunciarse, no podría afirmarse o negarse. Lo que aparta al hombre de la presencia de Dios es la liturgia, que es siempre pacata y demasiado humana, la escenografía, los aromas, los sonidos de los instrumentos músicos y las gargantas: Dios es el silencio y carece de decorado y de olor. En el Corán se lee que en la memoria de Dios descansa con paz y sosiego el corazón humano, y la memoria también es el silencio porque el que guarda su boca, guarda su alma y, repárese en Cervantes, contra el callar no hay castigo ni respuesta.

El décimo de la nómina de dieciocho, o sea el primero de la segunda mitad, es Pascual Duarte Lázaro, natural de Fustiñana, Navarra, nacido el 1 de noviembre de 1935. Boni de Felipe, la ahijada del Dr. Tárbena, era buena amiga de la Nicolasita, la señora de Tejeruela el telegrafista, y ambas solían salir juntas en pos de emocionantes aventuras.

–¿Y las encontraban?

–No, eso no, ¡jamás!, pero la intención, ¿no cuenta?

La señora de Tejeruela tenía una cuñada que se llamaba Daniela y que era como un mascarón de proa pero a lo bestia. La Daniela, que se pasó más de media vida con los rulos puestos, era más bien relamida y espiritual pero, cuando le picaba la mosca de la lujuria, se volvía materialista y descarada.

–Amor mío –le decía cuando entraba en trance lascivo a su esposo, don Raúl Tejeruela, licenciado en ciencias exactas–, no me acaricies: magréame.

Después viene Camilo Cela García, natural de Cartagena, nacido el 12 de noviembre de 1943. En Cartagena siempre hubo muchos Camilos Cela; sólo en esta lista figuran cuatro; dos que ya se dijeron y otros dos que se dirán, el que murió en el exilio en el sur de Francia también era cartagenero. En casa del amigo del zurupeto Catulino se contaba siempre que en la primera mitad del siglo XIX se desgajó una rama de los Cela gallegos que fue a dar a Cartagena; el patriarca de estos emigrantes familiares fue un Camilo Cela marino que patroneó un barco de su propiedad, el bergantín goleta Bella Juanita, tripulado por once marineros, todos hijos suyos.

–¿Legítimos?

–Sí, que los que tuvo por detrás de la iglesia, los enrolaba en el tres palos Marianela, al mando de su hermano Wenceslao y después, cuando Wenceslao murió, de su sobrino Alfonso, que hacía la ruta de Filipinas llevando vino y trayendo perlas y especias.

El matar a una abeja, en la realidad o en sueños, anuncia pérdidas y desgracias; una picadura trae disgustos y si es en sueños, pregona la traición de un amigo. Cándido Vidal Muñoz estaba ahorrando para comprarse un piso; le habían hablado de un bloque de casas muy moderno, un poco en las afueras pero con muchos adelantos psíquicos y políticos: jardín colectivo, piscina colectiva, antena colectiva, centro social, asociación de vecinos, club de bonoloto y cuponazo, agrupación para el solaz por la fortuna, APESPLAFOR (lotería nacional y primitiva, quiniela, quinielón, QH y rifas en general), etc. Su primo el amanuense Julián, que tenía muy mala uva, incluso más de la que se necesita para ser un mediano escritor, le leyó el arranque de un cuento que había escrito y que se titulaba *Ciudad dormitorio.*

–Verás, primo Cándido, cómo te gusta. En el colectivo de escritores y artistas del distrito, CODEYADEDI, me han felicitado con el laurel colectivo por cuanto expresa con vehemencia y hondo sentido social y colectivo en base a la preocupación social del colectivo de trabajadores del intelecto, CODETRADELIN, a nivel de la integración de este país en la CEE.

–¡Toma, ya!

–Tú escucha.

El amanuense Julián carraspeó y comenzó.

–Se trata tan sólo de una sinopsis a nivel de guión o chuleta, que más tarde desarrollaré en base a la dialéctica que se expresa en el colectivo.

–Ya.

–Tú escucha y no pierdas detalle, que aquí se trabaja en base al matiz considerado a nivel del colectivo. Mi comunicación dice así, bueno, cuando se desarrolle, ya sabes. Cientos y cientos de nichos y en cada uno, una familia desgraciada: el marido, con cuernos y úlcera de duodeno; la mujer, con hongos y distonías neurovegetativas; los hijos, con ansias de nuevos horizontes (es un decir) y muy contenidas ganas de trabajar; las hijas, con el virgo en el cogote y un novio, que se lo van pasando de una a otra, que toca la batería en un conjunto de heavy metal y no quiere casarse ni siquiera por lo civil. ¿Te gusta?

–Sí; por ahora, sí. A mí me parece que va muy bien y muy sentida. Sigue.

–Con gusto. Ahora viene una voz de protesta contra el irresponsable agiotismo, mejor fuera decir, agiotaje, que expreso así, a nivel de paradoja. Habla un vecino con otro y le dice: Oiga, ¿y por qué llaman espaciosa terraza al balcón canijo? Y el otro le responde: No sé; será para que les salga más barato. ¿Te gusta?

–Pues, sí, ¡para qué negarlo! Cada vez me gusta más.

–Pues escucha ahora, que denuncio los abusos del capitalismo. El narrador dice lo siguiente: Treinta y seis pisos; la luz se va con frecuencia y entonces hay que subir a pie; algunos se quedan varias horas colgados en el ascensor, donde se perpetran violaciones y hasta casos de canibalismo (esto me parece que lo voy a quitar). El agua no llega más que al séptimo y por el verano, al segundo; los años de pertinaz sequía no pasa de la planta baja. En el 8.º, centro izquierda E, se murió una señora algo gruesa, doña Magnolia Marroquín Mendoza y, como el féretro no cabía en el ascensor ni doblaba bien por la escalera, tuvieron que bajar a la muerta en un serón y meterla en el ataúd en el portal.

–¡Profundamente emotivo, primo Julián, profundamente humano y emotivo!

–Gracias, gracias...

El hijo del amigo del zurupeto es el que viene ahora. Se llama Camilo José Cela Conde y nació en Madrid el 17 de enero, san Antón, patrono de los animales, de 1946; este que ahora se dice tiene una hija, Camila Cela Marty, que no se computa porque, además de ser niña, es muy pequeña: nació el 8 de mayo de 1989 (estas palabras, que se publicarán el 9 de julio, san Zenón y otros diez mil doscientos tres mártires más, están siendo escritas al tiempo de cumplir Camila un mes). Metodio Ejea Sorribas, filósofo autodidacto y mancebo de la Gran Farmacia Económica Cabello Gutiérrez, la más barata y mejor surtida de Madrid, pronunció una conferencia en el Ateneo Libertario de Válgame Dios bajo el título *Las mínimas ruindades* y dividida en tres suertes: *Las cotidianas mínimas sublevaciones, Las domésticas mínimas venganzas* y *Las abyectas mínimas normas de conducta.*

–Y la gente, ¿aplaudió a rabiar?

–Pues, no; hubo más bien división de opiniones.

–¿Como en el segundo toro de Rafael el Gallo?

–Una cosa así.

No se repite lo que pasó con el segundo toro de Rafael el Gallo porque se supone que su conocimiento debe formar parte de la cultura general de los españoles.

–¿Y si no es así?

–Pues si no es así, ¡mala suerte!

Pascual Duarte Muñoz nació en Barbate de Franco, Cádiz, el 12 de noviembre de 1958. Medín Vallejo, el poeta que va a morir antes del año, es hombre que huye de la soledad pero le irrita la compañía. Medín Vallejo le decía a su vecina Eurídice:

–En el *Guzmán de Alfarache* se explica que el hombre que apetece la soledad tiene mucho de Dios o de bestia y, en el *Persiles y Sigismunda*, Cervantes llama compañía de los tristes a la soledad alegre. Yo no sabría lo que decirte. Es un error político, ¡oh Eurídice!, un grave error, el encargar al ejército la función de la policía, mira lo que pasó en Pekín, donde la libertad, cansada de tanta y tanta huérfana y dolorosa soledad sin remedio fue estrangulada con pólvora y plomo. Juan de Mairena recordaba a sus alumnos que los políticos de izquierda rara vez calculan, cuando disparan sus fusiles, el retroceso de las culatas, que suele ser más violento que el tiro. Juan de Mairena se refería a los políticos de izquierda españoles y a los fusiles retóricos, pero sus palabras caben también a los paralelos políticos de todo el mundo y a los fusiles que escupen fuego escaldador y criminal. La culpa de lo que pasó en Pekín no fue del ejército chino, aunque hubiera podido resistirse a la tentación de dar gusto al dedo del gatillo, sino de quien lo sacó a la calle y le mandó actuar.

Medín Vallejo, después de su perorata, escupió un poco de sangre, no mucha, y se meó por encima, tampoco demasiado; Eurídice lo llevó a la casa de socorro y le dijo al practicante de guardia.

–No repare en gastos ni en ponerle las inyecciones o lavativas que necesite, que yo pago.

Camilo José Cela Albarracín nació en Cartagena el 19 de setiembre de 1961. Margot, la puta gorda a la que el zurupeto Catulino quiso catequizar y enderezar, ni se inmutaba cuando el seminarista Alex García entraba en trance para exclamar:

–¡Que los dioses bendigan la gimnástica creación y nos aparten de la parasitaria glosa! Amén.

Margot sabía ya preguntar la hora y pedir pitillos, pero aún se le resistían los huidizos conceptos abstractos. A Isidoro el Meón, el protagonista de *Símbolos y veleidades*, le dijo su padre:

–Siéntate, hijo, y escucha el único consejo que voy a permitirme darte, te juro que sin que sirva de precedente: pase lo que pase, tú no sigas jamás el consejo de nadie; equivócate solo, hijo mío, que es mucho más gallardo.

Soñar con muchas abejas en vuelo es presagio de riqueza, si revolotean al aire libre, o de quiebras y ruina, si se meten en casa; soñar con que hacendosamente fabrican la miel en el panal, es aviso de innúmeras dichas y dignidades.

–¿Y puede uno creer en esas sabidurías?

–¡Allá cada cual!

El hermano Avelino, el de los milagros fáciles, se lamentaba de la monotonía.

–¡Estoy harto de tener siempre razón! El hombre y el cerdo son animales omnívoros, sí, ya lo sé, lo sabemos todos, pero entre ellos se columpia una gran diferencia: que el hombre se come al cerdo y el cerdo no se come al hombre.

–¿Por qué?
–Porque no puede, mi caro amigo, ¡que, anda que si pudiese!

Sigue Camilo Cela Torbado, nacido en Sahelices, León, quince días después del otro, o sea el 4 de octubre de 1961. El amigo de Catulino Jabalón Cenizo le dijo a Adelaida Rossetti:

–Me parece que me va a pasar como el otro día, me faltan aún dos Camilos y un Pascual y se me está terminando el sitio, esto pasa sin darse uno cuenta y cuando se quiere percatar, ¡zas!, se nos acaba el espacio.

Segunda Ruesca volvió a pedir permiso.

–¿Puedo hablar otra vez?

–Sí, hable usted, pero no se extienda demasiado porque a nadie nos sobra nada.

–Muchas gracias. Con la venia, ¿por qué no acelera?

–¡Anda! ¡Pues si es verdad!

Camilo Cela Fernández nació en Cartagena el 17 de agosto de 1963; también así, coincidiendo el nombre y los dos apellidos, se llamaban el padre del afamado novelista padronés y el exiliado. Pascual Duarte Lahuerta nació en Embid de Ariza, Zaragoza, el 18 de abril de 1964 y, por último, Camilo Cela Elizagarate, sobrino del amigo del zurupeto, nació en Madrid el 3 de abril de 1965. Y aquí se pone fin al cuento, mal que nos pese, de que los nombres de los hombres no pueden ni registrarse ni patentarse. ¡Vaya por Dios!

LA GOTA DE TINTA

Las palomas no leen pero piensan y no escriben pero se transmiten de padres a hijos las siete noticias que necesitan conocer; lo que nadie sabe es cómo lo hacen. Primera noticia: un gato negro lleva dentro una bruja (o puede llevarla). Segunda noticia: en la barba del chivo cabrón –y a veces en la cresta del gallo– se esconde el demonio (o puede esconderse). Tercera noticia: Pedro Botero alimenta con sapos a las almas que arden en la caldera. El fantasma del verdugo Estanislao lleva ya muy adelante su nómina de líricos del gay-trinar; lo único que le preocupa es que, cuando la dé a la luz, no habrá de sorprender a nadie.

–Sí, eso es bien cierto, pero no está en nuestra mano el evitarlo. ¿Recuerda los versos que les dedicó Antonio Machado?

–Sí, los recuerdo muy bien; los publicó usted en estas mismas páginas el día de san Felipe Neri.

Cuarta noticia: Cristo y los doce apóstoles, Carlomagno y los doce pares de Francia, el rey Arturo y los doce caballeros de la Mesa Redonda, el general Severino Chato Bisonte (es seudónimo) y los doce coroneles con chaleco antibala, madame Teddy y sus doce pupilas de Gravina 20, total sesenta y cinco, o sea cinco veces trece. Fray Ambrosio de Aspariegos, en el *Discurso del dolor del pecado*, segunda parte del *Discurso sobre las cogitaciones infernales*, explica que para luchar contra el maleficio de los números no hay mejor remedio que la simultánea purga del alma y el cuerpo, aquélla con la oración y la meditación y éste con el ayuno y el cilicio.

–¿Estás dispuesto, hijo mío, a sacrificar los deleites terrenales y el culto a la nefanda superstición a cambio de acceder por la senda florida al premio inmarcesible y eterno que supone triunfar en el gran negocio de la salvación del alma?

–¡Joder, claro!

–Responde, hijo, con mayor comedimiento: sí, padre.

–Sí, padre.

Quinta noticia: don Maximino Maciñeira, abad mitrado del monasterio de Villaferruña de Castrofuerte de Alonso, mandó disecar al jorobado Angelito (pronúnciese Anguelito) Carballotorto cuando lo atropelló el tren.

–El pobre era muy listo y tanto valía para espantar al lobo como para ahuyentar el granizo. ¡Que Dios lo tenga en su santa gloria!

–Amén.

Noticias sexta y séptima: si te zumban los oídos, desconfía de los zalameros porque te traicionarán tarde o temprano y, si derramas la sal, dale su parte a Satán para que te deje en paz. Al fraile Puig i Pernetas, el agustino que era medio anarquista, le parece que estas precauciones son bastantes y supone que con las siete noticias de la sabiduría, ya se pueden ir arreglando las palomas.

–¿Y no temió nunca que lo excomulgasen?

–No. Y además, no creo que le hubiera importado porque no era supersticioso.

En el palomar de Hita vive una paloma que no se muere nunca, tiene lo menos trescientos años, y que instruye a todas las demás en los arcanos históricos de la tribu; se llama Carlota de Tornamira, casi como una princesa, y vuela siempre escoltada por un macho ladrón y orgulloso y cinco servidoras respetuosas, tímidas y resistentes. Carlota es de color metálico, a veces parece una moneda volando, una moneda de oro, y bate las alas con muy cadenciosa y estudiada solemnidad; en seguida se ve que no deja nada ni a la improvisación ni al azar. Carlota vivió algún tiempo en Lozoyuela, en la provincia de Madrid, pero después se vino al palomar de Hita tras hacer una pausa de tres años en cada una de las escalas que se dicen: Alpedrete de la Sierra, que fue del alfoz de Uceda y es cuna de la famosa Urraca Muñébrega, la Vilueña, la mujer que mejor sabe preparar los chupadedos o cabezas de cordero asadas; Valdenuño Fernández, en el valle del Torote, de donde Carlota tuvo que salir huyendo porque la espantó la botarga del Niño Perdido; Fuentelahiguera de Albatages, entre el Henares y el Jarama, con su Cristo de colmillo de elefante que se negó a arder en la guerra civil y el recuerdo de Presentación Torralba, la Coronela, q.e.p.d., que fue la reina de alajú, el turrón que se viene haciendo desde los árabes con nueces, piñones, pan rallado, miel y especias; Robledillo de Mohernando, donde también brinca la botarga, aquí el día de la Virgen de la Paz, lugarejo en el que vivió durante quince o veinte años Maruja Tabuenca, la Carnerita, que era prima de una tabernera molinesa que se llamaba Beatriz y que le enseñó a escabechar perdices y a guisar el pato con manteca negra, sal y pimienta, laurel y perejil, ajos y cebollas, romero y tomillo y una meadina cumplida de vino blanco, y por último Fuencemillán, que fue del alfoz de Cogolludo, el topónimo que tanta gracia le hacía a Pío Baroja, y de donde eran las mozas –la mitad de las mozas, que las otras eran de Torrebeleña– de las que se habla en el poemilla *El anciano mendigo*, que el afamado novelista padronés incluyó en su *Cancionero de la Alcarria*. Desde Fuencemillán, la paloma Carlota voló hasta Hita, donde sigue. Las palomas ni leen ni escriben pero la verdad es que tampoco lo necesitan, la cultura puede restar aplomo y, bien mirado, los animales viven y aman y los vegetales crecen y arden, los pinares, la rastrojera, el cereal, sin transmitirse el conocimiento más que por la sangre o la savia. Doña Isabel de Portugal, esposa del rey Juan II de Castilla, celosa de la belleza de la dama Beatriz de Silva, mandó encerrarla en un cofre para que se muriera. Al loco Hermógenes Zapardiel, el que criaba piedras en los sesos, le gustaban mucho estas atroces historias de hace quinientos años.

–A mí se me pusieron los ojos azules de añorar aquellos tiempos felices; entonces se les daba más emoción a las relaciones entre los hombres.

–Sí, ¡eso es bien cierto!

Después, cuando Hermógenes se murió con el gusto estragado, se fue perdiendo la afición a estas fábulas del sentimiento. La Santísima Virgen María, vestida con túnica blanca y manto azul celeste –semejaba un teniente de húsares– y con el Niño Jesús en brazos, se le apareció a la dama encerrada y le dijo:

–Tú, tranquila, que nada ha de pasarte porque yo estoy al

quite. A cambio, te ordeno que fundes una orden en honor de mi Inmaculada Concepción.

–Sí, señora, ¡eso está hecho! En cuanto salga de aquí, seréis servida.

Fructuoso Gómez-Bembibre y Gómez-Bembibre, el consumero que arrastraba un poco las erres, tenía alma de vilano inquieto y mirar de búho del país.

–Me he quedado sin tabaco. ¿Me hace la merced de un pitillo de noventa?

–Con gusto, buen hombre, con sumo gusto y fina voluntad.

A Beatriz la encontró su tío don Beltrán Gómez de Silva y le dijo:

–Tú, lárgate a Toledo porque aquí van a llover chuzos de punta. ¡Su Majestad está más cabreada que una gata mientras se la cepilla una víbora!

–¡Santo Dios!

La droguera Mila estaba empeñada en que el presbítero don Avelino se lavara la pelambrera con zotal; lo que no creía aunque se lo jurasen por lo más sagrado, es que san Francisco y san Antonio se le aparecieran a Beatriz a mitad de camino.

–El beato Amadeo, pase, que para eso era su hermano, pero los dos santos, ¡de ninguna manera!

Dicen los ingleses que con una gota de tinta se puede hacer pensar a mucha gente. Es cierto; también se puede condenar a morir en la horca a un hombre o perdonarle la vida, o firmar una declaración de guerra entre dos Estados o la paz entre dos pueblos. Una gota de tinta da para mucho y en ella se pueden encerrar todas las virtudes y aun todos los vicios. El zurupeto Catulino, el de doña Pura, le dijo a Betty Webster, la prima política y gorda del veterinario Felicísimo:

–Amiga mía, observe usted que mi paisano Juan Rodríguez, que fue amante de la reina de Castilla según parece deducirse de su novela *Siervo libre de amor*, léala usted, que no le vendría nada mal desasnarse un poco, no necesitó más que una gota de tinta para escribir aquello de

Yo ardo sin ser quemado
en bivas llamas d'amor;

peno sin aver dolor
muero sin ser visitado
de quien, con beldad, vencido
me tiene so su bandera.
¡O mi pena postrimera,
secreto huego encendido!

El zurupeto Catulino siguió hablando.

–Con una gota de tinta se puede escribir cualquier palabra –zurullo, zutujil, zuzón– e incluso emborronarla después para ocultar su significado (el zurupeto Catulino tomó aliento), y también se puede vaciar un corazón y descargarlo de toda su hiel o su ambrosía toda.

En una borrachera cumplida, ¡jo, qué manta de vino trasegaron sus intérpretes!, ¡válgame Dios, qué pea olímpica!, don Atanasio da Silva, el perito mercantil de origen portugués, intercambió la dentadura postiza con don Esteban Campisábalos, marqués de Santa Librada y representante para Madrid y provincias limítrofes de los cigarrillos Espic, 20, rue Saint-Lazare, París, contra el asma, catarros, bronquitis y afecciones de las vías respiratorias en general; no se encontrarán hasta pasados tres meses, en el velatorio de doña Barbarita Méndez, la encargada de la casa de lenocinio El Nido, y se pusieron tan contentos y felices que empezaron a brincar sin miramiento alguno para la luctuosa circunstancia. Lo fueron a celebrar a El Mingitorio, una cervecería en la que no se cobraban sino las meadas, y estuvieron en un tris de volver a los intercambios.

–¿Y no les daba vergüenza su actitud?

–Pues, no; se conoce que no.

Con una gota de tinta se puede teñir un vaso de agua y también el mar que, aunque no se note a una primera vista, lleva el color flotando entre la espuma de las olas. El pecado original no tiene tamaño, no es ni pequeño ni grande, y su solo recuerdo, su misma sombra, es ya pecado: de ahí que la Inmaculada Concepción sólo pueda entenderse desde el no pecado y no desde el perdón del pecado. En el zaguán del convento de concepcionistas franciscanas en el que profesa la madre María del Olvido de las Pompas y Vanidades o María de la Presencia de las Divinas Llagas, perdonado sea el señalamiento, que por ambos nombres se le conoce, novia que fue del afamado novelista amigo del zurupeto, hay un cuadro de la Virgen con una orla en la que se lee la siguiente redondilla:

Nadie cruce este portal
sin que jure por su vida
que María fue concebida
sin pecado original.

–Oiga, en el tercer verso, ¿no hay hiato?

–Sí, pero no importa.

La tinta china es la más noble e indeleble pero pone todo perdido. Régulo Lyttelton, el pensador de Extramundi que no se convirtió en lamprea de puro milagro, dibujaba escenas de circo a la aguada, moritas del juego malabar y caballistas y trapecistas, siempre con tinta china diluida en agua y miel (la mejor es la de Teodoro el peñalvero), y también sabía hacer tatuajes, lo mismo le daban las partes blandas que el músculo: corazones con flecha o sin flecha, anclas, mujeres con melena larga y las tetas a su caída, barcos de vela, insignias de la legión, etc. Nadie sabe si es verdad o no que Grace Kelly hace milagros pero, por si acaso, la gente va a rezar a su tumba: a una condesa italiana le curó un cáncer y a dos niñas ciegas les devolvió la vista, ¡por algo se empieza! Justo Remeseiro o Modesto Cachafeiro, o sea el calefactor Méndez, no solía llevarle la contraria al pensador Régulo porque era perder el tiempo, dado que tenía siempre argumentos para todo.

–Las señas inmanentes de la frigidez femenina y a veces también de la beocia son tres, a saber: enseñar las encías al reír, lucir los tobillos gordos y tener dos primos sacerdotes. ¿De acuerdo?

–Sí, señor, de acuerdo.

–Bien. Y las señas trascendentales de lo mismo son también tres, a saber: llevarse el cuchillo a la boca, levantar el dedo meñique al beber y llorar en los entierros. ¿Estamos?

–Sí, señor, estamos.

Antes era más fija y permanente que ahora la correlación entre el aspecto externo del individuo y su concepto de la vida, y así las hacendosas madres de familia eran culonas, los vagabundos que chupaban la sangre a los niños eran barbudos, etc., mientras que ahora se dejan culo los poetas líricos, ¡y no digamos las hijas de los poetas líricos!, y llevan barba los hijos de familia que están de meritorios en las oficinas de la seguridad social.

–¿Y usted no cree que eso es jugar a confundir?

–¡Claro que lo creo! Pero, ¿qué quiere que haga?

Fray Inmaculado de las Sagradas Vísceras le dijo a Mauricette Ceboleiro de Lyttelton:

–Que Dios me perdone, pero no me faltó nada para darle a usted mi palabra de honor de que la adoro.

–¡Cáspita!, exclamó Mauricette, ¡más respeto a los hábitos que viste!

–Dispense usted, señora, no pude evitarlo.

Samuel Butler, en un arranque de cinismo, dijo que el honor no era más que una palabra para que los caballeros jurasen por ella, y el niño Srinivassa Ramanuján supo a una primera vista que el guarismo 1.729 era la suma de los cubos de dos números consecutivos: el 9 y el 10. Las cosas empiezan a no marchar cuando a la prepotencia se le responde con el cachondeo, lo digo –se dijo para sí el fantasma del verdugo Estanislao– pese a que Cervantes más lastima una onza de pública deshonra que una arroba de infamia secreta; es la eterna lucha de lo adjetivo contra lo substantivo que siempre o casi siempre acaba dando la victoria al débil (por eso los cantantes ricos se disfrazan de pobres para subir al escenario: Bob Dylan, el difunto Bob Marley, Mick Jaegger, Stevie Wonder en la provechosa variante hortera, etc.). No se puede ir por la vida de lobo solitario cuando se acaricia mimosamente la triple gregaria idea de comunión, solidaridad y confraternidad. No; el lobo del monte se defiende no comulgando (3.ª acep. del diccionario), ni solidarizándose, ni confraternizando con nadie, ya que la libertad no permite el catequismo (2.ª acep.).

–Decid, niño, ¿queréis que España sea una república de trabajadores de todas clases?

–No, padre, preferimos que sea una república de zánganos de las tres clases: eclesiásticos, civiles y militares.

–Bien. Decid, ahora, ¿queréis que España entre en Europa?

–No, padre, preferimos que siga en el arrabal.

–Bien. Decid, por último, ¿queréis que España preste su ayuda al tercer mundo?

–No, padre, preferimos autocolonizarnos.

Todo cuanto queda dicho y aún más puede aceptarse o negarse por escrito tan sólo con una gota de tinta, de la que sobra más de la mitad. La mejor fórmula para ni atender ni entender es poner cara de tonto circunspecto y simular que ni se atiende ni se entiende, ¿para qué, si la pauta nos la marca ya el benemérito Estado, al que todos contribuimos con nuestro esfuerzo, nuestro dinero, nuestra buena voluntad, nuestra resignación y nuestra sumisión? El poeta Medín Vallejo, poco antes de morir, le dijo a Emerenciano, el cantor de un determinado jabón:

–El caso es que estoy disgustado, aunque no recuerdo por qué; me siento mal y triste, muy triste, pero mi memoria falla y no me queda sino una sensación desagradable y un poco amarga.

Emerenciano piensa que no es justo, vamos, que es metafísica y abrumadoramente injusto que el poeta Medín Vallejo, que hubiera merecido un palacio rodeado de praderas verdes –los ciervos, al pacer, dejan la yerba a su justo tamaño para pasear–, se esté muriendo en el cuarto sin ventilación de una fonda sórdida.

–¿Sabe usted lo que es un biotopo?

–Sí.

–Bueno, pues yo creo que el poeta Medín, el malhadado, el triste bardo moribundo a quien ya no han de salvar la vida ni la paz ni la caridad...

–Perdone que le interrumpa. ¿No podría darse de bruces su muerte, ya que no su vida, y encontrar su adecuada solfa en la paz de los sepulcros y la caridad de la cofradía del Santo Entierro?

–No sabría decirle, mi buen amigo, pero le ruego que me permita continuar.

–Adelante.

–Gracias. Yo creo, le venía diciendo, que el trovador Medín se moriría con más cautelosa dignidad y menos dolorido sentir en un biotopo no tan inhóspito y desangelado.

–No me cabe la menor duda.

Don Servando Soutochao, en un aparte, le dijo al zurupeto Catulino Jabalón, el de doña Pura:

–Permítame que insista, pero no entiendo a qué viene esa aberración de dar más importancia al reglamento que a la ley.

–Yo tampoco lo entiendo, pero las cosas son como son. A lo mejor se trata de fomentar el ahorro, que antes era la base de la economía doméstica y hoy no pasa de ser una ordinariez. Mi padre me decía siempre: hijo mío, mira por el ochavo y no tires la casa por la ventana, que aquí no estamos tronando con pólvora del rey.

–¿Y podría haber una gota de tinta del rey?

–No creo; el rey se reserva para más nobles menesteres: perdonar al traidor, indultar al reo de muerte, firmar la paz con el moro y yogar con moza placentera que dé alegría a la carne y salud al espíritu.

A cinco millas de la isla de Ons, en la ría de Pontevedra, se hundieron tres balleneros de desguace, el Carrumeiro, el Lodeiro y el Ipsa II, para que los peces regalen mil toneladas de pescado al año durante dos siglos y medio o tres.

El zurupeto Catulino preconizaba fabricar los pecios –y no confiarlos al albur de los naufragios– con toda la chatarra sin mejor fin.

–Cuando los cementerios de automóviles se hagan submarinos –solía argumentar–, la gente dejará de pasar hambre porque se podrá regalar o casi regalar el pescado; bastaría con una gota de tinta, sobraría con una gota de tinta para firmar el decreto que lo mandase hacer así. ¿Se da usted cuenta del reconfortador espectáculo de los parias del mundo sacando la panza de mal año a fuerza de comer besugo al horno, pescadilla frita y sardinas asadas?

El veterinario Felicísimo no era proclive a admitir con una mínima holgura la historia de los baches prójimos.

–Le ruego que no me cuente sus desgracias ni las hambres de los demás. ¿Qué trabajo le cuesta mantener la dignidad? Lo único que hay que hacer es discurrir y no desperdiciar energías en el lamento.

El zurupeto Catulino dejó caer la barbilla sobre el pecho en muy humilde y abatida actitud.

–Nadie sabe lo que le voy a decir: hay una dolorosa desproporción entre mis fuerzas y mis propósitos, entre mis energías y mis anhelos, entre mis posibilidades y mis sueños. A veces dudo de que merezca la pena vivir escorado y con menos salud que ilusión, pero también pienso que a lo mejor todavía guardo una gota de tinta en la zurrada maestranza de mi corazón.

EL JUEGO DE LA LÓGICA Y LA CARDÍACA

El amigo del zurupeto, o sea el afamado novelista padronés, dio un paso al frente, asió el micrófono con muy solemne fundamento, parecía como si fuera a saltar el parapeto, y con la voz velada por la emoción y la turbación, fue y dijo: Dedico este papel de hoy a don Fernando Huarte Morton que, con el aparatito puesto, me estará escuchando.

* * *

Las palomas no vuelan en formación, como las grullas, sino en flexibles bandadas siempre airosas y de buen acorde; sobre el río Ungría, donde las truchas, se presentaron una mañana quince o veinte palomas que volaban como si estuvieran unidas las unas a las otras por un alambre invisible.

–¿Con imán?

–Pues, sí; parecía como si al alambre o a ellas las hubieran pasado por el imán, tal era la elegante precisión de las maniobras y las evoluciones, para un lado y para el otro, para arriba y para abajo y sin equivocarse ni tropezar jamás.

Don Catulino Jabalón Cenizo, vamos, el zurupeto, el de doña Pura, tiene voz de barítono, que es la más adecuada de todas las posibles voces para decir mentiras.

–La virtud es fuerte y enérgica.

Don Jenaro Quintanilla estaba al quite.

–Sí, sin duda. Para Bacon es impetuosa en la ambición y tranquila en el mando. Dispense y continúe.

–No hay de qué. Continúo. La necesidad se presenta sola con sus mañas o nos la presentan los demás con sus avisos.

–Tiene usted razón. Recuerde los versos de Juan Ruiz:

Grandes artes demuestra el mucho menester;
pensando, los peligros podedes estorcer;
quiçá el grand trabajo puédevos acorrer:
Dios o el uso grande fazen fados bolver.

Don Jenaro, en cuanto terminó la tira de versos, le dijo a Catulino:

–Dispense y continúe.

–De nada. Continúo. Sólo me queda añadirle que la aventura se entrega a los audaces sin pestañear e incluso sonriendo, y no se debe dejar escapar.

–Es de toda evidencia. Sancho Panza se lo dijo bien claro a su mujer Teresa: El que no sabe gozar de la ventura cuando le viene, no se debe quejar si se le pasa. Dispense y continúe.

–Ya no tengo que añadir nada más a su turno.

El zurupeto se volvió hacia una dama que miraba y le preguntó:

–¿Le gusta lo que le digo, le juro que sin mayor convicción?

–Y doña Moncha Gual, la ex señora de don Emilio Rubio, el economista, el autor del libro *El justo precio o motivaciones de la osadía en el mercado internacional*, le respondió:

–¡Ya lo creo, me gusta la mar! Por cierto, ¿querría darme otro vasito de vino?

–Sí, sin duda. ¿Sigo para usted sola?

–Sí, siga usted para mí sola.

–Bien. Penélope se pasó la vida tejiendo y destejiendo, pero los hilos del destino son durísimos y Penélope, usted y yo podemos tejerlos y destejerlos pero no romperlos, nos falta fuerza y nos sobra respeto.

Dándole vueltas a la cabeza se aprende que los esclavos, en su calculada y suplicante abdicación, propician el abuso, transigen con la injusticia y toleran, cuando no aplauden, la ramplonería. La derrota vuelve a los hombres abyectos, a las almas abyectas, y de la abyección jamás se sale sino es aliándose con la guadaña de la muerte. A quien denuncia el desmán del abuso, de la injusticia y de la ramplonería, los esclavos le buscan las vueltas para que claudique y se sume al rebaño en el que tan arropados se sienten. Los esclavos siempre quieren encontrar una inmediata y enmierdadora razón para todo, y del avisador de ruindades se preguntan: ¿qué quiere?, ¿qué pretende?, ¿a qué aspira?, ¿a dónde va?

Doña Moncha le pidió al zurupeto que le repitiese las palabras que le había dicho en el baile.

–Encantado. Prestad oídos. El resentimiento y la envidia son las dos hélices que mueven el corazón del esclavo.

–¡Bravísimo! ¿Quiere usted que me oree una teta?

–No; después. Sigo con lo que iba. La vida española está llena de curas y de barberos que sueñan con que nadie levante nunca el vuelo sobre los demás.

Micaelita Balazote, la de los Escobonales, tira con honda con suma maestría, donde pone el ojo pone la piedra. Su tío Clemente Balazote, de oficio medidor de vinos, se estaba quedando sin memoria a resultas de unas purgaciones mal curadas. Fray Ambrosio de Aspariegos, en cambio, tenía muy buena memoria, según dicen, y el día del Corpus solía recitar anuncios a los demás miembros de la orden.

–Escuchad, hermanos, uno muy bonito. Señoras, seréis un prodigio de belleza y de blancura usando el agua, la crema o los polvos cutáneos de *La Flor del Almendro* de M. de Sanz. Principales perfumerías.

El prior le reprendió con dulzura, sí, pero también con firmeza, por suponer que la alusión a la mujer pudiera dar pábulo a los malos y pecaminosos pensamientos.

–Tenéis razón, reverendo padre, ahora va uno de caballeros, con vuestro permiso.

–Lo tenéis.

–Gracias, reverendo padre. Bigote, barba, crecerán espléndidos usando *Pilifere*. Remítese contra catorce reales en sellos. Grau, Casanova 26, Barcelona.

Fray Ambrosio solía decir, quizá como disculpa, que la memoria era la inteligencia de los tontos, aunque él no había conocido jamás a ningún hombre inteligente sin memoria.

–¿Y mujer?

–No; ésas no cuentan, y le ruego que no me provoque.

–Dispense. Y sobre el ingenio, ¿podría aleccionarnos?

–Un servidor no puede aleccionar a nadie en nada, pero para mí el ingenio no es sino un sucedáneo del talento; a los hombres que cuentan chistes ingeniosos acaban capándolos en cuanto llegan al otro mundo.

–Bueno, entonces ya no importa.

–No crea, no crea...

No siempre comprender es perdonar, ni tampoco siempre el mero hecho de existir puede llenar las almas. La mejor salsa es el hombre, lea juraba por sus muertos Teresa a Sancho, su marido, a lo que apostilló Emerenciano con muy sabias y resignadas palabras:

–Porque a buen hombre no hay pan duro y que viva la gallina aunque sea con su pepita.

Las palomas tienen un volar no geométrico sino corazonal, cordial, si heredamos el adjetivo del latín, o cardíaco si lo traemos del griego. Las palomas no vuelan a vela y planeando o flotando en el aire, esto es, con lógica, si la entendemos como la ciencia «que rige las relaciones aparenciales de las cosas» (después se colige de dónde sale lo que acaba de decirse), sino batiendo sin cesar las alas y el aire. El veterinario don Felicísimo Porma terció en el debate.

–El maestro Unamuno antepone la cardíaca a la lógica y su diferencia la señala con nítida claridad cuando escribe, en varias páginas y en un solo tono, lo que paso a decirles si me escuchan: en *La educación*, «... los dogmas de la Trinidad y de la Eucaristía, ni se entienden sin penetrar en las *razones de sentimiento*, en la *cardíaca*, más bien que en la *lógica* que llevó a ellos»; en *Sobre la europeización*, «Se ha dicho que el corazón tiene su lógica; pero es peligroso llamarle lógica al método del corazón; sería mejor llamarle *cardíaca*»; en *Del sentimiento trágico de la vida*, «...lo que es independiente de nosotros, fuera de nuestra lógica y nuestra cardíaca, ¿de eso quién sabe?»; en *Epistolario a Clarín*, «Creo más en la *biótica* y la *cardíaca* que en la lógica, y mis estudios lingüísticos me han confirmado en ello»; en *Del sentimiento trágico* se habla de la *biótica* opuesta a la *lógica*; en *Vida de Don Quijote y Sancho*, «Sufre, para que creas y creyendo vivas. Frente a todas las negaciones de la *lógica* que rige las relaciones aparenciales de las cosas, se alza la afirmación de la *cardíaca*, que rige los toques sustanciales de ellas». Pudiera ser que en el pensamiento de Unamuno gravitara la idea de Pascal sobre las razones a que atiende el corazón (y que se estudian en la cardíaca) sin que la razón las entienda (porque su sabiduría se constriñe a la lógica).

Don Servando Soutochao dijo entonces:

–Pido un aplauso para don Felicísimo, ese pozo de ciencia que archiva en su privilegiada cabeza todo un arsenal de conocimiento.

–Gracias, gracias..., exclamó Porma.

A Dionisio Papadopoulos, el cobista de la corte del Rey Artús, le falta aún más de un año para jubilarse; es untuoso como el limaco y escurridizo como la anguila y no envejece porque ya nació viejo. El amigo del zurupeto Catulino invitó a gaseosa a Dionisio Papadopoulos y aprovechó para decirle:

–Anteayer era joven, pero de pronto la vida se desbocó, o se me desbocó, y una mañana mientras me afeitaba ante el espejo, descubrí que ya no lo era.

–¿Y se siente usted viejo?

–No; me siento hecho un payaso o un fantasma. Los viejos movemos a risa o a compasión, que son dos virtudes menores. Dejemos esto porque me invade la tristeza.

El paremiólogo Estévez, don Waldo Estévez y Grandmontagne, natural de Villafeliche, Zaragoza, a mitad de camino entre Calatayud y Daroca, estaba muy contento porque había podido registrar un nuevo refrán, desconocido incluso para Rodríguez Marín: Pelos en la nariz, callos en la matriz; dícese de la mujer bragada y temperamental que enseña racimos pilosos, a guisa y semejanza del pilote, en las fosas nasales. Su informador había sido Lucianín Bureta, un mozo muy aplicado que estudiaba magisterio, y la explicación o glosa era de la minerva del presbítero don Lázaro Ababuj, cura de Castelvispal, Teruel, que no es por nada, pero tenía sus lecturas. Lo que don Waldo no pudo redondear nunca, por más que lo intentó, fue el refrán cuyo primer término incluye el afamado novelista padronés en *La familia de Pascual Duarte*: Mujer de parto lento y con bigote...

Liborio de Vicente piensa que el hombre no madura más que en la soledad.

–A mí me gusta la compañía, vamos, que no puedo pasármelas sin ella, y por eso estoy verde como una ciruela en agraz, de esas que todavía tienen la caguña pegada a la carne. Don Waldo Estévez me dijo la otra tarde que Nietzsche sopesaba la valía del hombre por su capacidad de soledad; si esto es cierto, yo debo valer muy poco.

Don Waldo, de joven, fue seductor, o sea mujeriego y cachondo, lo que hoy se dice play-boy y a lo que Juan Ruiz llamaba doñeador y para Corominas es cortejador y donjuán.

Es ligero, valiente, bien marcado de días
sabe los estrumentes e todas juglarías;
doñeador alegre. ¡Par las çapatas mías!:
tal omne qual yo digo ¡no es en todas erías!

Don Waldo, de joven, iba a buscar inspiración al escaparate de La Hurí, corsés de lujo a medida, calle del Príncipe, 39. En *La gota de tinta* a alguien se le olvidó discurrir sobre la dolorosa relación entre las desgracias propias y las hambres de los demás; tampoco quedó demasiado perfilada la diferencia entre trabajadores de todas clases, zánganos de las tres clases, Europa y su sosiego y el tercer mundo y su ya escorada paciencia. Calixto Álvarez Olmo, el pariente del zurupeto al que la desgracia mandó freír (casi freír) en la gran sartén de hacer churros de la romería de Santa Marta de Ribarteme, sentó cabeza y, claro es, estiró la pata.

–¿Fue una pérdida para la humanidad?

–Pues, sí, ¡no crea!, pero tampoco irreparable.

Juan Ruiz sabía mucho de pájaros y en general de aves; todos los pájaros son aves y al revés, aunque por lo común sólo se llame pájaro al ave pequeña. El zurupeto Catulino, el de doña Pura, contó más de dos docenas de aves en los versos de Juan Ruiz, sin parar mientras en el distinto nombre de las crías: paloma, pichón; ánsar, ansarón; perdiz, perdigón.

–¿Y paloma, palomino, y cigüeña, cigoñino?

–También; pero no se cuentan porque caen en verso entre sí, es cierto, pero no con las otras.

Don Olegario Lagrela, enseres sanitarios, se detuvo para tomar aliento.

–Con aquella consonancia aparecen más, verderón, gorrión, pinzón, pero tampoco se cuentan porque no son crías.

La gente se rió mucho con el óbito del presbítero don Ladislao de Jácome y Porlier, cuyo cadáver desapareció y no fue habido en el water, léase guáter, de la discothèque que ya quedó dicha en su lugar. La historia es a veces cruel, sin duda, pero no debe desvirtuarse ni disfrazarse; esta aseveración puritana parece estar en desacuerdo con Carlyle, que suponía que la historia no era sino la destilación del rumor. Cuando un presbítero fallece de un calentón en el retrete estando a las cochinadas con una feligresa ligera de cascos, el público toma a cachondeo el deceso, o sea el tránsito irremediable.

–La verdad es que tampoco se pueden pedir peras al olmo.

–Tiene usted razón, ¡a quién se le ocurre irse para el más allá oliendo a zotal y a mierda!

Por la bodega de Fabián Tajuelo arrimó una mañana un viajante de comercio al que le gustaba mucho escuchar sabidurías. Se llamaba Agapito Seseña y era menudo de porte pero muy voluntarioso y atento; su señora, la Cándida Romero, antes Blanquita, era la propietaria de la confitería El Hueso Dulce, y su cuñada, la Elvira Romero, alias Perejila, era la dueña de otra confitería, El Hueso Palomo (cuando les toque su turno, se hablará de los dos, bueno, de los tres). Hasta los más lerdos seminaristas, aquellos a quienes se les ven en la cara que van para mártires, saben que las mentiras que se escriben con tinta, esto es, las páginas de la historia, jamás podrán borrar ni ocultar ni disfrazar los hechos que se escriben con sangre, esto es, las palpitaciones de la historia, verbigratia, ya en este siglo, las dos guerras de Europa, la revolución rusa, la guerra civil española, los militares suramericanos, los militares chinos, etc. Don Furón, el criado del Arcipreste, hubiera sido el mejor fábulo del mundo de no enseñar catorce defectos.

–Tampoco son tantos.

–No; pero sí los bastantes, a lo que se ve.

era mintroso, bebdo, ladrón o mesturero,
tahúr, peleador, goloso, refertero,

reñidor, adevino, suzio e agorero,
necio e perezoso: tal es mi escudero.

El zurupeto Catulino piensa que las tareas de don Furón no son sino doce, dado que peleador, refertero (amigo de reyertas, formación inmediata del latín *referta*) y reñidor son una y la misma cosa; los otros adjetivos no son difíciles de entender: mintroso, mentiroso; bebdo, borracho (en gallego al borracho todavía se le dice *bébedo*); mesturero, cizañero, chismoso (viene en el diccionario), y agorero, supersticioso, que cree en agüeros (también viene en el diccionario). Don Roque de Calestino, el ex banderillero, pensó siempre que a los poetas líricos no se les debía conocer, porque desmerecen, y a sus señoras aún menos, porque repugnan.

—¿Cómo es posible que las musas puedan poner al mirón al borde mismo de la náusea?

—¡Pues ya usted lo ve!, a lo mejor para escarmiento de alguien y aviso de nadie; recuerde usted que los designios de la Divina Providencia son inescrutables.

—¡Aun así!

Don Simeón de Carlos y Azpurúa del Mingo era ciclán pero con el huevo que le quedaba hacía verdaderas maravillas; en español hay once palabras para señalar a quien tiene un solo testículo: la ya dicha ciclán, y chiclán, que las dos registra la Academia, más ciclón, ciglón, cigolón, ciquilón, cisclón, checlán, chiclón, chigla y chiglán, según la naturaleza del hablante, que el castellano es tan sólo el español que se habla en Castilla y de ahí que sea un disparate de sacristía el hacer valer el uno por el otro, y el que quiera saber más que vaya a Salamanca o que repase el *Diccionario Secreto*.

—¡No se nos cabree usted, afamado novelista!

—¡Es que ya le tienen a uno muy harto, se lo juro!

Don Simeón, se venía diciendo, con su único huevo abastecía hasta la tranquilidad del cuerpo y del alma a las siete hermanas Garrote Méndez, no obstante ser todas ellas harto ansiosas: Anunciación Vanessa que tenía forma de gran morcilla sin descapullar; Consolación Mireya, que era talmente como una cosecha completa de albaricoques; Aparición Samanta, que salió más puta que las gallinas ponedoras; Visitación Sigrid, que padecía de granos lujuriosos; Epifanía Yamila, que se alimentaba de criadillas escabechadas; Circuncisión Lorena, que asustaba a los niños de la doctrina enseñándoles el culo, y Concepción Noelia de las Piedras Santas, que coleccionaba falos de porcelana, loza, bronce, maderas nobles y otros materiales. Don Miguel de Unamuno puso en misteriosa clave de paradoja el diáfano pensamiento de don Blas Pascal, cosa que a don Simeón de Carlos y Azpurúa del Mingo la verdad es que se la traía floja. Epifanía Yamila, la quinta hermana Garrote Méndez, decía siempre.

–¡Bendito sea Dios, que todavía quiere darnos malas digestiones!

–¿Añora usted los tiempos del Viejo Testamento?

–No, señor; yo no añoro nada, pero me reconforta saber que todavía puede una morirse de un entripado.

La cardíaca estudia los pensamientos no siempre razonables del corazón y la lógica entiende de los latidos no siempre acompasados de la razón. España exporta burros a Oriente Medio, pestañas postizas a Francia y moscas afrodisíacas a Alemania; lo más probable es que poco a poco vayamos equilibrando la balanza de pagos.

LA ADMINISTRACIÓN DE LA MISERIA

El día de santa Lucía, que este año cayó en domingo, se posó una paloma joven y de muy elegantes brillos azulados y metálicos, una paloma montesa que no silvestre, en el prado en el que el afamado novelista padronés estaba almorzando con dos amigos y una señorita; tocaban a poco, es cierto, pero menos da una piedra. El animalito se conoce que estaba cansado porque, mientras saciaba la sed en un restaño del río Ungría, se dejó coger y acariciar sin mayor resistencia e incluso con cierta gratitud bailándole en la mirada de tenues tonos de miel. En la pata derecha llevaba una anilla de plástico de color entre naranja y butano en la que se leía: P 302; la anilla de la otra pata era de zinc y su letrero iba en tres renglones: PORT/86/531438. Don Paco el de las truchas, que era muy europeo y civil y que propendía a cumplir el reglamento, se encargó de avisar la noticia al museo de Ciencias Naturales. El afamado novelista padronés y sus amigos echaron a volar a la paloma anillada y puede que portuguesa, en cuanto descansó un poco y recobró las fuerzas y el aliento; el pájaro, tras pensarlo no mucho, salió disparado como alma que lleva el diablo, tomó altura y se fue haciendo cada vez más pequeño hasta que desapareció en el aire, hasta que se diluyó en el aire como un vilano minúsculo y velocísimo. Juan Ruiz, que conocía bien y adivinaba siempre el exacto valor de cada adjetivo decía de la paloma que era limpia y mesurada.

–¿Y al pavo real cómo le llamaba, lo recuerda?

–Sí: lozano, o sea elegante, majestuoso, y sosegado. Juan Ruiz daba siempre en la diana cuando se refería a las naturalezas de los animales.

El zurupeto Catulino Jabalón Cenizo, que era uno de los amigos que estaban en el prado con el afamado novelista padronés (el otro ya se colige y el nombre de la señorita no hace al caso), habló mirando para el suelo.

–Sé de sobra que no soy el barón de Sussex, pero cada cual llega hasta donde los demás y las circunstancias le dejan, quiero decir que cada cual hace lo que puede. ¿Puedo recitar el segundo de los *Tres sonetos entre el amor y la muerte* que escribí en homenaje a Quevedo?; el primero ya se lo di a conocer a ustedes el día del presbítero san Arador, mártir. ¿Puedo recitar el segundo?

–Hombre, sí. ¡Si ésta no se nos duerme!

La señorita, que se había quedado en enagua, bragas y sostén porque hacía mucho calor, juró que no se dormiría, que a ver qué se habían creído, y el zurupeto, tras entornar los ojos, pudo arrancarse.

Alguien llama. Ya voy. Ya voy. Creía
que no era a mí; pero la voz insiste.
Triste es morirse con amor, y triste
no morirse de amor como aquel día.

Hija de perra, hija de Dios, sabía
que me escondí una tarde y tú me viste,
que me libré de ti porque quisiste
y que dura tu acecho todavía.

Muerte, la escurridiza, la taimada,
silenciosa en los años, y un momento
sólo, definitiva, llamadora.

Yo sé que con tu flecha envenenada
vas a pasarme el corazón atento
en cualquier ocasión y a cualquier hora.

–¡Bravo! ¡Bien, muy bien, francamente bien! ¡Y parecía bobo!

–Gracias, gracias..., soy tan dichoso como el palomo zarandalí de Inesita Ramírez.

–¿El que dormía con los ojos abiertos por miedo a que la oscuridad le minara la dicha?

–El mismo.

El gozo, sin embargo, huyó con rapidez del ánimo del zurupeto, ¡qué poco dura la alegría en la casa del pobre!, porque bien a su pesar le vino a la memoria un recuerdo amargo: el de un conocido suyo, el banderillero Próspero Ramírez, que era primo de Inesita la del palomo, al que los enemigos de la fiesta brava apiolaron a estoque en el corral del matadero de un pueblo cuyo nombre se omite por conveniencia.

–¡Vaya por Dios!

–Pues, sí; ya no queda más remedio que conformarse y decirle una misa rezada, que siempre es más barata.

Saturnino Cebolla, también llamado Minguilla por lo canijo de su pitorrito, se compró un chandal a franjas horizontales verde marujita y malva y un artilugio japonés, tamaño bolsillo, de esos de sumar, restar, multiplicar y dividir y se aplicó a administrar la miseria apuntando el debe y el haber en un cuaderno de anuncio de los chocolates Matías López que le había regalado su abuela cuando hizo la primera comunión. Debe: a un pobre, 0.25; locomoción, 7.50; un caprichito, 3 pts.; polvo sabatino, 50 pts. Haber: retribución horas extra, 340; ganado al julepe, 17.70; encontrado en la calle, 5 pts.; contabilidad panadería, 350 pts. Saturnino Cebolla había sido cura pero, como era natural de una provincia en la que el haber pasado por el seminario no acarreaba la descalificación social, vivía tan campante y como si aquí (allí) no hubiera pasado nada.

Liborio Lagunilla, el fraile del antifaz, escuchó cómo don Modesto Cabezabellosa le decía:

–Mire, usted: a fuerza de recaudar contribuciones durante muy largos años, he llegado a la conclusión de que es preferible hacer el amor sin amor que hacerlo por amor propio.

–Anda, pues es verdad. ¡No había caído!

Un desgraciado que nació en la cárcel y se pasó casi toda su vida en la cárcel, no quiere la libertad porque la identifica con la soledad; el hombre va a contrapelo del refrán y, antes que solo, prefiere estar mal acompañado. Catulino Jabalón Cenizo pensó siempre y así lo dijo cien veces que la soledad es el precio de la independencia, pero no el corolario de la libertad; el zurupeto Catulino, al contrario que el aspirante a preso de por vida, entiende que la libertad es hermana gemela de la independencia y que la soledad, aun sin ser una bendición de Dios, aunque a veces se busque, tampoco es un castigo o, precisando un poco más lo que se quiere decir, no siempre es un castigo. Hay hombres que se refugian en la soledad para hablar con el demonio, es cierto, pero también los hay que buscan la compañía para gozarse siendo aturdidos por el demonio. La sociedad mantiene las cárceles rebosantes de derrotados para huir de la incómoda presencia de quien ni se somete a norma ni tampoco interesa recuperar, ya que es más cómodo y más barato encerrar al distinto que variarle la conciencia para que comulgue con los usos y costumbres de los que mandan, esto es, de quienes legislan, ejecutan y juzgan. El español Mateo Alemán y el inglés Francis Bacon dijeron, los dos al tiempo, que quien goza de la soledad tiene mucho de bestia o de Dios; Catulino Jabalón Cenizo no se pronuncia porque piensa, con santa Teresa, que Dios también está entre las bestias, habitándolas y dándoles dignidad. Don Obdulio Valdesangil, canónigo de la catedral de Coria y primo de don Esteban, el marqués de Santa Librada, explicó al albéitar Porma y a dos o tres más su teoría de que la soledad metafísica no existe porque al solitario, mal que le pese, tiene siempre la compañía del ángel custodio y del demonio de la guarda. Don Servando Soutochao, en un aparte, le dijo a la contralto Braga de Hierro:

–Mire para otro lado porque le hiede el aliento. Y ahora escuche. El que busca la soledad paga muy alto precio cuando la encuentra porque Dios le castiga haciendo que se sienta solo. ¿Está claro?

–¡Ya lo creo! ¡La mar de claro!

–Bien; siga escuchando. El que busca y encuentra la soledad ignora que los demás lo olvidan porque no están solos y no consideran nada que no puedan ver y palpar. ¿Está claro?

–Pues mire, don Servando, no tanto como antes.

Saturnino Cebolla era muy deportista, según decía, y en el seminario, según dicen, jugaba al futbol remangándose la sotana.

–*Mens sana in corpore sano* –exclamaba Saturnino cuando chutaba con entusiasmo y entraba en trance–, ¡mientras la juventud se desahogue pegando patadas con el pie, no peca haciéndose malsanas caricias con la mano! ¡Vivan las extremidades inferiores! ¡Abajo las manos capaces de pergeñar inmoralidades y herejías! ¡Viva el noble deporte del balompié! ¡Viva la pureza!

Cuando Saturnino se dejó crecer el pelo de la coronilla, entonces los clérigos gastaban coronilla, y pudo dedicarse a administrar la miseria con entusiasmo, empezó a contar chistes, en general malos y ya conocidos.

–¿Y los contaba, aunque fueran como usted dice, para dar confianza al personal?

–Pues, sí; lo más probable.

(Sigue la ilación del narrador.) –... a prestar a usura y a hablar con palabras y siglas medio mágicas: rentabilidad (a nivel de rentabilidad), plusvalía (en base a la plusvalía), IRPF (en consideración al IRPF de este país), etc. (y un largo etc.).

El día de san Sosípatro del año en curso se publicó en *El Correo Gallego* el siguiente anuncio: Me cago en la cutre de la patrona de mi piso. En español, cutre vale por tacaño, miserable; en gallego, de donde quizá proceda la voz española, quiere significar lo mismo y enseña cuatro formas más: cutreiro, cutrento, cutreño y cutriñeiro. Saturnino Cebolla, alias Minguilla, era el arquetipo y espécimen de lo cutre.

–¿Y no tenía salvación posible?

–Muy difícilmente, señora.

–Oiga, don Catulino. ¿No es lo mismo arquetipo que espécimen?

–Pues mire usted, señora: si no son lo mismo son algo muy parecido; en eso de los matices, cada cual afina hasta donde quiere.

–O hasta donde puede.

–Pues, sí; no le falta a usted razón.

Nada hay más amargo que la administración de la miseria, el triste prurito de ano del alma contra el que no se lucha mercándose un chandal a franjas descaradas y anotando pobrezas en el cuadernito que fue regalo de la abuela, mujer que también murió en la honrosa y vergonzante indigencia, es cierto, pero sin duda alguna con mayor dignidad y mejor medida perspectiva. Cuando cambiaron la luna y el decorado del chamizo de la autopsia, el diseñador Rufo Puig, el marido de Vanessa Pérez la de los Frascuelos, o sea Marrana VII, se sintió elegíaco y le contó a su benefactor don Andrés Tulla Sánchez, el que le regaló un cencerro pintado de oro del que cagó el moro.

–Corrían tiempos muy duros para los hábitos conservadores, amigo mío, revueltos tiempos de algaradas, pedreas, quema de conventos, no de bancos, los españoles no suelen quemar bancos, y persecución de curas y frailes, y el Marqués de Valdeiglesias, director del periódico madrileño *La Época*, le dijo a su redactor don Luis Araujo Costa: «La gente está preocupada con todo lo que está pasando y quisiera encargarle a usted una seccioncilla diaria capaz de levantar el ánimo a los lectores, y muy breve, unas cien palabras, que deberá aparecer bajo un epígrafe chispeante y fácil de recordar.» A los pocos días Araujo subió al despacho de Valdeiglesias: «Creo que ya tengo el título que me pide, señor director: *Anacolutos de Herodoto*.» Valdeiglesias era todo un caballero y de aquel trance nadie salió por la ventana.

Doña Clarita Villabride viuda del faquir portugués don Alvarino de Alvarelhos y Mogadouro de Angueira y Pinto de Velatecos (es uno solo), que falleció el día que le salió mal el experimento, sacó adelante a su numerosa prole, once hijos y tres hijas, fregando despachos y traduciendo novelitas del francés, poco importa que a mocosuena porque la cosa quedaba lo bastante aparente para colar. Doña Clarita tenía una hermana, doña Virtudes, que era senadora, el amigo del zurupeto Catulino les llamaba senatrices, y que presentaba dos características muy acusadas: estar enamorada de Latinoamérica, como ella decía, y disfrutar hasta el orgasmo (decente, claro) desviviéndose por una causa; antes, por ejemplo, la conversión de los infieles, el fomento de las vocaciones tardías y del clero indígena, y la plausible costumbre de bautizar chinitos, y después, por ejemplo, la alfabetización de Angola, la pervivencia de las focas y las ballenas, la defensa de la capa de ozono y la denodada lucha contra el boxeo y las corridas de toros. Doña Virtudes desconocía que el exceso de celo entre legisladores y funcionarios era un grave peligro público, pero su ignorancia no tenía mayor incidencia sobre la vida política del país porque la verdad es que tampoco le hacían demasiado caso.

–¿Y eso lo sabía doña Virtudes?

–Pues, no; tampoco. Pero se consolaba recordando lo que decía doña Rosa Conde: Cuando yo hablo como hablo es que sé de lo que hablo.

Saturnino Cebolla, o sea Minguilla, el administrador de la miseria, se pudo mercar, a fuerza de hacer inteligentes y drásticos ahorros y darle aire al leasing que, tras consultar con el consulting, le concedieron en el holding Marketing Pérez and Co., se pudo comprar, se venía diciendo, entre otros varios utensilios, todo cuanto pasa a enumerarse: el ya mencionado chandal verde y malva para hacer jogging, una caravana para hacer caravaning, una tienda de campaña para hacer camping, un minicar para hacer carting y una tabla de surf para hacer surfing en el pantano de San Juan. A su señora no le dejó que se hiciese un lifting porque él, según decía, no pagaba vicios. Otra de las características de Minguilla es que era inasequible al desaliento, circunstancia bastante generalizada entre misacantanos.

–¿Vale lo que queda dicho?

–No me pronuncio.

En el establecimiento El Chafariz, vinos y comidas, Minguilla le explicaba a las dos hermanas, a doña Clarita y a doña Virtudes, su teoría del ahorro mantenido, del ahorro que no cesa, y la prudente inversión en bienes muebles e inmuebles a los que, tras usarlos y lavarles un poco la cara, se les puede sacar un módico beneficio.

LA CARNE DERROTADA

(*Primera parte*)

El zurupeto Catulino, hace bien poco, hablaba de un preso que no quería la libertad porque le daba miedo estar solo, sentirse a solas consigo mismo y al pairo como un viejo patache sin amarras. Don Melquiades Ferrán Cajaravilla, o Cajaraville, no se sabe bien, ex secretario provincial de la extinta Fiscalía de Tasas, lo decía siempre: Cuando la derrota del alma llega a la carne, la aguja de marear por la vida se vuelve loca y el miedo abre al derrotado las puertas de la esperanza.

–Oiga, buen hombre: ¿esa idea no es de un inglés?

–Pues, sí, parte de ella, sí, tampoco toda, pero usted disimule y no maree, que del mismo barro nos hizo Dios Nuestro Señor a todos.

Juan Ruiz piensa que el miedo resta la voluntad y merma los sentidos.

Al omne, con el miedo, no l'sabe dulce cosa,
non tien voluntat clara la vista temerosa;
con miedo de la muerte la miel no es saborosa:
todas cosas amargan en vida peligrosa.

La carne derrotada puede ser, al menos, de doce clases diferentes. La carne de inclusa es feble y humillada, a todas las carnes en derrota se les humilla y el que no lo recuerde, que lea a Dickens. «Abandonado de tus padres la caridad te recoge» es el mote heráldico de la caridad y para que no lo olvides nunca te lo pintamos con letras de almagre sobre el dintel de la puerta: si eres hijo de puta y por tanto desagradecido, conviene que lo sepas y que los demás lo sepan y para eso está la frase que te debes aprender de memoria y también los apellidos de la ignominia (no se ponen para no molestar). Los hijos de puta, sobre desagradecidos suelen ser desmemoriados y conviene refrescarles la más barata de las tres potencias del alma dándoles a comer rabos de pasas y purgándolos con sen o con jalapa al objeto de hacerlos más dóciles y provechosos. Buenaventura Barrueco, el eficacísimo bujarrón de La Mutua Londinense, enumeró su ciencia de modo harto didáctico y experimental.

–La gente se gasta los cuartos con gozo en doce mercancías.

–¿De Singapur?

–No necesariamente.

–Dígamelas, por favor.

–Con sumo gusto intentaré complacerle. Cunas para expósitos, que puedan ser de materiales diversos: junco, mimbre, médula, conglomerado, etc.; piltras, yacijas y catres de tijera para hospicianos y otras suertes onerosas; caramelitos de limón para niños catecúmenos y jóvenes descarriadas; bromuro para combatir la lujuria de los internos atacados de rijo; pólvora para que los jóvenes mueran defendiendo las ideas de los viejos; permanganato para lavajes preventivos o subsiguientes (desinféctense con esmero los irrigadores); bicarbonato para los jueces; vendas para lisiados y llagados; rejas para que la ira de la derrota no salpique a los viandantes al corriente del pago de la contribución; puritos farias para los condenados a muerte caprichosos; sogas para ahorcados, orates y epilépticos, y vino para que beban los hermanos de la cofradía del Santo Entierro a la mejor salud del alma del difunto.

–Ha sido altamente aleccionadora su disertación, don Buenaventura.

–Gracias, gracias...

–Continuad, os lo rogamos todos.

–Con sumo gusto procuraré complacer a tan selecto y pertinaz auditorio. Observen ustedes que son tres las causas que inducen a la gente a gastarse los cuartos en limosnas: number one, poder aleccionar con buenos consejos al socorrido, eso da mucho gusto; number two, darle palmaditas en las espaldas que, una de dos, o habrán de cargar los fardos del dador o habrán de ser desolladas a correazos, y number three recordarle que todavía hay clases: los ruines tienen muy mala memoria, creo que ya se dijo.

La carne de hospicio no es más fuerte ni digna que la carne de inclusa, es tan sólo menos tierna. Al niño expósito se le recoge y cría en la inclusa y se le mantiene y educa, es un decir, en el hospicio; también se le pone uniforme con galones y gorra de plato, para que nadie ignore con quién se juega los dineros.

–En el mundo hay demasiada confusión y en estos tiempos, más. ¿No cree usted?

–Cierto, cierto –contestó Liborio Lagunilla, el fraile del antifaz.

La inclusa y el hospicio son los dos primeros eslabones de la cadena sin fin que es la vida y muerte de quien nace con el hierro de la derrota marcado al fuego en sus carnes.

–¿Por la mano y la voluntad de Dios?

–Prefiero no creerlo.

Evgueni Dieff no fue carne de inclusa pero sí de hospicio. Evgueni Dieff también fue carne de cañón, carne de prostíbulo y carne de hospital y, según se informó a su tiempo, va camino de ser carne de fosa común. El campeonato de mus que organiza la multinacional Phoenix, enseres alimentarios, lo gana siempre don Avelino, el párroco de los Dolores, lleva ya tres años seguidos ganándolo.

–Por algo será, vamos, ¡digo yo!

–Dice usted bien, ¡por algo será!

Los intelectuales y los artistas suelen tener ideas literarias sobre los aconteceres políticos e idealizan situaciones harto prosaicas. El otro día se metió en la taberna de Fabián Tajuelo una cómica que había venido en el autobús.

–Sírvame un vermú y mándele recado al mierda del Doroteo diciéndole que la Paquita está aquí.

–Al momento, señorita.

La carne de catequesis es obediente, sí, pero también atravesada y si no se le está muy encima, propende al desmadre. En la catequesis se reparten caramelitos de fresa, naranja, limón y menta para los niños que se portan bien; don Avelino, a los niños que se portaban ni fu ni fa les permitía dar unos lengüetazos a los caramelos pero no morderlos.

–No, no: el chupen sí vale, porque pienso que poco a poco ya se irán corrigiendo y portando mejor, pero el mastiquen sólo se lo permito a los elegidos. Venga, tú chupa y pónmelo después en el pañuelo, que con éste tenéis que arreglaros cinco. ¡Si mascas, te deslomo!

–No, padre.

Fabián había sido arriero, vendió las mulas cuando se partió el espinazo.

–Este oficio que tengo ahora es más tranquilo, es menos emocionante, sí, pero más tranquilo. Además yo ya aprendí todo lo que necesitaba; en las posadas se aprende mucho y como decía el señor Quiterio, el pregonero de Marchamalo, que se quedó tuerto de la coz de un macho, un año de arriería enseña más que tres de filosofía.

La carne de cañón está para hacer experimentos y para probar varias defensas, todas mortales: la de la patria que se inventaron los viejos, la del orden establecido por los viejos y la del pensamiento que los viejos heredaron de los más viejos.

–¿No cree usted que ésas son ideas disolventes?

–Puede que sí, pero no me importa. ¡Estoy ya muy harto de guardar silencio y de sonreír como si fuera bobo!

Don Hugolino Gabarderal Tomelloso interrogó a Zaqueo Botija, para eso era el señor juez.

–¿Nombre?

–Zaqueo Botija, para servirle.

–¿Segundo apellido?

–No tengo; soy hijo único.

Zaqueo Botija era un guarda forestal que se hizo muy famoso porque la niña Doroteíta Guzméndez Calasparra, que iba de paseo para respirar aire puro, le pegó el sarampión y lo tuvo a la muerte. Su hermano Perseverando era muy desaseado y baldragas y las manchas de la chaqueta, en vez de quitárselas con gasolina, las recortaba con una tijera de las uñas.

–Yo sé de sobra que voy para carne de cañón, lo único que espero es que movilicen mi quinta y me saquen de dudas; esto de morir por la patria tampoco está mal, ¡qué quiere que le diga!

Perseverando Botija había estado algún tiempo en la cárcel por falsificar billetes de ciento viente pesetas, el precio de coste eran veinte pesetas y de ganancia le quedaban las otras cien, don Hugolino lo descubrió en seguida y lo encerró, ¡anda, que la que se le escapase a don Hugolino, con lo listo y cumplidor que era! De la carne de cañón, a veces, no queda ni el rabo porque la metralla enemiga los descuartiza y los deja que no los reconoce ni Dios; los escritores oficiales, sobre todo los franceses y los alemanes, hablan del soldado desconocido y le componen himnos y loas. El francés Barbusse y el alemán Remarque siguieron llorando en el otro mundo, pese a que el gran desbarajuste seguía siendo desenterrado por el hombre cada veinticinco años. Daniel Simeón el Estagirita le dijo a su novia Bienvenida Gárgoles, partera del hospital Francisco Franco:

–Te juro, amada mía, que ni yo tengo la culpa de estar loco, ni tú eres responsable de estar cuerda; por tanto, pienso que lo más sensato será que te mate de un tiro en la nuca, como si fueras un estudiante chino, y envíe después la bala y la cuenta de gastos a tu familia.

Los enemigos del alma son tres: mundo (las multinacionales de bebidas refrescantes, la publicidad y el fundamentalismo religioso y político), demonio (que es un zascandil que hace trampas en el juego) y carne (de varias clases: todas amargas y algunas, además, venenosas). Para seguir obrando sus curaciones milagrosas Artemio Zumárraga se comunica con el Espíritu Santo todos los viernes a las siete de la mañana, las siete por el sol, claro, dándose un baño de agua de rosas con siete puñados de sal gorda, los pétalos de siete claveles blancos, siete ajos pelados, siete chorritos de colonias, siete pellizcos de canela y siete cucharadas de amoniaco; por el invierno, que el Espíritu Santo suele estar algo más perezoso, también se pueden echar en la bañera siete gotas de menstruo de virgen natural de una provincia que no linde con el mar ni limite con país extranjero. El efecto es pasmoso y Artemio, tras el baño comunicativo, sale pletórico y resplandeciente y sigue devolviendo la salud al prójimo sin darle mayor importancia y sin recibir más estipendio que la voluntad.

–¿Y gana mucho?

–Eso no interesa a nadie; el Artemio es muy desprendido y lo único que quiere es hacer el bien y llevar la salud al cuerpo y la paz al alma.

–¡Toma ya!

–Oiga, ¿no es toma allá?

–Pues la verdad sea dicha: me pone usted en dudas.

–¿Y en un aprieto?

–No; eso, no.

A la carne de prostíbulo suele dársele una manita de purpurina para que mejor pueda entender los aforismos de Léautaud; aun así, no hay garantía ninguna de aprovechamiento. Al hermano menor de Artemio, al Paquito, lo echaron de Radio Nacional de España por culpa de un anuncio que decía: Señora, ni polvos ni leches, ¡use Tokalón! El putero o putañero no va a la casa de lenocinio para satisfacer la concupiscencia o calmar la lascivia o aguar la lujuria o desahogar la libídine o disfrutar de la vehemente salacidad o saltar de gozo con el desaforado ejercicio del rijo, que viene a ser lo mismo sobre poco más o menos, sino a descargar su conciencia, a confesar su pecado, a colocar su rollo; si se acuesta con la mujer de turno, es de paso, no más que de paso, y por cumplir ya que una vez metidos en la moneda tampoco sería cosa de dar marcha atrás. La zaherida carne de prostíbulo no busca sino que le escuchen un poco y no le recuerden que ya conocen el cuento que va a contar, eso es muy desmoralizador, es un jarro de agua fría que le echan a uno sobre la nuca del alma.

–¿Usted piensa que las putas son como psicoterapeutas?

–Pues, sí, una cosa así. Y basta con que escuchen aunque no atiendan, como el Muro de las Lamentaciones o el confesor o el psiquiatra; no es necesario que hablen e incluso es mejor que guarden silencio poniendo, eso sí, cara de prestar mucha atención.

El zurupeto Catulino Jabalón Cenizo, el de doña Pura, ya se sabe, proyectó tres obras de teatro, escribió una y no estrenó ninguna; esto último es algo que le acontece a la mayoría de los españoles. Las piezas que proyectó el zurupeto bajo el antetítulo general de *Tres homenajes al Bosco*, fueron las siguientes: *El carro de heno o el inventor de la guillotina*, de la que hay varias ediciones y ninguna representación; *El jardín de las delicias*, también llamado *Salomé y sus averiguaciones sobre la intolerante conducta de los es-*

treñidos, que prometía ser muy aleccionadora, y *La mesa de los pecados mortales o parábola de los anises enojados*, en la que se proyectaba defender a los cabritos (3.ª acep.).

El amanuense dijo, no más copiada la estrofa 1380 del *Libro de Buen Amor*, que eran doce las diferentes clases de la carne en derrota: llevamos cinco y nos restan, por tanto, siete más para completar la cuenta. Don Serventesio Puig i Sardina, alias Nueva Carolina Otero, director de la revista de alta cultura *A mí...*, de la que salió un solo número porque fue prohibida por la autoridad a consejo de los metropolitanos, gastaba prima peliforra y pleitista, bigote a lo káiser y braguero inguinal Aurora (preferente clase A), tan sólido como económico y duradero.

LA CARNE DERROTADA

(Segunda parte)

Doña Marujita, la señora de don Melquiades Ferrán Cajaravilla, o Cajaraville, le decía a su director espiritual:

–Mire, usted, don Abasto mártir, a mí no hay nada que más me desoriente que se me escape un moco. ¡Es que pierdo el cóntrol, don Abasto mártir, es que pierdo el cóntrol!

–Calma, hija mía, mucha calma y sosiego, que más padeció por nosotros Nuestro Señor Jesucristo en la cruz. Y recuerda, hija mía, te lo digo siempre, que no se dice cóntrol sino control.

–Gracias por sus siempre sabias puntualizaciones, don Abasto mártir, ¡es que una es tan burra!

Doña Marujita era carne de congreso eucarístico, o de tendido de sol, suele decirse que rugidor tendido, o de manifestación pro amnistía o pro lo que fuere, que viene a ser lo mismo y el caso es mugir y hablar en pareados. El preso que huía de la libertad por miedo era pariente próximo de doña Marujita, la señora que buscaba la compañía también por miedo a la espantable soledad. La contralto Gertrudis Balazote, alias Braga de Hierro, recomendaba casi con vehemencia rezar a santa Clara en los trances difíciles:

–Haz tres pedidos por imposibles que parezcan: uno de negocios, otro de amor y otro de enfermedad. Reza durante nueve días nueve avemarías, a ser posible a la salida del sol aunque no sea obligatorio. Serás atendido. Reza con una vela encendida en la mano y déjala quemar. Publica la noticia en la prensa católica a los nueve días.

Tú vas luego a la iglesia por le dezir tu razón
más que por oír la missa nin ganar de Dios perdón:
quieres la missa de novios sin gloria e sin razón,
coxqueas al dar ofrenda, bien trotas al comendón.

Juan Ruiz también cantó a la carne en derrota aunque la disfrazase con los colores de la farsa. La carne de tendido de sol se libera con el hábito del ayuno, ¡a la fuerza ahorcan!, y el sacramento de la penitencia: adviértase que al infierno no van más que los descuidados. Buenaventura Berrueco, el bujarrón de La Mutua Londinense, le dijo a la enfurecida Paquita delante de don Avelino, presbítero y campeón de mus:

–Mire, usted, señorita Paquita: el Doroteo será un mierda, con perdón, como usted dice, pero los mierdas también son capaces de arrepentimiento. ¿A quién se le niega un punto de contrición para salvar su alma? A nadie, hija mía, porque Dios todopoderoso, en su infinita misericordia, al final salva hasta a los mierdas.

–Sí, señor, eso está muy bien, no se lo niego, pero a mí, el que me la hace me la paga, ¡vaya si me la paga!

La carne de tendido de sol es tan obediente como la de catequesis y menos atravesada, se conoce que el paso de los años amansa los ánimos y atempera las inclinaciones. Don Servando Soutochao tenía poca paciencia con los derrotados.

–Les hiede la carne y además son vengativos: por más esfuerzos que hagan, no pueden evitarlo.

–¿Y acaban todos en el hospital?

–Todos, no, pero la mayor parte, sí.

El zurupeto Catulino, durante la guerra civil, estuvo en el hospital, le dieron un metrallazo y estuvo en el hospital, aunque tuvo suerte y pudo salir por su pie y no con los pies para delante. El hospital en el que metieron al zurupeto estaba instalado en la Escuela de Artes y Oficios de Logroño y la nave donde se curó, por la misma misteriosa razón por la que podía haberse muerto, enseñaba un descorazonador cartelito en la puerta: Sala Quinta. Heridos graves y enfermos infecciosos. Allí nadie tenía cepillo de los dientes, pero ésa es otra historia cuyo solo apunte nos llevaría demasiado lejos. Al zurupeto Catulino jamás le cantó una moza una seguidilla para invitarle a dejarse ver:

Cógete una sillita,
siéntate enfrente,
que aunque no seas mi novio
me gusta verte.

El zurupeto Catulino está muy acostumbrado a perder, aunque sueña con no convertirse en menesterosa carne de hospital.

–Por una botella de coñac y tres fajos de puritos farias, les regalo mi cuerpo para que se entretengan en hacerle la autopsia cuando doble, que tampoco debe faltar ya tanto.

La enfermedad hace del hombre un pillo, pensaba Samuel Johnson allá por el tiempo de la Revolución Francesa, quizá porque en la enfermedad, al decir de Plinio el Viejo, el alma se enconcha dentro de sí misma. Juvenal pedía mens sana in corpore sano, pero a la carne en derrota no se le puede pedir que enseñe el alma en salud; algo de esto había advertido ya don Melquiades Ferrán Cajaravilla, o Cajaraville, ex secretario provincial de la finada Fiscalía de Tasas.

–¿Verdad que fue un hombre de muy fundamentada solera?

–¡Ya lo creo! ¡Y de muy inaudita inercia vital!

La carne de manicomio sirve de campo de pruebas para la vesania de los cuerdos: sanitarios/as, religiosos/as, proveedores/as, con todas las excepciones que se quieran.

–Oiga, ¿a usted no le parece de memos/as o de gilipollas/os eso de poner una rayita oblicua para separar los géneros?

–Sí, sin duda, y un acto de machismo/a promovido por las feministas/os, pero ¿qué quiere usted? ¡Es lo que se lleva!

Hubo locos ilustres y locos pardillos y aburridos; a aquéllos los cita todo el mundo y de estos otros no se acuerda nadie, ésa es la gran injusticia de los principios inamovibles. La niña Micaelita Balazote la de los Escobonales, la sobrina de la contralto Braga de Hierro, le silbaba pasodobles a un loco de la vecindad que se llamaba Hilario para que se calmase y no tirase objetos y animales domésticos por la ventana. El Dr. Jerónimo Tárbena Ortiz, piel, venéreas, sífilis, suponía que era desdichada la evidencia de que los locos sirvieran de lazarillos a los ciegos, en esto se parecía a Shakespeare. Fabián Tajuelo no tenía nada de nada, quizá fuera mejor decir que no tenía casi nada de casi nada, ni de tonto ni de listo, ni de cuerdo ni de loco, ni de sano ni de enfermo, ni de rico ni de pobre, ni de alto ni de bajo, etc., pero se las iba arreglando; en España es muy difícil morirse de hambre, en otros lados pasa al revés, y a Fabián Tajuelo tampoco le iban tan mal las cosas. El Dr. Jerónimo Tárbena sabía curar la sarna, la tiña y las purgaciones y aliviar la sífilis, enfermedad que también afectaba a la razón. Al académico don Olegario Méndez le pusieron las peras a cuarto en el periódico con un suelto que decía, entre otras cosas, lo siguiente: El Colectivo de Cuñados de Subnormales de la Provincia, COCUSUPRO, protesta enérgicamente de las palabras del académico don Olegario Méndez quien refiriéndose al señor cura párroco de San Adrián le motejó de tonto del haba, con grave y premeditado menosprecio de los tontos del haba de toda la comunidad autónoma. El Dr. Jerónimo Tárbena tenía un primo homosexual (antes marica), ya mayor, que por su aspecto estaba entre Mickey Mouse y Xavier Cugat. El primo de don Jerónimo se llamaba don Gervasio Calaceite Tárbena, su madre y el padre del otro eran hermanos, y había heredado una verdadera fortuna de su progenitor, don Jeremías Calaceite, dueño de una red de casas de prostitución que se extendía por los reinos de Aragón y Valencia, entre los ríos Ebro y Turia, latitud en la que sus habitantes son muy aficionados y proclives al deleite putesco. El profesor don Memmio Solanilla Torrecilla explicaba a sus alumnos que la voz loco, en la Edad Media, más señalaba al tonto o imprudente, o lo que puede ser tontería o imprudencia u obra de tontos o imprudentes, que al orate o chiflado, o lo que pudiera ser chifladura o locura (en el sentido actual), y así en Juan Ruiz, verbigratia:

Con tus muchas promesas a muchos enveniñas,
en cabo son muy pocos a quien bien adeliñas;
non te menguan lisonjas más que fojas en viñas:
más trayes necios locos que ay piñones en piñas.

Esto se dice en el cuento de la pelea que tuvo al Arcipreste con Don Amor. Y algo más adelante, en la crónica del suceso de Don Melón y Doña Endrina:

Assí, señoras dueñas, entendet el romance,
guardadvos de amor loco non vos prenda ni alcance:
abrit vuestras orejas, el coraçón se lance
en amor de Dios limpio, loco amor no le trance.
. . . .
e en muchas engañadas castigo e seso tomen,
non quieran el amor falso, loco riso non asomen:
Ya oistes dezir que asno de muchos, lobos lo comen
–non me maldigan algunos que por esto se concomen–.

Y ya hacia el final, hablando de las propiedades que tienen las dueñas chicas:

Del que mucho fabla ríen, mucho reir es de loco.
Es en la dueña pequeña amor grande e non de poco.
Dueñas di grandes por chicas, por grandes chicas non troco,
(mas las chicas e las grandes... ¡non se arrepienten del troco!)

Sergio Casaldáguila el Tuerto increpó al recitador y éste le respondió haciéndole la higa y no pronunciando ni una sola palabra.

–¿Usted cree que el silencio puede ser una de las bellas artes?

–Sin duda alguna, señora. Y la tartamudez, una artesanía.

La carne de asilo no tiene demasiadas aplicaciones pero al menos sirve para que los gobernantes digan necedades paternalistas hinchando el pecho; ahora, para mayor inri de desvalidos, les hablan de la tercera edad, ignorando que los viejos hubieran preferido ser echados a los tiburones antes que humillados. El veterinario Felicísimo Porma preguntó una vez más a su atónito auditorio:

–¿Han averiguado ustedes de una puta vez por dónde empezó a pudrirse el queso?

Todo el personal que rodea a la carne derrotada y asilada, bueno, tampoco todo, digamos que casi todo, disfruta maltratándola de palabra y zurrándole la badana; a veces los matan para que no mareen o no más que por entretenerse, en los periódicos viene esta noticia un día sí y otro no; los alemanes y los austríacos lo saben hacer con mucho esmero, se conoce que miran la tradición nazi. El águila y el lobo, cuando degeneran se mudan en mochuelo y hiena; la naturaleza es muy dura en sus decisiones, los biólogos les llaman mutaciones, y no contemporizan jamás. Al anciano rey Alfonso de Aragón cinco cosas le agradaban mucho: leña seca para quemar, caballo viejo para cabalgar, viño añejo para beber, amigos también ancianos para conversar y libros antiguos para leer. A los ancianos de hoy, a la amarga carne de asilo de hoy, se les niega el deleite de la vejez. El demonio inventó un refrán casi cruel que dice que una infancia angelical se convierte en una vejez satánica. María de la Visitación Méndez, la esposa, q.e.p.d., de mi hermano Saturnino el cura, me preguntó cuando aún podía hacer preguntas:

–¿Y eso es cierto?

–Sí, Visitación, cierto y muy cierto: todos hemos conocido viejos que terminaron ahogándose en un baño de humildad y gozando, casi con deleite, del transistor del vecino.

Cuando a la conciencia se le da una manita de tinte buriel, los presidios abren sus puertas a la carne y la sociedad respira fingidamente tranquila. Nadie debe confundir la carne de presidio con el amargo pescado de campo de concentración porque ante éste, a veces, a alguien le remuerde la conciencia. La carne de horca se recluta entre la carne de presidio y tan pronto como queda colgada, lleva la paz a casi todos los ánimos conservadores y en templanza.

–¿No a todos?

–No: algunos libran.

La de fosa común es la más anónima de todas las carnes derrotadas. La calavera con la que se representa la escuálida y estremecedora imagen de la muerte, también se le puede llamar gozosa e iluminada, parece siempre la misma pero no lo es; lo que acontece es que nadie sabe cómo es su calavera ni la de la mujer amada porque van por dentro y no se enseñan a los demás, que nunca a uno mismo, hasta que se mondan.

LOA DE LA MUJER PEQUEÑA Y SALUDO AL PAPA

En el patio de la fonda La Económica, propiedad de los herederos de don Matías Murchante, el zurupeto Catulino Jabalón Cenizo, el de doña Pura, mandó instalar setenta y siete sillas repartidas en siete filas de a once, para acondicionar a sus invitados; las yerbas de adorno que vivían sus humildes y sus orgullos pegadas a las paredes, la espuela de caballero y el pan y quesillo, el ombligo de Venus y la gala de Francia, el geranio, el helecho y la siempreviva se esponjaban orgullosos porque jamás habían visto tanto lucimiento. En la primera fila se sentaron los poetas medievales: Gonzalo de Berceo, el Arcipreste, Don Sem Tob, el Marqués de Santillana, Juan de Mena, Juan Rodríguez del Padrón, Gómez Manrique, su sobrino Jorge, Juan del Encina, Juan de Padilla el Cartujano y Gil Vicente; excusaron su asistencia Lope de Rueda y Luis de Camoens, y no fueron invitados algunos otros cuyo nombre no hace al caso, porque el zurupeto tenía sus especiales puntos de vista y también sus filias y, ¡cómo no!, sus fobias. Los sesenta y seis lugares restantes fueron ocupados por sus amigos de siempre y algún transeúnte que quizá se diga.

–¿Y no se va a callar usted ninguno?

–Pues sí, puede que sí, pero sin mala intención, se lo aseguro, sino por olvido.

El zurupeto, tras saludar al público, dijo con muy buena voz:

–Hoy, 20 de agosto, día de san Bernardo, primer abad de Claraval, de 1989, llega a España Su Santidad el papa Pío XII, digo Juan XXIII, digo Pablo VI, digo Juan Pablo I, digo, ¡coño!, Juan Pablo II, el Viajero Infatigable.

La niña Micaelita Balazote, la de los Escobonales, dejó de silbar el pasodoble *Gallito* y exclamó:

–¡Totus tuus!

El zurupeto retomó la palabra.

–Según el obispo irlandés san Malaquías, aunque algunos piensan que el profeta no fue él sino el monje Arnoldo Wion, ya no quedan más que dos papas, el segundo de los cuales y último de los doscientos sesenta y dos que habrá habido desde san Pedro, se llamará Pedro II o Pedro Romano.

El veterinario Felicísimo Porma le interrumpió.

–Perdone, usted, don Catulino, ¿por qué no cuenta usted a los antipapas? Los hubo muy graciosos.

Y Emerenciano Valle, el de los versos del jabón de los Príncipes del Congo, vociferó a grito herido:

–¡Totus tuus!

El zurupeto Catulino sonrió como un conejo.

–Gracias, gracias, por sus muestras de apoyo a Su Santidad... Y a usted, señor Porma, le digo que no. No, mi buen amigo, no y mil veces no: en nuestra respetuosa bienvenida al papa no tenemos por qué hablar de los antipapas, aunque coincido con usted en que los hubo con mucha chispa. Permitidme seguir. Su Santidad el papa está hoy, día también de los santos mártires Severo y Memnón, está hoy, decía, entre nosotros. Le deseamos de todo corazón que coma bien y disfrute los platos de Paco y Moncho Vilas, donde el guiso de pulpo, la empanada de vieiras y el jarrete de ternera son de muy gustosa confianza.

–¿Y si le diésemos tarta de Santiago de postre?

–Sí, ¿por qué no? O filloas o leche frita o cañitas rellenas de crema pastelera. Estos polacos son muy golosos y además, a nadie le amarga un dulce.

–Sí; eso, sí.

Ahora, quien gritó con entusiasmo fue el vate Bolbaite.

–¡Totus tuus!

–Totus, totus, pero sin innecesarios gallos.

–Dispense.

El afamado novelista padronés no siente mucha simpatía, aunque sí todos los respetos, claro es, por Su Santidad felizmente reinante porque piensa que los papas deben ser italianos y a ser posible, de su familia. La ocasión que se perdió con Amleto y Gaetano Cicognani, que eran primos de su abuela Nina Bertorini Cicognani, es posible que no vuelva a presentarse en muchos años. En fin, ¡paciencia!

–Oiga, usted, ¿y qué se siente con un tío papa?

–Pues la verdad sea dicha, no lo sé porque no es mi caso; en esto de los parientes papas no se pagan las aproximaciones.

La comadrona Otilia de Adalberto y Reboredo llevaba más de veinte minutos gritando totus tuus y regoldando.

–Conténgase, por favor, porque la ocasión así lo requiere.

–Dispense, procuraré contenerme.

Después de que la conversación se generalizó y se repartieron caramelos refrescantes, el mundo siguió rodando como si tal cosa.

Juan Ruiz, hacia el final de su *Libro de Buen Amor*, dedica doce estrofas a la loa de la mujer pequeña, a la alabanza «de las propiedades que las dueñas chicas an». Las mozas del Arcipreste tienen más de zuritas que de torcaces y suelen ser graciosas, traviesas y un sí es no es alegres y cachondillas.

(aunque) son frías de fuera, son en el amor ardientes:
en cama, solaz, trebejo, plazenteras e rientes;
en casa, cuerdas, donosas, sossegadas, bienfazientes:
mucho ál i fallaredes ado bien parardes mientes.

El Arcipreste escribe «pero», como suele hacer con frecuencia, queriendo decir «aunque», según el amigo del zurupeto se permite poner para que quede más claro. Don Artemio Rúspide, el novio a destiempo de la señorita Virgopotens Martín Espejo, alias Solapa Desmontada, siguió explicando sus lexiconomancias.

–Los substantivos «solaz» y «trebejo» valen por lo que significan: el primero, placer, esparcimiento, y el otro, diversión, juego, jugueteo; estas sabidurías vienen en el diccionario.

Alejandro VI, el Papa setabense Rodrigo Borja, pudo ser Alejandro V puesto que Alejandro V fue antipapa y no debió entrar en la cuenta.

La señorita Virgopotens se dejaba meter mano en el cine Carretas por don Artemio quien, como buen lexiconomántico que era, propendía a los disloques libidinosos pese a que, todo hay que decirlo, solía coronar los lotes de magreo con unos molestos y aun dolorosos accesos de orquitis. El marqués de Santa Librada aprovechó su turno.

–¡Totus tuus!

Ante esta situación de hecho que no de derecho, ¡porque la verdad es que no hay derecho!, seis eran, según el signo del zodíaco y los principios y el temple de cada cual, los posibles escolios dialécticos de cada hijo de vecino, a saber: para los aries y libra: el que algo quiere, algo le cuesta; para los tauro y escorpio: ¡váyase lo uno por lo otro!; para los géminis y sagitario: donde las dan, las toman; para los cáncer y capricornio: en el pecado llevan la penitencia; para los leo y acuario: no hay atajo sin trabajo, y para los virgo y piscis: ¡más se perdió en Cavite!

–El cuarto verso de la estrofa dice: mucho más hallaréis en ellas si bien paráis mientes.

Don Artemio le dijo a la señorita Virgopotens:

–¿Nos metemos en el cine a sobarnos a modo?

Y la señorita Virgopotens, mirando ruborosamente para el suelo, le respondió:

–Como gustes, amor mío, que estoy más salida que la gata de Toya.

Don Avelino de Blas, el párroco de los Dolores, se sumó gustoso al feliz evento.

–¡Totus tuus!

–¡Y usted que lo diga!

El fantasma del verdugo Estanislao coincidía con el Arcipreste en su aprecio por las dueñas chicas.

–A mí me parece, don Servando, que es mejor abarcar el peligro que desmelenarse persiguiendo figuraciones; en la Edad Media se cantaba a las moritas jaeneras que recogían la aceituna, Aixa, Fátima y Marién, pero ahora dan mucha risa los eficaces poetas del pastiche. La poesía sigue siendo una farsa, es cierto, pero cada día que pasa se les consienten menos licencias a los poetas.

El fantasma del verdugo Estanislao, a veces, se transmutaba en lagarto y escupía ácido prúsico a quienes se le quedaban mirando.

–¡Qué modales!

–Sí, verdaderamente; pero yo creo que hacía bien porque necesitaba defenderse.

Don Jerónimo Tárbena, piel, venéreas, sífilis, tenía la voz tomada.

–¡Totus tuus!

–¡Más fuerte!

–¡Totus tuus!

–Así.

El zurupeto Catulino piensa que las serranillas del Marqués de Santillana, la del camino de Lozoyuela, la de la Finojosa, la de Boras, debieron ser pequeñas de porte, pizpiretas de voluntad y enamoradizas de pensamiento, de sentimiento y de temperamento; de haber ángeles femeninos, el zurupeto supone que quizá fueran como las musas de los poetas anteriores al Renacimiento.

–¡Totus tuus!

–¿Quién habló!

En el ilustre senado se hizo un silencio sepulcral.

–¿No habló nadie?

No contestó nadie. En su mirador de El Clavín, el zurupeto tiene una encina en la que vive el gran duque, el búho solemne que ladra casi como un coyote, y algunas bellotas más arriba, el autillo, que tiene no mucho más empaque que la lechuza; por las noches, mientras la luna se mece en la nostalgia y el aburrimiento, el gran duque y el autillo, cada uno a su aire y su tendencia, hacen sangre entre los verderoles dormidos y los ratones despiertos; a veces cae alguna urraca soñadora y también algún sapo noctámbulo y vagabundo. Liborio Lagunilla, el fraile del antifaz, se sumó a la algarabía.

–¡Totus tuus!

–¡Diga usted que sí, tío fraile!

Juan Rodríguez, el poeta que ardía sin ser quemado en vivas llamas de amor, gustaba de la noche y de la discreta armonía de los corazones acordes. Un palomo azul vuela en pos del palomar y al lado de una paloma grácil y bronceada, mientras el airecico que viene del monte los mece con muy elegante parsimonia. Los soñados ejércitos del porvenir harán la instrucción con renovadas voces de mando.

—¡Hip, hop! ¡Totus tuus! ¡Hip, hop! ¡Totus tuus! ¡Hip, hop! ¡Totus tuus!

Juan XXI, el Papa portugués, que murió porque se le cayó el palacio encima, debió haber sido Juan XX, pero Gregorio VI alteró la cuenta al admitir un antipapa Juan XX que ni siquiera existió. El zurupeto piensa que también debía ser chica de alzada la moza del poeta de la corte de Alfonso V de Aragón en Nápoles.

Desnuda en una queça,
lavando a la fontana,
estava la niña loçana,
las manos sobre la treça.
Sin çarcillos nin sartal,
en una corta camisa,
fermosura natural,
la boca llena de risa,
descubierta la cabeza
como ninfa de Diana,
mirava la niña loçana
las manos sobre la treça.

El zurupeto, que es siempre bien pensado, supone que aquellas mocicas enamoradoras eran todas gráciles y bien hechas para el mejor manejo del organismo en las artes de amar y el más suave fluir de las inclinaciones en el vetusto y hermosísimo juego del machihembrado.

—¡Totus tuus!

—¿A quién se lo dice usted: al Papa o a la moza de Carvajales?

—Al Papa, al Papa, que con la moza prefiero que no estén todos, ¡qué quiere! Yo, en algunas cosas, soy muy mirado.

En honor de Su Santidad el Papa y para recordarle, con todo respeto, que en nuestra patria queda todavía mucho que cristianizar y no poco pelo de la dehesa que rapar, los españoles lo recibieron tirando cohetes, tocando la música, congregando multitudes fieles y fervorosas, derribando helicópteros a pedradas, jugando al futbol con calaveras y mordiéndole (uno en sentido figurado) la cara al prójimo por muy misteriosas y expeditivas sinrazones políticas. Para el zurupeto Catulino, que siempre fue optimista de natural, estas gozosas manifestaciones de nuestro carácter son la sal de la vida.

–¡Caray!

–Sí, amigo mío. Y la razón de que los precios suban sin cesar.

–Pues eso ya no lo veo tan claro, ¡qué quiere!

El Arcipreste, en las doce estrofas que se cuentan, asegura, amén de lo que ya se dijo, que la dueña chica arde más que el fuego y guarda muy gran amor y muy gran sabor; que no hay placer del mundo que con ella no se sienta y que tiene mucha belleza, hermosura y donaire y amor y lealtad.

Chica es la calandria e chico el roisiñor,
pero más dulce cantan que otra ave mayor:
la mujer, por ser chica, por esso no es peor,
en doñeo es más dulce que açucar nin flor.

El profesor don Memmio Solanilla Torrecilla explicó a sus alumnos que así como doñeador significaba galanteador, cosa que ya se dijo, doñeo vale por amorío.

–¡Totus tuus!

–Calle un momento, por favor, que ahora no pega.

El Arcipreste sigue diciendo que la mujer pequeña no tiene comparación, que es el paraíso, el consuelo, el solaz, la alegría, el placer y la bendición.

–¿No cree usted que exagera un poco?

–Pues, sí, quizá, ¡yo no sabría decirle!

Don Braulio, el juez de delitos monetarios, afirmaba que durante la visita del Papa de Roma debía meterse en la cárcel a Clemente, el papa del Palmar de Troya.

–¿Qué número de Clemente hace?

Don Práxedes Tocino, muy versado en la historia de los papas, dijo:

–Déjeme pensar un poco... Yo creo que debe ser el decimoquinto, o sea Clemente XV, así de memoria no sabría precisarle; en el siglo XVIII hubo cuatro papas Clemente, que me parece que fueron los últimos que se llamaron así. Cuando llegue a casa se lo diré a usted por teléfono.

LÍOS DE FALDAS

El sol se pone a estilo japonés más allá de los montes mientras las palomas, animalitos que no ven de noche, se guarecen en el palomar con las últimas luces. Don Esteban Campisábalos Garciotún (a veces le ponían el de: de Campisábalos), marqués de Santa Librada y judoka cinturón verde, pensaba que los líos de faldas eran signo de buena salud intestinal.

–Si un hombre no va bien del vientre, o sea, si no hace bien de cuerpo, vamos, si no obra como Dios tiene mandado, las mujeres ni le miran a la cara, ni se dejan cortejar, ni lo que venga, ni nada de nada; en eso tienen mucho instinto, las muy zorras. ¡La verdad es que las mujeres son de lo que no hay! ¡Son listas como centellas!

A don Sixto de Mingo, electrodomésticos, vajillas, juguetería, se lo llevaban los demonios cuando le preguntaban por la minga.

–¡Tu padre, mamón, y la puta que os parió a los dos! ¡Aquí lo que hace falta es más decencia y menos cachondeo! ¡Qué país, santo Dios, qué país!

El palomar por dentro parece un desbarajuste pero no lo es porque hay una ley de la nostalgia geométrica, la verdad es que no es demasiado conocida, que gobierna el caos; su clave es muy difícil pero existe, ¡vaya si existe! Todos los días se lee en el periódico que alguien se ve envuelto en un lío de faldas. Al zurupeto Catulino le desasosiega, bueno, quizá no tanto, digamos que le extraña, la avidez de las gentes por hurgar en las vidas de los demás. Tampoco le reconforta demasiado el hecho de que despierten más curiosidad las relaciones normales, aunque antirreglamentarias, que las anormales, aunque santificadas por el disimulo y la complicidad, cuando no por la complacencia y aun el aplauso de quienes sonreían por obligación no más que hasta anteayer. El calefactor Méndez, antes Justo Remeseiro o Modesto Cachafeiro, según las fases de la luna, era un hombre consecuente y de mucha decencia que llamaba relaciones anormales a las que ahora se quiere hacer pasar por normales a fuerza de dialéctica.

–¿Por qué se empeña usted en hablar misterioso, don Cándido?

–No, hija, no hablo más que prudente.

A un poeta lírico y de rentables costumbres a quien se le ocurrió criticar a la Revolución Francesa, hubo que recordarle que sin ella, él y todos los de su familia estarían aún tirando de un carro; no es por nada, pero hay gentes con el tejado de cristal que hablan con un descaro excesivo. Doña Matilde Peinado viuda de Macho, alias Tres Lunares, patrona de la fonda La Onubense, el nido de amor de don Teodoro y la señorita Renata, leía con verdadero entusiasmo las revistas de la vagina, antes del corazón. Doña Matilde formaba parte del GTP, que juzgaba las conductas del prójimo objetivándolas. Doña Mauricette Ceboleiro viuda de Lyttelton, el pensador de Extramundi, tuvo amores, según se decía por el contorno, con Jesusito Mendes el pescador de truchas pero, como no los conocía ni Dios, no se les echó encima el GTP.

–¿Y a eso hay derecho?

–No es ésa la cuestión que se debate porque la costumbre vive no más que de sus propias inercias y los líos de faldas son algo que va más allá de las inercias, de las conciencias y aun de los usos.

El grado de concentración de líos de faldas por metro cúbico es uno y determinado y la paz social se resiente cuando baja de los índices previstos; esto lo saben muy bien los gobernantes, que adecuan las leyes y los usos hacia el mejor deleite de los miembros del GTP, ese inexorable sanedrín.

–¿Y los tribunales, no amparan a los perseguidos?

–No, porque el GTP pesa mucho y los jueces claudican.

–¿Y pactan?

–Quizá también, pero eso no se lo podría asegurar.

Don Senén Gómez Salmorejo, el autor de la música del *Himno a la decencia*, asentía a todo cuanto expresaba don Felicísimo.

—¿Verdad que es usted partidario de la teoría de las teorías encadenadas?

—Pues, sí; lo más probable.

—Pues escuche usted esta cinta magnetofónica que dejó grabada uno que ya murió. (Empieza a hablar la cinta.) Soy Severo Mendoza y declaro que todo lo que voy a decirles es verdad. A la gente le gusta apalear y negarle el pan y la sal a quien, tras ser descubierto, se entrega y sonríe pidiendo clemencia; en la guerra aprendí que a los prisioneros que se mostraban sumisos y cobistas, que eran los peores y los más incómodos, se les arrancaban las muelas de oro apalancándolas con el machete; los moros eran unos verdaderos artistas en estas odontologías de urgencia. Aprendan ustedes algo muy elemental: la única defensa del hombre a quien se sorprende amando es el silencio y el altanero —y también digno y humildísimo— encastillamiento. Y a la mujer también, claro es, ya que al decir hombre aludo al ser animado racional o individuo del género humano, al margen de su sexo, y no al macho de ese género que se dice. Corto y cambio.

Todo el mundo tiene que comer caliente, a ser posible dos veces al día, y los garbanzos no siempre nacen en el trillado sendero de la vocación. Son tres las carencias que pueden marcar las inclinaciones y los destinos de cada cual, ya que no sus vocaciones, y así se expresaba el filósofo don Bartolomé Cardenete ante sus numerosos y atentísimos discípulos.

—Cuestión previa: no hagan jamás rentable el exceso de celo, ténganlo siempre presente, porque el hacerlo así sería una grave inmoralidad.

—¿Incluso desorbitada?

—Pues, sí; quizá sí: incluso desorbitada.

Don Bartolomé respiró profundamente y acompasadamente antes de continuar.

—No se muevan, que termino en seguida.

Don Bartolomé, tras hacer cinco hondas inspiraciones y otras tantas cumplidas espiraciones, continuó hablando.

—Veamos, señorita Estercuel: primera carencia.

La señorita Milagros Estercuel, que parecía una estantigua vestida por sus parientes políticos, se puso en pie.

–Con la venia. No siempre es lo mismo amar la ley que ser juez y juzgar; hace falta mucho valor para ser juez y juzgar.

–Muy bien, puede sentarse. Veamos ahora. Señor Sobarriba: segunda carencia.

Don Olegario Sobarriba, que semejaba un capón de Villalba con el culo cosido, se puso en pie.

–Con la venia. No siempre es lo mismo amar el orden que ser policía y ordenar el cotarro; hace falta mucha serenidad para ser policía y probar a ordenar el cotarro.

–Perfecto, puede sentarse. Veamos ahora. Señor Aldarís: tercera carencia.

Don Mariano Aldarís, que era talmente como un langostino tampoco demasiado fresco, se puso en pie.

–Con la venia. No siempre es lo mismo abominar del crimen que ser verdugo y ejecutar: *a)* la sentencia dictada; *b)* el reo sobre el que recae la sentencia dictada. Hace falta muy abominable instinto criminal para ser verdugo y ejecutar tanto la sentencia como el sujeto de la sentencia.

–Exacto, puede sentarse.

Don Bartolomé se puso a liar un pitillo de cuarterón al tiempo de decir:

–Recapaciten ahora en que, pese a las presiones del GTP y a los cabildeos e intrigas de la CHIP, no se puede aplicar la misma ley general a quienes son los otros y diferentes; ése es uno de los retos que todavía tiene planteados y sin resolver el derecho natural. Durante el automandato del anterior jefe de estado, sus censores prohibieron la publicación de mi libro de pensamiento *Los generales en particular* porque interpretaban, con manifiesto error, que ni las particularidades se podían generalizar (no en todos los casos) ni las generalidades permitían la particularidad (no en todos los casos), en el sentido que Engels preconizaba. El grupo que los historiadores de filosofía llaman de los jóvenes hegelianos estudiaron la paradoja del contribuyente de mediana edad cornudo y el viejo y paternal juez. Aquél le dijo: «Señor juez, mi esposa se está acostando con nuestro vecino Leonard Dickmann, el prestamista, ¿qué hago?» Y el prudente juez le respondió: «Nada, hijo, no te preocupes. Lo más sensato es que tú te acabrones y os calléis los tres.» Esto al menos es lo que cuenta Engels en su libro *La sagrada familia*, escrito en colaboración con Marx. Y ahora pueden marcharse ustedes hasta mañana, si Dios quiere.

Todos los días, según nos informan los periódicos, un político, por lo común extranjero, inglés, norteamericano, japonés, se mete en un lío de faldas y ve truncada su carrera. Isidoro el Meón, el personaje central de la novela que está escribiendo el zurupeto Catulino, supone que la peor parte de la historia se la acabarán llevando quienes quieren husmear, juzgar y ejecutar, antes que actuar y vivir. En la tumba de Francisco López de Zárate, el Caballero de la Rosa, poeta riojano que vivió a caballo de los siglos XVI y XVII, se lee un verso que dice que ni pudo escribir más, ni medrar menos; hay ocasiones en las que ni la vida ni la muerte son justas con los amadores, pero esto tiene muy escasa importancia para la marcha del mundo. Algunos personajes de Shakespeare claman contra la conciencia, esa rémora que frena al hombre, que puede frenar al hombre, en la doble proclamación del triunfo de lo intuido o instintivo sobre lo pactado o aprendido. En *Hamlet* se culpa a la conciencia de hacernos cobardes y en *Ricardo III* se oye decir que la conciencia no es sino la palabra que usan los cobardes para atemorizar a los valientes. No obstante sigue siendo cierto el reto que proclama que quien esté limpio de culpa, tire la primera piedra y, si es prudente, esconda la mano con que la tiró para que no se la corten; es muy triste pero es así, pese a que la naturaleza no alborota la moral sino que la conforma y moldea, aunque no siempre tenga razón. La señorita Milagros Estercuel volvió a levantarse, ahora para preguntar:

–¿Es cierto el decir de Ovidio de que lo que ahora es razón fue pasión antes?

A lo que don Bartolomé Cardenete respondió con la sonrisa en los labios:

–Pues mire, usted, señorita, lo más probable es que sí sea cierto ya que el postrero paso de la razón es reconocer que hay multitud de cosas a las que no alcanza: ni a entender, ni a ver, ni a explicar y ni siquiera a adivinar.

No hay jamás una sola causa de todos los dislates, que nacen de tantas fuentes como casualidades y emociones hay. En la vida se barajan tantos recuerdos como olvidos y la soledad más brota de la memoria que de la goma de borrar el tiempo. Blasito Sequeros, Culopollo, que después fue fray Inmaculado de las Sagradas Vísceras, representaba los mantecados de Estepa «Santo Cristo amarrado a la columna», calidad extra, y la lejía doméstica clase especial «La victoriosa balear. ¡Viva el corazón de Jesús!» Los líos de faldas se llevan con mayor entereza cuando se está bien alimentado y bien lavado. ¿Por qué la gente buscará el amparo de los difíciles equilibrios de los demás en la cuerda floja? Cuando el quídam busca al quídam para sindicarse y el quídam se reúne con el quídam para dictaminar sobre lo admisible y lo no admisible, los equilibristas del uno y el otro sexo, también los hermafroditas y los del sexo trocado, se resienten y maldicen de los espectadores y actores y editores y escritores y lectores. Dionisio Papadopoulos, el cobista de la corte del rey Artús, apartó los platos, los cubiertos, los vasos, las botellas vacías y las migas de pan, se subió a la mesa y preguntó a los comensales:

—¿Recuerdan ustedes lo que se dice en el himno *Las resignaciones y las sublevaciones* sobre la cabeza de turco que rueda por el suelo rebotando sobre los adoquines o el cordero del sacrificio al que se degüella en medio de la calle y salpica de sangre a los mirones? ¿No? Pues hagan memoria y se sentirán avergonzados, sí, pero también reconfortados. En este mundo, el que no se consuela es porque no quiere porque las ocasiones sobran en cuanto se cultiva, o al menos se busca, el trato de los desgraciados, la compañía de los tristes zurrados por la baratísima intransigencia de quienes no tienen ni nombre ni apellido ni apodo, porque nada hay más cruel que la sentencia de los que no han de dejar huella alguna. Don Marcial Alobras, catedrático de historia antigua y propietario de la confitería La Parisién, le dijo a don Casio Barruera Elesué, escribiente de notaría jubilado:

—No debe preocuparle a usted la edad, don Casio, que a todo hay quien gane y a la ocasión la pintan calva y no con bisoñé. Baltasar de Castiglione, en el *Libro del cortesano*, lo dice más claro que el agua: Siendo viejo se puede ser enamorado no sólo sin afrenta, sino con mayor prosperidad de honra que el mozo.

—Gracias, don Marcial, mil gracias por sus caridades; le juro que voy a hacer un gran esfuerzo para creerle.

MÁS DATOS PARA LA HISTORIA

Las palomas buchonas vuelan más tiempo, mucho más tiempo, y más distancia, mucha más distancia, ¡dónde va a parar!, que los abisinios y los finlandeses de la maratón; el griego que llevó la noticia de la victoria sobre los persas se murió al llegar, le reventaron los bofes y se le estranguló el resuello, y eso que no había galopado sino algo más de siete leguas. Mi benefactor y amigo Vicentet Massalfassar, que en tiempos del anterior jefe de Estado (Franco Bahamonde) escribía su apellido sin doblar las eses para que no lo tomaran por separatista, tuvo en su palomar de Massamagrell un palomo de raza buchona valenciana que no se cansaba nunca pasase lo que pasase y que, según síntomas y de no haber sucedido lo que sucedió, hubiera sido capaz de morir de anciano sin dejar de volar y aun sin apearse del viento; se llamaba Chiouet de Canet d'En Berenguer y en vuelo batía las alas seis veces por segundo, o sea que daba cerca de veintidós mil batidas a la hora y, por tanto, más de un cuarto de millón a las doce horas, que era el tiempo que solía navegar por el aire antes de tomarse un descanso. Repito lo que me parece haber confesado ya: Catulino el de doña Pura, esto es, el zurupeto Jabalón Cenizo, no es primo mío, cosa que me duele decir porque me hubiera gustado que lo fuese; yo me habría conformado con ser el primo desgraciado y pobre del zurupeto para recordarle la melancólica verdad de Dickens cuando afirma que los grandes hombres, aquellos que pasean el triunfo por la vida sin dejar de sonreír ni un solo minuto, también tienen parientes pobres y en la indigencia, pero me tuve que conformar con la ilusión y quedarme con las ganas, con las dichosas ganas. Al palomo Chiouet lo mató Amparito Palmer

Sequeres, la de la droguería, una niña gordita, con tirabuzones y muy buena pública conducta, apretándole el cuerpo entero entre los muslos; lo más seguro es que diese mucho deleite sentirlo agonizar sin defensa y notando cómo poco a poco iba rindiéndose. Fray Inmaculado de las Sagradas Vísceras, Liborio Laguna, el fraile del antifaz, y el ex cura Basilio escucharon atónitos a don Andrés Tulla Sánchez, el que le regaló un cencerro a don Roque de Celestino Henarejos, diputado del grupo mixto, citando a Cicerón a propósito de la muerte del presbítero don Ladislao de Jácome y Porlier, el autor de la novela *Epistolario de una comadrona virgo*: Voluptas est illecebra turpitudinis.

–Es que nosotros no sabemos latín.

–Nada me extraña dado su oficio. En fin, para que se enteren: lo que Cicerón dijo es que el placer es una incitación a la vileza.

–¡Jo, con Cicerón! ¡Qué clásico más cachondo!

El joven filipino Clark Enmanuel Busuanga, el de la tesis doctoral sobre *La familia de Pascual Duarte*, invitó al zurupeto a whisky con coca-cola y, entre otras varias cosas, le dijo:

–Mire usted esta instancia, su historia es muy curiosa; tengo grabada una declaración del afamado novelista padronés en la que me lo explica. ¿Quiere usted oírla?

–Bueno.

La cinta del estudiante filipino, salvo algunas palabras sin importancia al principio y otras al final, decía así: «En el mes de mayo de 1960 metieron en la cárcel a Luis Goytisolo Gay, el hermano pequeño del poeta Agustín y el prosista Juan. Yo no sé lo que hizo, aunque me figuro que no habría sido ningún espantoso crimen. El probo novelista social Juan García Hortelano llevó al afamado novelista padronés a su casa de Madrid, Ríos Rosas 54, una instancia pidiendo la libertad del preso y dirigida al ministro de la Gobernación, para que la firmase. El afamado novelista padronés, tras leerla, le preguntó al probo novelista social:

–¿De qué se trata, de que suelten a Luisito Goytisolo o de que vayas tú a hacerle compañía a Carabanchel? Esa instancia no sirve para nada; esa instancia es ineficaz y además el ministro se va a cabrear como un gato, lo que nunca es sano; rómpela y yo haré otra, que llevaré a la Academia a ver si la firma alguien; lo que importa en estas instancias no es lo que digan sino quiénes las firmen.

La instancia que redactó el afamado novelista padronés en términos muy ponderados y que iba dirigida no al ministro de la Gobernación sino al del Ejército, fue firmada por Menéndez Pidal, Aleixandre, Laín, Cela, Marías (que aún no era académico; lo fue en el 65), Torrente (que aún no era académico; lo fue en el 77) y cuarenta y tantos más, y a Goytisolo lo pusieron en la calle. A principios de junio, don Ramón Menéndez Pidal llamó por teléfono al afamado novelista padronés y le dijo:

–Oiga, usted, Cela, me han devuelto la instancia con un extraño papelito pegado: ¿qué hago?

Y el padronés le respondió:

–Nada, don Ramón, mándemela usted por correo.

El 22 de junio llegó a Palma de Mallorca el envío de Menéndez Pidal con un tarjetón suyo escrito a mano, que decía: «Querido Cela, adjunta la solicitud que le devuelvo con saludo muy afectuoso. La instancia llevaba una tirita de papel impreso con el siguiente texto: Recibida en el Registro General del Ministerio del Ejército, quien tiene el honor de devolverlo a su procedencia por falta de reintegro. Y una nota de puño y letra de don Ramón: fechada en el sobre 3 de junio 1960. A la instancia no le dieron estado oficial porque le faltaba una póliza, pero a Luis Goytisolo lo soltaron y todos contentos y felices. Todos estos documentos, como es de sentido común, irán a parar a la Fundación Camilo José Cela en Iria Flavia, Padrón, para que los estudien y consideren quienes tengan intención de hacerlo.» El estudiante filipino carraspeó y sonrió, se pasaba la vida carraspeando y sonriendo, y cerró su magnetófono.

–¿Le gustó?

–¡Ya lo creo!

En Mallorca hay una raza de palomas pequeñas y muy rápidas a las que llaman de *escampadissa* porque al volar parece que van sembrando trigo.

El diseñador Rufo Puig, el marido de Marrana VII, le dijo al fantasma de don Ireneo Aguacato el Présbita:

–Nadie se lo cree pero estas palomas, que tienen las alas y la cola muy largas, juegan a provocar al halcón y casi siempre suelen librar con vida; cuando ven venir al halcón, en vez de huir salen a su encuentro y cuando son atacadas, abren la bandada en abanico y se esparcen por el aire cada una en una dirección.

Don Ireneo comentó:

–¡Qué barbaridad! Eso es algo así como la ruleta rusa.

–Pues, sí, más o menos.

Mi benefactor y amigo Vicentet Massalfassar, para vengar el triste fin de su palomo Chiouet, le metió a la niña Amparito docena y media de cápsulas Koch por el culo y, tapándole la nariz con los dedos para obligarla a abrir la boca, le obligó a tragar otra docena y media casi sin respirar; las cápsulas Koch, 3 pts., gratis a los pobres y por carta a los de provincias, curan la blenorragia en dos días. Orquitis, chancros, verrugas, pomada Koch. Humores de la sangre, perlas depurativas Koch. Catarro de la vejiga y orina turbia, sales Koch. Impotencia y pérdidas seminales en sueños, tónico Koch.

–¿Y la niña Amparito escarmentó?

–¡Ya lo creo! ¡En cuanto veía una paloma, se metía debajo de la mesa!

Las palomas buchonas vuelan más tiempo y más distancia, también a más velocidad, que los abisinios y los finlandeses que salen en los periódicos. Al negro Salem al-Lubiyá lo decapitaron porque nadie supo escarmentarlo a tiempo y de nada le valió reencarnar en una blanca palomita de toca. La muerte no es el mayor de todos los males porque la falta de memoria de los muertos la hace más llevadera, pero jamás falta un alma caritativa para avivar los recuerdos dolorosos: una paloma puede valer más que un gavilán, pero la vida de los esclavos muertos, la vida de los negros muertos en la plantación, la vida de los chinos muertos construyendo un ferrocarril en el Far-West, rara vez perdura en el recuerdo de nadie; quizá tampoco mereciese la pena. A los soldados les acontece lo mismo porque suele olvidarse la advertencia de Plutarco: un ejército de ciervos mandado por un león es mucho más temible que un ejército de leones a las órdenes de un ciervo. El calefactor Méndez jamás acabó de darle la razón del todo a Régulo Lyttelton, el pensador de Extramundi.

–Hay días en los que el sol se levanta no por obligación sino para oír cantar al gallo, y hay galernas que se desencadenan no más que para asustar a la hija pequeña del pescador, que a lo mejor también fue algún día palomita moñuda; en la naturaleza suceden cosas muy extrañas y que no siempre tienen explicación suficiente.

–Es cierto cuanto usted me dice, no se lo niego, pero tampoco me negará usted que los gobernantes conocen mil ardides para no tomar en consideración las instancias de los gobernados. Pensar lo contrario sería muy doloroso.

Calixto Álvarez Olmo, el contrapariente del zurupeto que se había metido en la gran sartén de hacer churros y tejeringos de una romería, le dijo poco antes de morir a don Servando Soutochao:

–El político don Manuel Becerra era diputado por Becerreá: ¿usted qué cree, que es casualidad o designio de la Divina Providencia?

–¡Vaya usted a saber! A mí más bien me parece cachondeo.

–Bien. Y ahora un test de equilibrio y moderación. La mujer del hacendista Piernas (don José Manuel Piernas y Hurtado) se llamaba Presentación (de Tineo y Unqueza) y era marquesa de Vista Alegre (y baronesa de la Vega de Rubianes). ¿Y en este caso, qué me dice usted?

–Pues lo mismo que antes: que a mí más bien me parece cachondeo y ganas de joder la marrana con el significado de las palabras.

A través del patio se oyó cantar flamenco con no demasiado estilo.

–¿De quién es esa voz?

–Del afamado novelista padronés.

–¡Ah!

John Diosdado Busuanga, el padre del joven doctorando Clark Enmanuel, tenía el dorso de la mano lo que se dice cuajadito de las manchas castañas que los españoles llamamos roña de viejo y los franceses, flores de cementerio.

–¿Y eso no es signo de dignidad?

–Pudiera ser, no lo niego, pero de dignidad con bastantes años a los lomos.

El 18 de julio de 1957, algún invitado a la recepción que se dio, según costumbre, en la Embajada de España en Estocolmo, robó un espejo turco antiguo; a los dos días apareció en la prensa sueca un anuncio, redactado en español, advirtiendo que se gratificaría generosamente a quien lo devolviese.

–¿Y eso es también casualidad o designio de la Divina Providencia o cachondeo?

–No; eso es mangancia a secas.

En Lugo refresca siempre por la noche aunque sea en pleno verano. El cronista don Emiliano Buendía Domínguez envió a *El Progreso* un suelto que decía así: Oración fúnebre. Murió Manuel Merinde, alias Manuel de Cubres, de una pulmonía y lo enterraron en el cementerio de Seibano. Y su hermano Felipe, que estuvo en Montevideo, dijo que había que pronunciar unas palabras en el camposanto, y las pronunció:

–Amigos todos: os agradezco la demostración de pésame. Yo le decía a mi hermano Manuel: ¡No vayas a Lugo sin zamarra, que allí refresca! Y Manuel iba sin zamarra. En una de éstas pescó un punto y ahora ahí está, por terco. En agosto, en Lugo, por las noches, en los baños, hay que ponerse la zamarra. ¡Qué burro fuiste, Manueliño! Amigos, ¡conservarse!

A lo mejor y para la buena marcha del país, hubiera sido oportuno que cogieran un frío suficiente los botarates que, catorce o quince años atrás de lo que aquí se cuenta, denunciaban novelas desde un sillón oficial o blasonaban de suspender estudiantes de derecho o de prohibir libros, desde el sillón de enfrente. Los testamentos políticos también son una forma, ¿o una manera?, de enfermedad. El zurupeto Catulino, que tiene sus lecturas, sus preferencias y sus potencias del alma todavía en relativo buen uso, recuerda que don Francisco de Quevedo, en *El entremetido, la dueña y el soplón*, advierte con luminosa sagacidad que la enfermedad más peligrosa, después del médico, es el testamento y que más han muerto porque hicieron testamento que porque enfermaron. Los datos para la historia no son inmutables pero sí, en cierto sentido, aleccionadores y aun reconfortantes. El ex cura Basilio, que es muy sentimental y soñador, se pierde en sus elogios a la dignidad.

–Las palomas buchonas vuelan mejor y con más equilibrio que el pensamiento y además no conocen la fatiga. Las palomas buchonas vuelan como dardos y jamás humillan la cabeza cuando cortan el aire.

DULCERÍA HONESTA

Entre la encina en la que vive el gran duque, ese aristócrata solemne, vicioso y sanguinario, y el barandal de hierro todavía no dibujado por la nostalgia, el zurupeto colgó dos chinchorros del llano venezolano, uno de palma moriche y de color de oro o de páramo y el otro de palma curagua y de color de plata o de nube; en cualquiera de los dos, aunque casi siempre en el de palma curagua, que es más elegante y amplio, el zurupeto se tiende por las noches, después de cenar, alumbrado tan sólo por la luz de la luna y el lejano resplandor de Venus, el lucero de la tarde –y también del alba–, a escuchar el entusiasta canto de los grillos y a pensar en sus cosas, que no son demasiadas ni importantes pero sí, al menos, acompañadoras y quizá suficientes. El zurupeto, a estas alturas ya de su asendereada y zurrada existencia busca la compañía, quizá sin darse demasiada cuenta de que lo hace, porque ama pero también teme la soledad, y tiene la sensación de que los suyos le han ido dejando sólo para que escarmiente. Consolación Gaviota, la cuñada de Temístocles, bajó la voz para no asustar ni distraer a nadie y le dijo al oído al narrador:

–Puede contar ahora lo del Louvre.

–Bueno.

El año pasado, ante el retrato de Descartes por Frans Hans el Viejo que hay en el museo del Louvre, el zurupeto se sacó las partes pudendas y mirándole al mirar le dijo sin recato alguno:

–Amo y mareo, luego existo; soy odiado y despreciado, luego existo; voy a los funerales de los demás y escucho el canto de la alondra, luego existo.

–¡Qué barbaridad! ¡Qué inadmisible descaro!

–¡Y usted que lo diga!

El zurupeto había concebido la familia como una banda segura y eficacísima –algo así como cada una de las doce tribus de Israel, el gang de Al Capone o el clan de los Kennedy– pero ya en la última curva del camino de su vida se enteró, con no poca amargura, de que todas sus pretéritas ilusiones no fueron sino un huidor y ya difuminado espejismo. Poco le importa al zurupeto buscar al culpable ya que prefiere, con Corneille, sufrir el mal a merecerlo y tampoco quiere esclarecer del todo la verdad. ¡Vivir para ver, y morir para dejar de ver lo que jamás hubiera querido verse! Y el que entienda, que salude subiéndose a la silla. Su amigo el afamado novelista padronés trató de disuadirle para que diese de lado a los malos pensamientos, pero la verdad es que no lo consiguió. Consolación Gaviota advirtió al narrador que podía cambiar de tercio:

–Cuando guste.

–Gracias.

La urraca sabe volar entre dos luces y es el último pájaro diurno que se acuesta. Después de tanta deshonesta amargura, el zurupeto Catulino Jabalón Cenizo piensa que quizá fuere saludable guarecer la gaita en la honesta dulcería del pueblo, en la sólida y sabrosa confitería campesina, en la benemérita y nutritiva pastelería paleta, que a todos los que no nacimos en capital también nos late el pulso en las sienes y nos acarician o nos rascan el paladar los sabores. El poeta Casto Bolbaite Alcozarejos escuchaba con mucha atención las razones de don Bienvenido Langa Lumpiaque, propietario y también poeta, aunque de estética más clásica y antigua.

–Ahora se dice pastelería, antes se decía confitería y aún antes se dijo dulcería; esto va en modas y el uso de las palabras es siempre muy cambiante y elástico. La diferencia entre pastel, confite y dulce no es muy precisa y el diccionario tampoco nos saca de dudas; según en él se lee, mire usted, aquí lo dice: pastel es la masa cocida al horno, de harina y manteca en que ordinariamente se envuelve crema o dulce, y a veces carne, fruta o pescado, aunque esto no interese ahora; confite es la pasta hecha de azúcar y algún otro ingrediente, ordinariamente en forma de bolillas de varios tamaños, y dulce es el manjar compuesto con azúcar, como el arroz con leche, las natillas, los huevos moles, etc., y también la fruta o cualquier otra cosa cocida o compuesta con almíbar o azúcar y secada al sol y al aire. A mí me parece que hay diferencias pero también semejanzas y aun identidades, y que sobre el valor de esas palabras más pesa la semántica que la lexicología, dicho sea con todas las reservas y precauciones debidas. ¿Qué le parece?

–Pues, a mí, nada, ¡qué quiere que le diga! Yo no tengo estudios superiores.

–No se preocupe. ¿Sigo?

–Sí; siga usted.

–Muchas gracias. Yo creo que pastelería, confitería y dulcería son voces que tienen, al menos, dos significados, aunque el primero no se registre en los lexicones: arte de guisar los pasteles o confites o dulces, y oficina en la que se guisan.

–Usted dispense, don Bienvenido: para guisar, ¿no hay que rehogar primero?

–No, mi joven amigo; guisar, antes que cocer los alimentos después de rehogados, vale por prepararlos sometiéndolos a la acción del fuego. ¡Hay que aprenderse mejor el español, amiguito!

–Usted dispense; a mí lo que me pasa es que lo hablo de oído.

La diferencia entre pastel, confite y dulce es a veces clara pero también puede ser difícil y huidiza; partiendo de la teoría de que no hay sinónimos y de que cada voz tiñe al concepto que designa de un peculiar matiz, las tres palabras de las que ahora hablamos nombran tres cosas diferentes y que distinguimos de modo bastante aunque no acertemos a definirlas con rigor suficiente. Sería cuestión de insistir un poco, tarea que dejamos a los lexicógrafos que de tiempo en tiempo revisan los artículos envejecidos o que jamás fueron frescos y lozanos. Don Bienvenido Langa estaba plagadito, lo que se dice cuajadito de hongos.

–¿De qué les sirve la cultura a algunos?

–Eso es lo que yo digo, ¿de qué les sirve?

Su señora intentaba curárselos con una pomadita de mucha confianza llamaba fingusdín o fingisdín o fungisdín, pero como don Bienvenido se resistía, mejoraba poco. A don Bienvenido se le iba la fuerza por la boca y como buen y ameno conversador, quizá mejor fuera motejarlo de discurseador, era más proclive a decir y prometer que a hacer y cumplir.

A vezes non fazemos todo lo que dezimos,
e quanto prometemos, quiça, non lo cumplimos;
al mandar somos largos, al dar escassos, primos;
por vanas promissiones trabajamos, servimos.

No es probable que el Arcipreste hubiera conocido a don Bienvenido, porque los separan más de seiscientos años y bueno está lo bueno, pero sí parece como si lo hubiera adivinado. En Yélamos de Abajo, en el vallecico del arroyo que viene de San Andrés del Rey y va a verterse en el Tajuña, el afamado novelista padronés tiene un amigo, don Antonio Aragonés Subero, que regala sabidurías en su bodega y sabe todo lo que hay que saber de los antiguos y honestos dulces de este contorno alcarreño. Y lo mismo se podría decir porque también es verdad, del campiñero, del serrano y del molinés, según manda suponer el sentido común. Don Antonio habla con deleite de los dulces, los confites y los pasteles de esta tierra de morisma y judería, sangres, las ambas dos, dadas con entusiasmo a los deleites del paladar. El mielarro de nochebuena capaz de levantar a un muerto, que comen los peñalveros, las orejas de fraile que preparan las almonacileñas, el alajú brihueno, el arrope mondejano, el pan que dicen azuaceite, los ponches del día de difuntos, las flores, los manguitos, los dormidos, los mostachones y los secos de Cabanillas –uno de los pueblos más golosos del secano y aun de todo el occidente europeo–, las pastraneras yemas de la Santa, los melindres de nuez de Sigüenza, las natillas de Sacedón bien añadidas de azúcar y adornadas con jamón (que es el postre que comía Eusebio el esquilador), las mentiras de monja guadalajareñas, las pedorretas de Naharros, los crispines budios, los borrachos de Tendilla y las cagarrias de San Furcito de Valfermoso de Tajuña, son delicias que nadie debe irse de este mundo sin haberlas probado. Romanones, villa de la que hicieron conde a don Álvaro de Figueroa a finales del siglo pasado, es famosa por las polvorejas y por haber sido cuna del famoso matador de toros Julián Saiz (Cossío dice Sainz, por error), Saleri II, que tomó la alternativa en 1914 y le birló la novia al marqués del Valle de la Colina.

–¿Pasamos a otra cosa?

–Sí, va a ser lo mejor.

El zurupeto Catulino, tras vaciarse de su ciencia aprendida, que aquí no se inventa nada, se quedó profundamente dormido en un rincón del patio; cuando se despertó, ya en la amanecida, y repasó hasta donde pudo todos sus sueños, tanto los de la vela como los de la dormida, sonrió con un leve deje de tristeza y volvió a mecerse en su melancolía. Don Servando Soutochao, con el sol ya a media altura, le contaba a don Esteban Campisábalos, o sea el marqués, y a su primo don Obdulio Valdesangil, o sea el canónigo de Coria, las dos raras formas de suicidio, las dos frustradas, por fortuna, que ensayaron por los años cuarenta dos poetas de la juventud creadora: uno, Maximino Petilla, autor del libro *Sonetos autumnales y otras canciones ínfimas* y accésit en los juegos florales de Torrevieja, se quiso quitar la vida arrojándose al paso de una procesión, pero la cosa no pasó a mayores porque la doble fila de las beatas del rosario y la vela se desviaron un poco y ni siquiera lo pisaron; el otro, Diego de Tabuenca, seudónimo de José Expósito, colaborador de numerosas revistas literarias y autor del poemario *El rigor de las desdichas (Versos de un enamorado de imposibles)*, probó a irse para el otro mundo a golpe de muñeca, esto es, a fuerza de masturbarse sin cesar ni cejar ni de día ni de noche durante dos largos y lentísimos meses.

El consumero Fructuoso Gómez-Bembibre y Gómez-Bembibre, aquel que miraba como un búho del país y arrastraba las eses al hablar, preguntó:

–¿Y llegó a acabar con su existencia?

Y don Servando le respondió:

–No; con su existencia no pudo acabar, es cierto, pero se quedó muy delgadito.

En el código penal que redactó Diego de Tabuenca para entretenerse, había un artículo que rezaba así: A quien ofendiere gravemente a alguien al corriente del pago de la contribución, se le mandará cortar una oreja, que se echará a los perros o a las gallinas según el ofendido fuese varón o hembra; honorarios del ejecutor de la justicia, cincuenta pesetas y un cuartillo de vino.

El zurupeto piensa si no será una cruel verdad eso de que la raza humana está en la cuesta abajo y un poco más estúpida cada día que pasa. Unamuno hablaba de la lengua enteca y enclavijada de los periódicos y de los cafés; a lo mejor es un síntoma de lo que está aconteciendo. Cervantes pensaba que la salsa de los cuentos es la propiedad del lenguaje y Beethoven, en el extremo contrario, tenía momentos en los que estaba persuadido de que la lengua no servía absolutamente para nada.

–¿Y está usted desesperado?

–No; pero sí aburrido. Para escribir en los periódicos no basta con la mala intención; es preciso arrimar también, o incluso en vez, un poco de talento.

El gran duque vive a la media encina, allá donde más recio es el ramaje y más tupido el follaje, y el autillo se pasa las horas de sol durmiendo donde puede, unas bellotas más arriba y en la paz en la que lo columpia el viento. El zurupeto Catulino se tumba ahora y con el sol ya naciendo, en su otro chinchorro, el de palma moriche, que el peso hay que repartirlo para que nadie se sienta encadenado por los celos. Por el montecillo que queda por detrás de la casa cruzan el raposo y el puerco montés de vuelta a sus malezas y se despiertan los primeros pájaros bullidores y zascandiles. La vida es un fenómeno muy raro, aunque el hombre quiera apearse a veces de la vida, apearse en marcha. Los grillos han enmudecido y pronto empezarán su turno las cigarras. La luna se ha ido ya y Venus, el lucero del alba –también el de la tarde– se está apagando poco a poco aplastado por el resplandor del sol. El zurupeto no suele estar solo casi nunca porque, aunque la ama, también teme a la soledad. Lope de Vega piensa que la pena nunca viene a buscar las soledades. El zurupeto está ahora solo porque, aunque la teme, también ama a la soledad. ¿Recuerda usted que para Antonio Machado, un corazón solitario no es un corazón? Tumbado boca arriba en su chinchorro que se mece igual que un barco sin cubierta, cualquiera podría tomarlo por un muerto entre simpático y azorado, disfrutando de la serena paz del limbo de los justos. Hay un viejo refrán marinero que advierte que el barco sin cubierta es una sepultura abierta. Nada envalentona tanto al pecador como el perdón, decía Shakespeare. El zurupeto Catulino Jabalón Cenizo, el de doña Pura, está un sí es no es asustado.

–¿Tanto?

–Bueno, digamos que un punto menos que asustado.

El mirlo y el verderol, desde la yedra del muro, increpan armoniosamente al sol recién nacido.

TIERNÍSIMO DISPARATARIO

El afamado novelista padronés se encontró en un bar de la capital con una muchachita de una aldea próxima a la suya haciendo la carrera.

–¡Pero, mujer!, ¿y tú?

–Pues ya lo ve, don Camilo, ¡descarrié!

El abejaruco es un pájaro pintado y alborotador, con el pico muy largo y afilado, que grita alegremente cuando va volando, se alimenta de avispas y prefiere, para posarse, los cables de la luz o del teléfono a las ramas de las encinas o los quejigos.

–¿Me da usted fuego?

–Con mucho gusto, señorita; tómelo usted.

No hay nada como ir al diccionario para darse de hoz y coz con el regusto de las palabras medio muertas o a punto de morir del todo. La locución *hacer la carrera* se define en aquella ilustre fuente diciendo: Recorrer la calle una prostituta (eso ya lo sabía el afamado novelista) halconeando (esto lo ignoraba porque no lo había oído ni leído jamás).

–¿Podría usted decirme la hora, caballero?

–Con mucho gusto, señorita; son las ocho y veinte.

La carraca es sobre poco más o menos del tamaño del grajo, o sea algo menor que la corneja, y también enseña muy vistosos colores entre los que predominan varios azules: azul prusia, azul marino, azul eléctrico, azul tirando a morado, azul purísima, azul turquesa; la carraca tiene la voz tomada, come arañas, ciempiés y lagartijas y también es aficionada a los cables de los tendidos.

–¿Hay muchas por aquí?

–Pues, no; la verdad es que no se puede decir que haya demasiadas.

El verbo *halconear* se registra en el diccionario de esta hermosa manera: Dar muestra a la mujer desenvuelta, con su traje, sus miradas y movimientos provocativos, de andar a caza de hombres. La mocita halconera paisana del afamado novelista padronés era alta y espigada, trigueña y cimbreña, decidora y alegre, lista y casi analfabeta, y se llamaba Rosalía, ¡cómo no!, tenía un tío cura, según suele ser uso, y era hija de soltera, siguiendo una tradición establecida.

–¿Quieres un vermú?

–No, señor, que con usted me da vergüenza.

–Bueno; siéntate donde quieras y toma lo que gustes, que estás invitada.

El afamado novelista padronés siempre sintió ternura por las putas de pueblo, las mujeres que luchan contra el hambre, la miseria y el monótono y aburrido desprecio, con la única herramienta que los demás le dejan; la entrepierna.

–¿Siente usted suficiente indulgencia por el pecado de la carne?

–No me maree, por favor.

El poeta Jesusito de Rosendo, que se ahorcó de un algarrobo porque pudieron más sus contrariedades amorosas que el decoro y el instinto de conservación, sabía tres refranes muy orientadores: más tiran dos tetas que diez carretas; más ata pelo de coño que calabrote de patache, y más vale pájaro en mano que ciento volando.

–¿Quiere usted que el domingo vayamos a comernos un corderito asado a casa de doña Dora, la de don Víctor, en Sotosalbos?

Por estas trochas anduvo Juan Ruiz doñeando serranas, al principio esquivas,

> *La chata endiablada,*
> *¡que Sant Illán la confonda!,*
> *arrojóme la cayada*
> *e rodeóme la fonda,*
> *enabentó el pedroro.*

Después, cuando se le templaron las carnes,

la vaqueriza traviessa
dize: «Luchemos un rato:
liévate dende apriessa,
desbuélvete de aqués hato.»
Por la muñeca me priso,
ove a fazer quanto quiso.

Según declara el Arcipreste, la vaquera se lo cepilló; la moza era forzuda y valerosa y Juan Ruiz, como todos los derrotados en las lides de amor, acertó a trocar en propia la victoria de la hembra en celo, en rijo y en voluntad. ¡Bendito sea Dios, que a todos brinda consuelo disfrazando su misericordia de galantería! El afamado novelista padronés, en amigable y prolija charla con don Pablo, el cura de Sotosalbos, dedica un respetuoso recuerdo a su director espiritual y jefe político Juan Ruiz y se reconforta pensando que, si la mujer es

de talle, muy apuesta; de gestos, amorosa;
doñeguil, muy loçana, plazentera e fermosa,
cortés e mesurada, falaguera, donosa,
graciosa e risueña, amor de toda cosa,

el paladín no debe dudar en postrarse de hinojos para suplicarle favor poniendo voz de enamorado:

Señora doña Venus, mujer de don Amor,
noble dueña: omíllome yo, vuestro servidor;
de todas cosas sodes vos amo e señor:
todos vos obedecen como a su fazedor.

En las lides venéreas caben las malas bellas artes y la falacia, la finta y el desdén siempre y cuando las corone el éxito; el Arcipreste jamás ignoró que entre amadores, el que no corre, vuela, y don Felicidad Marchante Manaute, del comercio de la capital, escuchó a don Prudencio Hermosín Belmontejo, licenciado en filología hispánica, las siguientes razones:

—Un gran artista no es un decorador del dolor del hombre, de la miseria del hombre, de la traición del hombre, de la quiebra del hombre, sino del hombre con los sentimientos en cueros y las voluntades vivas. Del Petrarca y de mí puedo decirles que no hemos luchado jamás ni por el poder, ni por la gloria, ni por el dinero; el Petrarca y yo hemos luchado siempre, también lo hicieron así el Arcipreste y el Dante, por la vida montada al aire, como los brillantes, ya que todos los adornos son hueros y no suenan como Dios manda.

El afamado novelista padronés delegó hace ya algún tiempo en el zurupeto Catulino toda su capacidad de pasmo ante el disparate nacional, ante el tiernísimo y consoladoramente entrañable disparatario español.

—¿Qué guarda usted en esa carpeta?

—Le voy a decir lo que todavía no tuve tiempo de decirle a nadie: pregúnteselo usted al señor Jabalón Cenizo, puesto que a él se la he regalado y es suya; yo ya no colecciono más que sinsabores.

Estas palabras, contra lo que parece, no las pronunció el afamado novelista padronés sino el zurupeto Catulino Jabalón Cenizo, el de doña Pura, a quien había transmitido hasta la voz y el aliento; en consecuencia, de ahora en adelante deberá entenderse que por una sola garganta hablan dos voces, se proclaman dos voluntades y se expresan también dos pensamientos.

—¿Está claro?

—Sí, señor; muy claro.

Don Artemio Rúspide, el novio interrupto de la señorita Virgopotens Martín Espejo, alias Solapa Desmontada, estaba muy delgadito a consecuencia de la abusiva práctica del feo vicio de la masturbación.

—¿Y no hay modo de llamarlo al orden?

—Pues, no; por ahora, nadie ha acertado a convencerle de que abandone el hábito de la puñeta.

—¡Vaya por Dios!

El cartapacio que el afamado novelista regaló al zurupeto era una caja de sorpresas que no tenía fondo conocido. Rosalía, la moza paisana, le había hecho un forro de panamá ahuesado, quizá tirando a oro desvaído, con una rosa color de rosa bordada a punto de cruz, que quedaba muy aparente.

—¡Qué hermoso es que las mujeres borden y toquen el piano! ¿Verdad, usted?

—¡Y tanto, mi joven amigo, y tanto!

El inventario del contenido de la carpeta sería muy lento y farragoso pero, a guisa de botón de muestra, quizá basta con la enumeración de algunas partidas.

—¿Empezamos por la del cura?

—Como guste.

Don Melquiades Ferrán Cajaravilla, o Cajaraville, dio un paso al frente y carraspeó un poco para arrancar la flema.

> *El cura del Pilar de la Horadada,*
> *como todo lo da, no tiene nada.*
> *Sólo guarda en su mesa Tarayina*
> *por ser la más preciada medicina*
> *que ha curado su estómago y su flato*
> *sin volver a tomar bicarbonato.*

—¡Viva el clero, aun con flato!

—¡Que viva siempre, por encima de todos los avatares y contingencias! ¡Vivan los sacerdotes con pundonor y vergüenza!

Los restos del eunuco negro Salem al-Lubiyá se estremecieron en su tumba desconocida, en el vertedero que nadie sabe dónde está, cuando la niña Micaelita Balazote, la de los Escobonales, silbó en su honor el bolero *Angelitos negros*, del negro Antonio Machín. Don Servando, el protésico dental, tenía una cuñada muy fina aunque quizás algo estíptica, la Blanquita Gutiérrez, la de los Pijos, que en lugar de decir como todo el mundo, el Paquito se tiró un pedo, decía como no dice casi nadie: a mi Francisquito se le escapó un pedegrí. Pues bien: don Servando, un día, con buena intención, claro es, le preguntó que qué tal iba del vientre, y la Blanquita, del trauma, perdió el sentido y hubo que darle a oler sales inglesas.

—¡Jo, qué sensible!

—¡Y usted que lo diga, don Camilo, y usted que lo diga!

Por la bodega de Fabián Tajuelo solía recalar un guardia municipal ya retirado, Moisés Perozo, que se alimentaba de pajaritos fritos.

–Eso está prohibido por la ley.

–Es cierto, pero la verdad es que nadie hace caso.

Rosalía, la joven descarriada, tenía ya cerca de veinte mil duros en la cartilla, un reloj de oro, una pulsera de lo mismo con una moneda colgando y una sortija con una aguamarina.

–Cuando llegué a la capital no tenía ni zapatos; el primer par me lo regaló don Cándido, el amo de *El Chapín Moderno*, a cambio de diez dormidas.

Rosalía se acicala con la pomada de Ninón de Lenclós, que se hace con aceite de oliva, lanolina, esencia de jazmín o de rosa, a elegir, y jugo de siempreviva, todo bien batido en el almirez; en Alicante hay una funeraria muy moderna que se llama La Siempreviva: tanatorio y crematorio La Siempreviva, servicio permanente. Cuando falleció el auriga Simeón Cuatrotondeta, a su hijo Joanot, que era soldado de infantería, le dieron permiso para que fuera a enterrar al padre; su madre, la Visenteta Benicolet, le tiñó el uniforme, lutos en siete horas, y al pobre Joanot lo arrestaron en cuanto volvió al cuartel. La Visenteta preparaba muy esmeradamente la rata de agua, que es un bocado exquisito: se mata la rata como un conejo, esto es, a capón, para que no pierda la sangre que se debe recoger en una taza y poniéndole dos pajitas en forma de cruz para que no se cuaje ni se corte; a esta sangre, batida en un plato sopero con un chorrito de vinagre de jerez y media copa de chinchón seco, se le añaden unos cascos de cebolla y se le da un hervor para que trabe bien; después se pela y se destripa, pero sin abusar ni ensañarse con las vísceras; se le da un hervor con agua, sal gorda y unas hojitas de laurel; en una sartén con bastante aceite o en una cazuela de barro, se fríen unos ajos sin pelar y unos puerros del tamaño de un dedo cortados por la mitad de arriba abajo, y se apartan sin dejarlos enfriar del todo; se mete la rata en trozos oportunos, ni grandes ni pequeños, y cuando están ya doraditos se añaden los ajos y los puerros, se les pone tomate, más sal, pimientos picantes, pimienta dulce y picante, cominos y un pellizco de especias, y se sirve muy caliente y rociada con la salsa de sangre. La cabeza se debe reservar para adorno y una vez frita con todo lo demás puede presentarse coronándole la frente con un gracioso turbante de panceta, una uva moscatel en la boca y unas hebras de huevo hilado en el bigote. El resultado es excelente, aunque a algunos ecologistas les produzca arcadas; el afamado novelista padronés la comió en la Puebla, en la isla de Mallorca, hace ya algunos años, y puede dar fe de sus delicias (evidencia de la que procurará informar sin demasiada demora).

–¿Puedo seguir?

–Sin duda alguna, mi buen amigo. Siga usted.

–¿Pega recordar aquí que Virgilio, en la *Eneida*, pensaba que era hermoso morir luchando?

–Pues la verdad sea dicha, pegar, lo que se dice pegar, no pega mucho, ¡qué quiere!, vamos, a mí me parece que no pega absolutamente nada. Santa Teresa se moría porque no se moría, pero santa Teresa era demasiado apasionada. Quevedo, que salió más equilibrado y cuerdo que santa Teresa, abrió la boca para dejar salir por ella muy serenas palabras: Dichoso serás y sabio habrás sido, si cuando la muerte venga no te quitare sino la vida solamente. Apréndase bien esto y repítalo cuando guste; se lo regalo.

Nadie es culpable de que el afamado novelista padronés no resultase ni siquiera primo del zurupeto; las familias tienen unas fronteras próximas o remotas pero muy bien dibujadas. El verderón o verderol, que llamarle de una o la otra manera es algo que va en gustos, es pajarito canoro que vale para cantar en la jaula y también para aperitivo. Rosalía cuidaba con mucho mimo el verderol que le había regalado Susiño do Prego, el poeta de Bastabales.

–¡Qué bien canta! ¿Verdad, usted?

–¡Ya lo creo! Le enseñó a cantar Susiño; lo tuvo lo menos siete semanas a oscuras, silbándole melodías y dándole de comer centeno con miel y de beber agua fresca de la fuente del Raposo con unos pétalos de rosas de pitiminí, no muchos para no enviciarlo. Los verderoles son muy agradecidos y de buen carácter, ya ve usted el resultado, y corresponden alegrando el aire con sus canciones.

SILVA DE VARIA LECCIÓN

Filito Obón, el de los Tejemanejes, tenía un cárabo amaestrado que se llamaba Orson Welles, se le posaba en el hombro, se dejaba acariciar pero no soplar, se alimentaba de ratones vivos, tórtolas, gorriones, saltamontes, grillos, lombrices y ranas, dormía en el sitio de la bacinilla en la mesa de noche y se pasaba las horas muertas regurgitando huesos y pelos.

–¿Y cuando Filito hacía las cochinadas con su primo Valentín?

–Nada; Orson Welles los miraba con fijeza, pero como si nada.

Saturnino Cebolla, el administrador de la miseria, o sea Minguilla el del chandal verde y malva, esbozaba su mejor mueca de gratitud por si aún caía una torta de aceite o una mantecada de anís. Doña Virtudes, la hermana de doña Clarita, entornó los ojos para exclamar:

–Todo aprovecha y lo que no mata, engorda.

Y Minguilla le respondió a bote pronto:

–¡Diga usted que sí, tía leche, diga usted que sí!

El diminutivo de cordero, no el del cordero sino el de la palabra cordero, se suele hacer con el sufijo -ito, y así se dice corderito asado, y el de cochino y lechón, no el del cochino y el lechón sino el de las voces cochino y lechón, se acostumbra a formar con el sufijo -illo, así se habla de cochinillo o de lechoncillo asado; no hay duda de que se podría decir corderillo y aun corderico o corderejo o corderuelo asado, o cochinito o lechoncito, y quizá cochinico o cochinejo o cochinuelo y lechoncico o lechoncejo o lechonzuelo asado, pero lo cierto es que no se dice o, al menos, no suele decirse ni habitual ni holgadamente. El espíritu de la lengua es uno y determinado –y también caprichoso y riguroso– y no se sujeta a norma conocida sino a muy misteriosas inercias históricas y la lengua, en lógica y zarandeada consecuencia, no va por donde mandan los dómines sino por donde ella quiere, y además hace bien. Doña Clarita, la hermana de doña Virtudes, le dijo a Minguilla:

–Tú, siéntate y calla. Pon cara de tonto si no puedes evitarlo, pero presta mucha atención a lo que voy a decirte, o sea el mejor modo de asar el cochinillo. La criaturita no debe vivir más de un mes; da pena, ya lo sé, pero las cosas son como son y el paladar es sagrado. Ya muerto, se le mete en un balde de agua casi hirviendo y con el corte romo de un cuchillo se le frota bien para raparle todo el cerdamen; se le quitan las pezuñas y el mondongo, menos los riñones, que se dejan en su sitio; se le atan las patas, se le mete el rabito por debajo de la piel y se le tiene la noche entera en agua fría; se debe secar al aire colgado de las patas y fuera del alcance de las aves carniceras, las raposas, los cacos y los gatos y perros. Se hace una masa, no mucha, con manteca de cerdo, ajo y perejil, y se le mete en la panza; se unta bien de aceite de oliva y se mete al fuego en cazuela de barro, al fuego vivo y crepitante. Mientras se va asando se le baña con la grasa que suelta y se espera a que esté bien tostadito y con la piel crujiente; se sirve en la misma cazuela en que se hizo y se puede acompañar con una ensalada verde (como norma general deben darse de lado a las hojas blancas de la lechuga o escarola) y sencilla, quizá con tomate y un poco de cebolla pero nada más.

Doña Clarita sonrió y Saturnino Cebolla, o sea Minguilla, sonrió también.

–¡Qué buena es la vida! ¿Verdad, usted?

–Sí, hijo, ¡la mar de buena!

Filito Obón, el de los Tejemanejes, le hacía recados y le servía para menesteres fáciles al zurupeto Catulino: le cepillaba la boina, le iba por el correo y el tabaco, le daba lustre a las botas, le arreglaba las patillas y el cogote, etc. La paloma bravía no se amansa nunca del todo pero sí pacta con el hombre; la paloma bravía se ha hecho ciudadana y vive con frecuencia en los recovecos exteriores de las catedrales, los ministerios, los gobiernos civiles y las capitanías generales. Cuando el zurupeto Catulino tuvo amores con la señorita Tatiana Currás Chascorrás, profesora de solfeo, Filito Obón le llevaba noticias en clave y le traía billetitos perfumados. Doña Clarita y doña Virtudes decían que la señorita Tatiana era un pendón cagapoquito y a la chita callando, esto es, repulido, mimoso y con una manita de gato tapándole los brillos de la tez, especie más taimada y peligrosa que los dos pendones habituales y consuetudinarios: el verbenero y el desorejado. Doña Clarita y doña Virtudes tenían menos caridad que envidia y más resabio que honesta inclinación, así no se puede ir a ningún lado, y así no se puede ir por la vida sin que le escupa a uno el prójimo.

—¿Quiere usted ver cómo es imposible morirse de dignidad? Para que la muerte se produzca tienen que intervenir y actuar una, al menos una, de las tres voluntades que se dicen. ¿Comienzo?

—Comience usted.

—Primera voluntad, la de Dios, que se expresa en la enfermedad (tisis, hepatitis, lepra), en el accidente (moto, cáncer, rayo) o en el olvido (guerras, inundaciones, hambrina, o sea lo que los suramericanos y los periodistas llaman hambruna). ¿Sigo?

—Siga.

—Segunda voluntad, la propia: colgándose de una soga, disparándose un tiro, tomándose dos tubos de un barbitúrico con champán. ¿Sigo?

—Siga.

—Y tercera voluntad, la de los demás, que a su vez se subdivide en dos: voluntad ajena perseguida por la justicia (homicidio, asesinato, atentado) y voluntad ajena expresada y sancionada por la justicia (en la horca, en la guillotina, en el garrote). ¿Ve usted cómo es imposible morirse de dignidad?

La conversación que queda recién transcrita la mantuvieron don Mauricio Roch, procurador de los tribunales en ejercicio, y don Edmundo Pradilla, procurador en Cortes en el recuerdo.

—Todos debemos ser más honestos y todos debemos atrevernos a rectificar. Lo digo porque el afamado novelista padronés, a lo mejor fue el zurupeto Catulino Jabalón Cenizo, el de doña Pura, el día de las santas vírgenes Menodora, Metrodora y Ninfodora del año en curso, culpó a José María de Cossío de llamar Julián Sainz y no Saiz a Saleri II, el torero del pueblo de las polvorejas y del conde de Romanones. El error viene del cartel de la alternativa de Saleri II en Madrid, el 13 de septiembre de 1914 y con Vicente Pastor como padrino, de donde sin duda lo copió el ilustre historiador de la fiesta. La señorita Tatiana Currás Chascorrás dejó un gran vacío en el corazón del zurupeto Jabalón Cenizo, el de doña Pura, cuando se le largó con Domingo Pons Carlet, Chatillo de Alborache, banderillero de la cuadrilla de El Estudiante e hijo de Domingo Pons Alberique, Chatillo de Rafelguaraf, banderillero a las órdenes de Alfonso Cela, Celita, e hijo a su vez de Domingo Pons, cuyo segundo apellido no consta, Chatillo de Valencia, banderillero que servía a Saleri II.

–¿Se acuerda usted de Paco Melones, el picador de la cuadrilla de Vicente Pastor que cascaba nueces con los testículos, ¡qué dureza insólita y diamantina!, abría botellas de cerveza con el culo, ¡qué pliegues acerados los que le brindara la naturaleza!, e incubaba huevos de cuervo y de cuco en el sobaco?

–No; yo no lo conocí personalmente, créame que lo siento, pero he oído hablar mucho de él. Acláreme una cosa, por favor: los huevos que incubaba Paco Melones en el sobaco, ¿eran de cuervo o de cuco?, porque no es lo mismo.

–No; es bien cierto que no es lo mismo. Nuestro hombre hacía unas veces a cuervos y otras a cucos; el año pasado crió un urogallo, estuvo cerca de un mes dándole calor al huevo, y hace ya tres o cuatro años, puede que más, incubó un huevo de quebrantahuesos, animalito que tarda el tiempo de dos menstruaciones en romper la cáscara. A Paco Melones no se le ponía nada por delante y sus éxitos incubatorios dieron lugar a más de una comunicación científica en los congresos de ornitólogos.

–¡Joder!

–Ésa es la exclamación que mejor cuadra a sus habilidades y aptitudes.

El cuco es pájaro misterioso y calculador que carece de instinto paternal y aun maternal. El cuco es del tamaño de una paloma no demasiado grande, vuela como el gavilán, en vuelo se puede confundir con el gavilán, y tiene las alas terminadas en punta. Liborio Lagunilla, el fraile del antifaz, conocía bien las costumbres del cuco; incluso escribió un libro, *Vademécum de cu-*

querías, cucadas, cucañas y cucamonas, que se quedó inédito porque no encontró editor; publicar no es fácil y para un novel, todavía menos.

–¿Y qué hizo con el original?

–Figuritas de papier maché, dromedarios, señoras en cuclillas, flores de lis..., ¿que quería usted que hiciese?

–Sí; tiene razón.

El cuco es ave entre azul y gris, con el vientre blanco, quizá fuera mejor decir blancuzco, y carita de golfo atónito. Sus huevos no son iguales entre sí, lo que bien mirado tampoco hace demasiada falta, sino parecidos a los del ave en cuyo nido se cuela para ponerlos a buen recaudo y abandonarlos a su suerte, que suele ser buena porque los demás pájaros y, sobre todo, los pájaros huéspedes, el carricero, la lavandera, el petirrojo, sobre hospitalarios suelen ser caritativos.

–¡Los hay con suerte!

–¡Y usted que lo diga!

Las mujeres, con harta frecuencia, ignoran el dolor que causan con sus huidas a la descubierta o largas cambiadas, pese a lo mucho que suele compensar la paz que dejan. Doña Clarita y doña Virtudes, como no tuvieron jamás a quien plantar, ignoraban estos azares libidinosos.

> *El amor engañoso quiebra caustras e puertas,*
> *vence a todos guardas e tiénelas por muertas,*
> *dexa el miedo vano e sospechas non ciertas:*
> *las fuertes cerraduras le parecen abiertas.*

Doña Clarita y doña Virtudes no conocieron amores ni engañosos ni de los otros y, en consecuencia, no podían hablar de problema con fundamento y ni siquiera con conocimiento de causa. Doña Clarita llegó a hacerse ilusiones con respecto a Minguilla el del chandal verde, o sea, Saturnino Cebolla, el administrador de la miseria, pero se tuvo que conformar con vanos espejismos.

–Minguilla.

–Mande, señorita Clarita.

–¿Por qué no te bajas los calzones, a ver si tienes las mismas particularidades que Filito Obón?

Saturnino Cebolla se quedó medio pensativo.

–Oiga, señorita Clarita, ¿usted llama particularidades a las administraciones?

–Sí, hijo, claro. ¿A qué se lo iba a llamar, si no?

El mozo se apeó los calzones y doña Clarita pudo comprobar que las particularidades de Minguilla eran tan deslucidas y canijas como las administraciones de Filito; de ninguno de los dos hubiera podido decirse lo que se decía del fraile poderoso: cuando a un fraile se le hinchan las administraciones, es inútil tomarse precauciones.

–¡Qué bendición de Dios! ¿Verdad, usted?

–¡Sí, hijo, sí! ¡Qué bendición de Dios!

Desde el mirador de El Clavín, que debe ser buen sitio para subir en globo, el zurupeto Catulino puede ver casi medio mundo; si no fuera por lo de la redondez de la tierra, se vería sin duda alguna casi medio mundo o incluso más. El Clavín es caserío que reúne cinco antiguas fincas de nombres de muy sonoro lustre: San Cristóbal, El Marañal, El Clavín, El Zurraque y Cañatraviesa. El zurupeto Catulino ve el casi medio mundo que le corresponde ver desde la misma linde del Zurraque, que aún ayer fue república de jabalíes, raposas y garduñas y hoy es manso y apacible cabildo de familias numerosas. En el descanso del concierto de banda, el veterinario Felicísimo Porma le preguntó al zurupeto:

–¿Es cierto que en los días claros puede verse Ostende, en el mar del Norte, con sus ostras y sus balnearios?

–Eso he oído repetidas veces, pero la verdad es que yo no alcancé a verlo nunca; para mí que debe ser mentira porque Ostende queda demasiado lejos: media España, Francia entera, media Bélgica...

El afamado novelista padronés intenta descubrir Ostende con el catalejo que le regaló don Paco el de las truchas (que ahora se ha ido a Ginebra a palpar suizas) pero por más que presta atención, no lo consigue; esto de la redondez de la tierra es una gaita que impide, o al menos dificulta la visión de los paisajes no inmediatos. Al afamado novelista padronés le hubiera gustado asistir al entierro de su buen amigo y correligionario don Alejandro Julián Duquesne, inventor de la trompeta en eco en mi bemol, que tuvo lugar en el cementerio de la Suiverstraat, en la ciudad dicha, en la festividad del profeta san Zacarías del presente año, o sea hace menos de quince días. A la bodega de Fabián Tajuelo no se puede ir sin buena voluntad porque al menor descuido le pueden dar a uno un banquetazo; el dinero no es necesario porque fían y las maneras remilgadas más restan que suman, pero la buena voluntad es tan necesaria como el aire que se respira.

PARÁBOLA DEL AMOR A DESTIEMPO

La golondrina, el avión, el vencejo y la salangana son pájaros más o menos semejantes, más bien más que menos. El veterinario Felicísimo Porma conoce con mayor aplomo y fundamento las terapias de lavativa y trote para sanar mulas con torcijón, que las circunstancias de las veloces avecicas del zigzag.

–¿Se da usted cuenta de lo diferentes que son entre sí las artes del conocimiento?

–¡Ya lo creo! ¿No me voy a dar cuenta?

Medín Vallejo, el poeta que si no ha muerto, debe estar ya con un pie en el otro mundo, pensaba que no era lo mismo volar en ochos, como las abejas, que en líneas quebradas, como los pájaros que se dijeron.

–¿Y usted distingue las siete clases de vuelo?

–Sí; no crea usted que es difícil.

El avión es una especie de vencejo que se llama como se llama desde el siglo XIV; quiere decirse que de esa fecha es su primer registro castellano. Antiguamente se le llamó gavión, quizá pariente de la *gavia* latina: gaviota en español, gavina en catalán y gavota, gaivota o gueviota en gallego. La Isabelita era amiga de don Servando Soutochao, que a veces no guardaba la discreción debida; de eso podría dar fe don Esteban Campisábalos, por fortuna para todos, prefería permanecer callado.

–¿Es una virtud el silencio?

–No lo sé, pero merecería serlo.

Que la Isabelita las trague o no las trague dobladas es algo que no altera la marcha de los mundos. El también poeta Casto

Bolbaite Alcozarejos, ¡ay de los países que producen más vates de los necesarios!, le dijo al zurupeto Catulino:

–¿No cree usted que es lástima? A mí me duele que, según los sabios, el avión, aeronave más pesado que el aire, etc., venga del latín *avis*, ave, a través del francés *avion*, y no del vetusto nombre español del pájaro del que venimos hablando.

Y el zurupeto Catulino le respondió:

–Paciencia, hermano.

A la golondrina también le dicen andarina, andolina, andorina y arandela, la verdad es que no con demasiado abuso, vamos, que no se lo dice casi nadie.

–¿Por qué?

–Lo ignoro; será porque no quieren.

Al vencejo le llaman a veces, bueno, casi nunca, arrejaco, arrejaque, falcino y oncejo. Y al avión y a la salangana no suelen decirles de ningún otro modo.

–Les pido perdón a todos ustedes, pero el vocabulaerio de la gorda y rubia Margot tampoco iba mucho más allá.

Jesusito de Rosendo, ¡hoy pinta en líricos!, el poeta que se ahorcó de un algarrobo, escribió muchos y muy delicados versos a las golondrinas, las tímidas violetas y las misteriosas luciérnagas.

–¿Y a los mínimos colibrís, los lujuriosos nenúfares y los trapeceros camaleones?

–No, a ésos no; se conoce que le pillaban más a trasmano.

Don Artemio Rúspide (no debe confundirse con el otro Artemio, Artemio Zumárraga, el que se comunicaba con el Espíritu Santo), don Artemio Rúspide, decía, o sea el lexicomántico o lexiconomántico y novio a destiempo de la señorita Virgopotens Martín Espejo, alias Solapa Desmontada, pidió permiso para hablar.

–¿Puedo hablar?

–Hable usted.

–Con la venia. De Jesusito de Rosendo se dice que le pillaban a trasmano algunos motivos de inspiración, el soplo de algunas y determinadas musas, y de mí se dijo, lo sé muy bien, que fui amador a destiempo de la gentil y agraciada y simpar Virgopotens. Quisiera proponerles unas someras consideraciones sobre el uso de los prefijos contra-, des- y tras-.

Don Esteban Campisábalos Garciotún, marqués de Santa Librada y representante para todo el mundo de los supositorios balsámicos El Eucalipto de Nueva Gales del Sur, le interrumpió.

–Le rogamos que sea breve.

–Procuraré serlo tal como usted desea. Y le encarezco que no hable usted en plural mayestático y ni siquiera en plural a secas.

Don Artemio se tiró un poco de la chaqueta y continuó.

–El prefijo contra- implica, aunque no siempre, oposición al segundo término de la voz compuesta o significado contrario de lo que ésta dice: contrapartida, contrarrevolución, contraveneno. El prefijo des- supone, aunque no siempre, negación o inversión del valor del simple: desabrochar, desconfiar, deshacer. Y el prefijo tras- denota, aunque no siempre, del otro lado o más allá, o a través de aquello que señala la voz a la que sirve de afijo: trasandino o trasmediterráneo, traslúcido.

–¿Sigo?

–Sí; siga usted sin detenerse, que se nos hace tarde.

–Procuraré ser breve. Observen ustedes que si se alude a la mano y a lo que no está a mano, no se dice «a contramano», en dirección contraria a la mandada, sino «a trasmano», locución que vale por no habitual ni cómodo, pero si se refiere al pie y a lo que no se acomoda al paso, no se dice «a traspié», a resbalón o tropezón, sino «a contrapié», locución que, aunque no la registre el diccionario, quiere decir pillarle a uno con el pie cambiado; «a desmano» es igual que «a trasmano», y «a despié» no existe, ni en el diccionario ni en el uso. Por último, «a destiempo» es fuera de tiempo, sin oportunidad, y «contratiempo», no «a contratiempo», se llama al accidente perjudicial y por lo común inesperado; «a trastiempo» tampoco existe, pese a las bellas resonancias poéticas y aun filosóficas que encierra. Muchas gracias por su atención.

–De nada, no se merecen.

El Arcipreste ensalza las virtudes del amor, ese misterioso estado del ánimo que busca el goce del bien.

al mancebo mantiene mucho en mancebez,
e al viejo perder faz mucho la vejez;
faz blanco e fermoso del negro como pez,
lo que una nuez non val amor le da gran prez.

Don Justo Corneiras, que era primo y también contracuñado de don Servando Soutochao, criaba tórtolas en el armario, conejos en el vestíbulo, en unas cajas ad hoc, ranas en el bidet y gusanos de seda en la mesilla de noche; don Justo Corneiras era muy amante de la naturaleza y fervoroso partidario de los ecosistemas, las reservas naturales, la curación del reuma y de la tuberculosis con ajo y la conservación de la salud por el sol y el ejercicio.

–¿Está usted enamorado?

–Puede; no le diría que no.

El zurupeto Catulino Jabalón Cenizo no se cansaba nunca de darle vueltas en la cabeza a las brincadoras palabras de los enamorados del amor, de los amadores del enamoramiento: ora gratuito, ora terciado, ora sin remedio, que de las tres clases se considera por los pensadores. El seminarista Alex García dijo a la circunstancia:

–Muy ilustre senado, en el próvido corazón de san Agustín cabemos todos: Ama y haz lo que quieras, nos dejó dicho; si callas, callarás con amor; si clamas, clamarás con amor; si enmiendas, enmendarás con amor; si perdonas, perdonarás con amor. Como esté la raíz del amor dentro de ti, sólo el bien podrá nacer de ella.

Isidoro el Meón, el protagonista de la novela *Símbolos y veleidades*, habló tras pedir permiso.

–San Pablo, dándole la espalda al amor, anteponía la caridad a todo; sin caridad, llegó a decir, la lengua del ángel sonaría como el bronce. San Pablo, él mismo nos lo dice, nunca hizo el bien que hubiera querido hacer sino el mal que quisiera no haber hecho, y eso es muy doloroso.

Robert Graves se revolvió en su tumba de Deyá y adjetivó muy duramente a san Pablo.

–¿Qué le llamó?

–Pues le llamó de todo: lamentable, miserable, desesperado, mentiroso, renegado, vil, hipócrita, criminal, cobarde que hizo al cristianismo hediondo...

–¿No cree usted que exagera?

–Pues, sí; quizá sí.

Catulino se daba fuerzas leyendo al Dante, que es muy reconfortador y benemérito: El amor mueve el sol y las demás estrellas, en la *Divina Comedia*, o bien: Amor y corazón son una misma cosa, en *Vita nuova*, etc. El seminarista Alex García siguió con sus santos.

–Para san Bernardo la causa de amar es amar, la razón de amar es amar, el fruto de amar es amar; amo porque amo y amo para amar. En las palabras de san Bernardo anida el huevo del amor al amor.

–¿Y el amado no es sino el vehículo del amor, la disculpa para seguir amando?

–Exactamente.

Liborio Lagunilla, el fraile del antifaz, tenía menos impulso lírico y más miedo épico que Catulo y se preocupaba por el que dirán: Vivamos, Lesbia mía, y amémonos sin dar ni un ochavo por las habladurías de los viejos austeros.

–¿Se necesita valor para amar?

–No; para Calderón de la Barca basta con el atrevimiento.

Sergio Casaldáguila no calculó jamás el alcance de sus provocaciones. El afamado novelista padronés había tenido amores con la viuda de Baltasar Gracián, ella juraba por sus muertos que era la viuda de Baltasar Gracián, y amándola aprendió que tan gloriosa es una bella retirada como una gallarda acometida, y que vale más pelear con gente de bien que triunfar con gente de mal. Sergio Casaldáguila el Tuerto no era malo, de él no se podía decir que fuese malo, pero era, sí, más descarado de lo preciso y un sí es no es jaranero por lo alborotador y cachondo. José Pascasio Ramírez, Culopollo, el que después se llamó fray Inmaculado de las Sagradas Vísceras, no tenía pasiones ocultas sino pálpitos presentidos, y tampoco le iban tan mal las cosas. En el corazón del hombre enamorado no reina la vileza, dijo Frederic J. Sugar, el autor del *Adulterodromo II*, poco antes de que le dieran a beber la cicuta con unas gotas de anís, y enamorarse, léase a Dostoiewsky, no siempre es amar ya que puede uno enamorarse y odiar.

–Eso es jugar con las palabras, arguyó Mariano de Sanz, el cuñado de santa Mercedes Tades e inventor de los polvos cutáneos *La Flor del Almendro*, puesto que el odio no es sino un aspecto del amor.

–Eso dice Benavente.

–Sí, señora, y otros menos famosos que él.

La golondrina es un pájaro respetado al que no se apedrea jamás puesto que ella fue la que le quitó las espinas de la corona a Cristo.

–¿No sería un vencejo?

–No; ni un avión, ni una salangana: fue una golondrina, de eso estoy bien seguro.

En el alar del tejado de mi prima Almudena anidan todos los años las golondrinas; a mí me gustaría anillarlas pero me da no sé qué porque son muy frágiles, bueno, a lo mejor son menos frágiles de lo que parecen. Emerenciano Valle, el criado redicho, siguió escribiendo versos de anuncio.

–¿Por qué no ha de ser digna la poesía comercial? Comprenda usted que los poetas tenemos que comer de algo; el jabonero Víctor Vaissier, place de l'Opéra, 4, París, paga bien y es todo un caballero. Ahora le he hecho otra cuarteta, ¿quiere oírla?

–Con mucho gusto.

–Pues óigala. Dice así:

Es un axioma que expongo
a tu consideración:
no hay jabón como el jabón
de los Príncipes del Congo.

–¿Le agrada?

–¡Ya lo creo! Es muy hermoso todo cuanto dice.

Emerenciano Valle, en cuanto pudo ahorrar unos cuartos, tampoco muchos, invitó a Segunda Ruesca Sediles, la cocinera de Adelaida Rossetti, a un vermú con aceituna de anchoa y a una visita a la gran tienda de flores Kuhn, jardín artificial en siete salones, Cruz, 42, con laguna, alameda, cenadores, ría, abismo, variación de luz nocturna y luz cenital; curiosidades a disposición de su clientela, y dignas de ser visitadas.

–¡Lo que puede el amor! ¿Verdad, usted?

–¡Y tanto, amigo mío, y tanto! Recuerde usted que, para Ovidio, el amor es una suerte de guerra y el amante es un soldado en campaña.

–¡Hay que joderse, qué vasta y puntual cultura! ¡Quién lo diría, así a una primera vista!

–¿Tan burro le parezco?

–¡No, hombre, no! ¡No tuerza usted la admirativa e incluso reverenciosa intención de mis palabras!

En el otoño, la estación en la que todos los gatos se van volviendo pardos poco a poco, se desbridan los primeros fríos y se aguzan los dientes de los últimos y más necesarios amores.

–¿Necesarios?

–Sí, señora. Ha oído usted bien: necesarios. En la necesidad de amar habita la necesidad de ser amado. El novelista padronés amigo del zurupeto, el afamado novelista padronés, escribió hace ya más de medio siglo, un poema titulado *El lagarto del miedo*, cuya primera parte empezaba así:

No encuentro piedra en que apoyar mis muslos
Y me duelen los ojos de tanto sostenerlos.

Y cuya segunda parte empezaba así:

Ya me duelen los ojos como herraduras viejas
Y aún no he encontrado piedra en que apoyar mis muslos.

El zurupeto Catulino Jabalón Cenizo, el de doña Pura, se sumió en muy hondas cavilaciones, en muy amargas lucubraciones, en muy serpenteantes consideraciones, tras leer los juveniles versos de su zurrado y perseverante amigo, el hombre que va pasando por la vida como un tentetieso de barraca de feria. No hay amor a destiempo (o sí lo hay, pero el corazón lo ignora) porque el tiempo es la última y perfeccionada gran justicia, el último y más airoso gran alarde de la justicia, y todo lo conforma y condiciona. El amar y el escribir –o el amor y la escritura– son las dos más ciertas y firmes y eficaces venganzas del acosado.

ELOGIO DEL VINO

(Primer capítulo. Un consuelo vedado a la morisma.)

A la pared del palomar de Hita mandé hacer una perrera defendida del viento por la orientación y algo alzada de la costra de la tierra con unos calces, para que pudiera guarecerse a su aire y voluntad un viejo perro vagabundo que se me pegó en el camino de Navalpotro a Torrecuadrada de los Valles, una mañana que anduve a conejos con dos amigos. Ahora es mucha costumbre eso de abandonar perros que, si no tienen suerte y a poco que la fortuna les vuelva la espalda, acaban asilvestrándose y muriendo a manos de los cazadores, que los matan con postas; de los pastores, que los matan a palos, o de los agricultores, que los atrapan con cepo y los despenan con la hoz o la guadaña o la azada. El animalito, que es corpulento y tiene bastante de mastín, parece satisfecho y por las mañanas, en cuanto Dios amanece, se llega hasta mi casa para saludarme y ver si quedó algo de la cena; ahora tendré que buscarle un nombre, ya veremos cuál, que case bien con su pinta de soldado en derrota.

–¿Por qué no le pone León?

–¡Ya me gustaría! Pero no puedo porque no me deja don Paco el de las truchas; dice que es muy vulgar. No sé si ponerle Epifanio Retascón Arándiga, ¿qué le parece?

–¡Hombre, no sabría qué decirle! A mí se me hace un nombre poco de perro, un nombre más bien de consumero o de sacristán.

–Sí; puede que tenga usted razón.

El Papa Inocencio IV se llamaba don Sinibaldo y se llevó

siempre a matar con el emperador francés Federico II de Alemania, al que excomulgó en el Concilio de Lyon. A don Sinibaldo le gustaban mucho las albóndigas de cerdo y ternera guisadas, las croquetas de bacalao y las criadillas en cazuela, y en una grata sobremesa y entre eructo, regüeldo y cuesco, prohibió el lemosín por tenerlo como propio de herejes. Perseverando Botija, el hermano del guarda forestal, quería poner las cosas en orden.

–No es por nada –explicaba a la gente–, pero lo que le pegó la Doroteíta a mi hermano Zaqueo no fue el sarampión, que fue la tos ferina.

A la conferencia del zurupeto Catulino se apuntó mucho personal, había lo menos veinte.

–¿Veinte qué?

–Veinte seres humanos y cinco niños.

El zurupeto empezó a pronunciar su conferencia de pie y ante un pupitre, o mejor atril, como si fuera europeo o norteamericano; después, cuando se le cansaron las piernas, se sentó en la presidencia, al lado del concejal delegado de cultura, que fue quien había hecho su presentación. El zurupeto, después de lo de dignísimas autoridades, señoras y señores, rompió a perorar con muy entonada voz y dijo, entre otras cosas, algo de lo siguiente:

–William Congreve decía que el beber era una diversión cristiana desconocida de turcos y persas. En todo caso, a los cristianos nos queda un consuelo vedado a la morisma, que es el de beber vino, siguiendo el consejo del Padre Sirmond, cada vez que se nos presenta alguna de las cinco causas incitadoras al trago, a saber: la llegada del amigo al que se quiere festejar, la sed del momento que se confía saciar, la sed futura que se pretende evitar, la bondad del vino que se aspira a ensalzar o cualquier otro motivo no previsto entre los anteriores.

Cuando llevé a vacunar contra el moquillo a Epifanio Retascón Arándiga, me di en el veterinario con el fantasma de don Ireneo Aguacato el Présbito, que el pobre estaba cuajadito, lo que se dice cuajadito de ladillas.

–No se me acerque mucho, don Camilo, que no respondo; para mí tengo que estas ladillas insurrectas hablan en lemosín. ¡Si se entera el papa don Sinibaldo!

El zurupeto Catulino siguió con su amena perorata.

—Toda razón es buena y saludable para llenar y vaciar la copa y, en cualquier caso, no seré yo quien preconice seguir el ejemplo de los chiítas y otras suertes herejes y arrojar el vino a donde fuere sin haberlo hecho pasar antes por el gaznate, para mejor gustarlo; por el bandujo, para mejor gozarlo, y por la conciencia, para mejor pensarlo y considerarlo.

Doña Inmaculada Garrote, que también tenía ladillas, allí todo el mundo tenía ladillas, se levantó, dijo ¡bravo! y después se sentó de nuevo. El zurupeto sonrió con gratitud y continuó con presteza.

—Cantemos el viejo himno de la picardía goliardesca, de la golfa y vital turbamulta de los medievales clérigos trashumantes —salud, oh vino de claro color!, ¡salud, oh vino de sin igual sabor!— y pensemos que, si la vida es breve, no debe haber circunstancia alguna que le reste lustre, ni gozo, ni eficacia.

Nadie dice que las palomas vuelan en formación: es más, si alguien lo dijese, mentiría.

—¿Como un bellaco?

—Pues mire, usted: casi sí.

Doña Moncha Gual, la viuda del economista, rogó un poco de silencio y el zurupeto pudo continuar.

—Es necio quien no ama el vino, las mujeres y las canciones, dijo el poeta Johann Heinrich Voss en palabras que suelen atribuirse a Lutero; no caigamos nosotros en la doméstica y ruda necedad de la abstinencia, la continencia y la sordera. Queden las virtudes por omisión para los legos, que los purpurados preferimos vivir y entonar la alabanza de las eternas bendiciones, esa misericordia que, para Balzac, quizá no sea más cosa que la cortesía del alma o, lo que intenta ser lo mismo, la benemérita gentileza del espíritu.

—¡Qué día más brillante tiene hoy el mamón del zurupeto!

—Sí; verdaderamente está muy inspirado.

El zurupeto continuó no sin antes sonreír como si hubiera comido uvas: come muchas uvas y ahórrate la purga, que decía el presbítero don Simón Torrontera, alias Majuelo.

—El hombre de nuestro tiempo, quizá porque supone que se puede beber la química, fabrica la tristeza en serie, se aburre en serie, agoniza en serie y se mata o se muere en serie.

En la última fila se oyó una vocecita tierna que exclamó:

–¡Joder con el panorama!

La garganta de la que manó la voz cual el chorro de néctar cristalino de la fontana umbría, ¡joder con la literatura!, era la del nene Crisanto, el primo de la niña Micaelita, la del deleitoso silbo, ¡joder con la solfa!, que estudiaba composición y armonía.

El zurupeto retomó el aliento y moduló el resuello.

–El hombre de nuestros azarosos pero también mansos días, cuando arriba al otro mundo tras haber estirado la pata, o doblado la servilleta, o entregado la cuchara, o devuelto la petaca y el chisquero, se da cuenta de que ha estado perdiendo el tiempo que ya nunca podrá volver a recuperar y hacer suyo. El hombre de nuestros revueltos pero también monótonos días la palma con muy humilde y burocrático ademán, se va para el cielo o el infierno sin gallardía y casi como tras haber cumplido un trámite ni enojoso siquiera, esa claudicación es suficiente para abatir el ánimo al más pintado.

El ex cura Basilio Zapata era muy proclive a los tropos e imágenes y otras licencias.

–Hay que pensar en quienes vuelan en sueños pero les falta valor para seguir volando y soñando; un pájaro con las alas rotas no es más gentil que el mínimo musgaño pero sí mucho más desgraciado e infeliz. Prosiga don Catulino.

Y don Catulino prosiguió.

–Preconizo ante ustedes –y como antídoto de la masificación en el tedio y ante lo inevitable– una vuelta a lo que, por fortuna, ya asoma por el horizonte: la cultura del vino, la más sana y más higiénica de las bebidas, según el aséptico Pasteur.

En el palomar del poblado de Villaflores vive un grillo que se llama Merlín y que, según lenguas, está enamorado de la hermosa tornera de las carmelitas, a la que canta en octavas reales.

–Los romanos decían que el buen vino alegra el corazón del hombre, palabras que parecen sacadas del *Eclesiástico*, uno de los libros canónicos del Antiguo Testamento, donde se lee que el vino y la música regalan alegría. El vino, según los sabios, merma las grasas y previene el cáncer, al tiempo que el amor, quiere decirse el acto y el airoso y elegante remate y broche de pedrería fina del amor, el yogar que decían nuestros abuelos con mayor elegancia y economía que nosotros, sujeta el infarto de miocardio; en tiempos de nuestros abuelos se hablaba el español con más tino y más respeto y eficacia de como ahora se habla.

Don Braulio, el juez de delitos monetarios, levantó la mano.

–¿Puedo intervenir?

–Intervenga.

–Gracias. Es doloroso tener que reconocerlo, pero tiene usted más razón que un santo; hoy al español, que con frecuencia no pasa de ser un mierda desnutrido, conmiserativo y administrativo, suele darle vergüenza hablar el español. Continúe y dispense.

Don Braulio se calló muy discretamente y el zurupeto retomó la hebra de su sermón.

–Créanme si les aseguro que, por razón de principio, prefiero agarrarme al clavo ardiendo de la esperanza tras haber rezado cada noche aquella noble oración cuya dignidad pregonan las palabras que debieran grabarse en letras de oro: Que me quiten lo bailado –y lo comido, lo bebido, etc.– y el que venga detrás, que arree.

El conferenciante, o sea el zurupeto Catulino Jabalón Cenizo, hizo un medio pícaro jeribeque en el aire con la mano de rienda, la verdad es que hubiera podido parecer un corte de mangas, al tiempo de pedir compostura con un gesto de la mano de lanza.

–Sí; alejemos de nosotros la preocupación, pero no huyendo de ella sino buscándole su adecuado antídoto. Ovidio, en su *Ars amatoria*, nos enseña que las preocupaciones huyen y se borran ante el vino abundante. Quizás a esta preconizada abundancia se le deba poner una prudente linde que la fuerce a no salirse de madre, y ya Paracelso, en la mesurada memoria de todos, bien claro nos lo recuerda al prevenirnos de que la cantidad es la que hace el veneno. El mal uso es lo que trastorna los efectos y trueca en servidumbre lo que debiera haber sido dominio. La moraleja de un viejo cuento japonés nos explica que en la primera copa, el hombre bebe vino; en la segunda, el vino bebe más vino, y en la tercera, el vino se bebe al hombre. Y el príncipe Don Juan Manuel, en *El libro de los enxemplos*, advierte que

El vino es muy virtuoso
y mal usado es dañoso.

El zurupeto se dirigió a la presidencia.

–Estoy algo cansado. ¿Puedo ir a darme un paseo?

–No; siga usted hasta el final, que para eso le pagamos sus buenos dineros.

El zurupeto saludó con una leve inclinación de cabeza y siguió hablando con su agradable voz de barítono.

–El poeta Marcial, en sus *Epigramas*, declara: Nada puedo hacer si no bebo. Y contra esa idea huidiza, quienes somos y nos proclamamos amigos del vino debemos alertar al paisanaje ya que, según pensamos en sana filosofía, se bebe para vivir y actuar y ayudar a vivir y actuar, y no para morir y ni aun para fingir la muerte en la borrachera. Para Ovidio, en sus *Metamorphoseon*, el vino infunde valor y, tras haber leído el verso de Schiller –Dios ayuda al valeroso–, se colige que al mesurado bebedor Dios le respalda. De ahí que los cristianos saciemos la sed sin miedo al vino y aun con orgullo de beberlo.

Fabián Tajuelo interrumpió al orador para preguntarle:

–¿Vale comer uvas?

–No del todo, ¿por qué?

–Por nada..., bueno, por eso que se dice de que quien se come un racimo, se bebe en berza un cuartillo de vino.

Liborio Lagunilla, el fraile del antifaz, le dijo que se sentase y Fabián Tajuelo se sentó.

–No le haga usted caso y siga.

–Bueno. Todos hemos visto beber hasta la derrota a quienes buscan en el vino no el deleite sino la anestesia, y también todos hemos compadecido a quienes, a fuerza de beber y beber, llegan a atorar las papilas del gusto y a renunciar a las delicias del paladar y del olfato. Huyamos del arquetipo del perfecto borracho que nos presenta el doliente Ángel Ganivet en sus *Cartas finlandesas*, no sin antes pensar que el borracho es el envés del gozador del vino, puesto que el vino le vence y le trastorna. Nos decía el escritor granadino que «el borracho finlandés es uno de los más perfectos de Europa; es el borracho a priori, es decir, que sería capaz de destilarse a sí mismo para embriagarse con su propia substancia. De tal suerte juzga y considera compenetrados el hecho de existir y el de mitigar esta desventura con algún consuelo espirituoso».

Al pronunciar las últimas palabras que se copian, el zurupeto Catulino Jabalón Cenizo hizo un extraño y no tuvo tiempo ni de pedir permiso para desmayarse. Si el presidente le hubiera dejado irse a dar un paseo a tiempo, quizá se habría podido evitar el ridículo trance del sopitipando. Todos los asistentes a la conferencia interrumpida confiamos en que haya de terminarla con bien y en breve plazo.

ELOGIO DEL VINO

(Segundo capítulo. El lozano árbol de la vida)

Mi perro Epifanio Retascón Arándiga debe ir ya para derrotado porque un gato bravito le dio semejante tunda que me lo dejó talmente como un eccehomo.

–¡Qué horror, cómo quedó el chucho!

–Pues ya ve usted, doña Consuelo, alguna vez tenía que ganar el gato.

Lo malo de llegar a viejo es que se le suben a uno a las barbas hasta los felinos menores, aunque sean de color de zanahoria. Para Juvenal la vejez es más temible que la muerte, y debe ser tal como se dice porque los gatos no atacan ni zurran a los perros muertos.

–¿Usted cree que los gatos son más exquisitos que las hienas o los cuervos, don Raúl?

–Pues, sí, doña Dulce Nombre; yo creo que sí. Los gatos son como señoritas de provincias y guardan las apariencias, aunque se desmelenen a puerta cerrada y sean capaces de beberle la sangre al primero que se confíe.

–¡De los escarmentados nacen los avisados!

–Sí, si no los entierran antes a resultas del escarmiento.

Las palomas del palomar se bañan en la desportillada tartera del agua de beber el perro, quien las mira condescendiente, dulcísimo y acojonado, casi suplicante, mientras los arañazos se le van secando al restañador y clemente solecico del otoño. El zurupeto Catulino, ya repuesto del síncope, empalmó el hilo de su perorata.

—Iba diciéndoles, señoras y señores, iba a contarles mi sospecha de que al amante del vino, no al esclavo del vino, ni le pesa la vida ni la entiende como una desventura sino, antes bien, como una bendición que le permite seguir viviendo y, si se tercia, bebiendo alguna que otra copa de vez en cuando y con mesura.

Buenas costumbres deves en ti siempre aver.
Guárdate, sobre todo, mucho vino bever,
que el vino fizo a Lot con sus fijas bolver,
e en vergüeña del mundo, en saña de Dios caer.

El zurupeto Catulino sonrió con tenue y misericordiosa complicidad.

—De mí puedo decir que trabajo pensando en el premio de un vaso de buen vino ante el altar de Juan Ruiz, el Arcipreste, y que no busco el trance que me lleve a olvidar ni su sabor, ni su caricia, ni su siempre leal compañía. Sigamos el sabio consejo de Chesterton: Bebed porque sois felices, pero nunca porque seáis desgraciados.

El general don Severino Chato Bisonte (es seudónimo) y sus doce coroneles con chaleco antibala, jugaban a los dados en la última fila.

—¿En espera del próximo pronunciamiento para salvar una vez más a la patria?

—Pues, sí; no le diría a usted que no.

Cuando los partidos políticos o el ejército o la judicatura o la masonería se convierten en sociedades de seguros mutuos y se guarecen en el parapeto del organismo y el corporativismo, el refranero ensaya a hacer funcionar tres de sus innúmeras abyecciones y las gentes con sentido común se llevan las manos a la cabeza.

—¡Qué horror! ¡La que se puede armar!

Mientras tanto, y a la espera de que se arme o no se arme el tiberio, se le devuelve el uso de la palabra al zurupeto.

—¿Ya?

—Sí.

—La vida es un espectro que se mueve en un mundo de espectros, decía Carlyle, y bastantes palos de ciego damos los hombres sin querer como para que me preste a admitir como ideas válidas el sonambulismo, a la fatalidad o a la fiera dictadura del destino. El hombre, como el pez, muere por la boca, pero no por lo que su boca come ni bebe sino por lo que su boca echa fuera de sí en el impúdico discurso: las indiscretas figuraciones que le llevan a fingir que la virtud vive en el yermo y no en la selva ubérrima. En el *Fausto* se cantan a los cuatro vientos unos versos de cordial y amena esperanza: todas las teorías son grises y sólo está lozano el árbol dorado de la vida.

El orador, o sea el zurupeto, levantó la vista de los papeles y se dirigió a unas señoras de la primera fila.

–¿Les gusta?

–¡Ya lo creo! ¡Nos gusta la mar!

–Muchas gracias de todo corazón. (Ligero carraspeo.) El vino y otros deleites espirituales nos ayudan a amar al árbol de cuyas ramas jamás se colgó nadie, ni siquiera un lírico menesteroso, porque los que se van a ahorcar eligen el desnudo árbol hendido por el rayo en cuyas ramas muertas no anidan, por cauteloso instinto, ni el pájaro ni la avispa; tampoco –aguzando el oído se podría escuchar– ni el rumor del aire enamorado ni el latido sutil de los más sosegados corazones. ¡Toma allá! O bien, ¡toma del frasco, Manuela, digo, Carrasco, que del bote ya no hay! Y perdónenme ustedes, señoras y señores, el exabrupto del alborozo por el deber cumplido y el éxito en su cumplimiento. Continúo. (Nuevo ligero carraspeo.) Vivamos sin renunciar a nada, que ya vendrá el tío Paco con la rebaja que a todos nos ha de bajar los humos y meter en vereda. La mujer es un animal muy incompleto y estatutario, diríase que tiene el alma parcelada, pero como nadie tiene mucho donde elegir y el naipe es escaso, hay que tomarla tal cual es y tratar de adivinarle las intenciones buenas o malas, los vicios y las virtudes y las querencias o inercias. Sé de sobra que esto no casa mucho con lo que aquí se viene diciendo, pero tampoco quería que se me olvidase. Cambio y empalmo con lo que quedó en el aire. Horacio, en sus *Sátiras*, nos lo aconseja a todos: Vive la vida, mientras puedas hacerlo, rodeado de placeres y sin perder de vista que la vida es corta. Esto es algo que prediqué a quien quiso escucharme y ahora, aunque no quisieran, que sí quieren, a mis nietos que, por fortuna, ya preñan vecinas: para ciento diez puñeteros años que uno ha de vivir, ¿por qué no esmerarse y aplicarse en dar a la vida un sentido de gratitud y buen concierto? Huyamos de la compañía de aquellos hombres que, para la Bruyère, gastan su primera media vida en hacer desgraciada la que les queda. No es cierto que la desgracia y la muerte sean tan sólo patrimonio del prójimo, ya que a todos nos puede herir –y nos acaba matando– con su postrero aletazo. Pero sí lo es –y ahí nuestra esperanzada ilusión– la evidencia de que, antes de entregarnos al sueño, podemos velar las armas con la cabeza erguida y una copa en la mano.

El Paquito, el hermano menor de Artemio al que echaron de Radio Nacional de España, le preguntó a don Abasto mártir, el director espiritual de doña Marujita:

–Oiga, reverendo padre, ¿cuáles son aquellas tres abyecciones del refranero a que poco atrás se hizo alusión, no recuerdo por quién? ¿Podría hacer el favor de decírmelo?

–Con sumo gusto procuraré complacerte, joven, ya que jamás debe volverse la espalda a la curiosidad honrada y de buena fe tendente a la ilustración culta y oportuna. Unos dicen que quien habló fue doña Moncha Gual, quizás alarmada por la presencia del general don Severino Chato Bisonte (es seudónimo) y sus doce coroneles, yo no lo creo demasiado porque se emplean palabras malsonantes e impropias de una dama, y otros suponen que fue don Emiliano Buendía Domínguez, corresponsal de *El Progreso* de Lugo. Las tres abyecciones del refranero que expresó, quien quiera que haya sido, con su bien timbrada voz y que tú no oíste y a lo mejor no las oyó nadie, se las había soplado al oído, al uno o al otro hablador, tenlo por seguro, don Régulo Lyttelton, el filósofo de Extramundi, que está mismo al lado de ambos, con uno a la derecha y otro a la izquierda, fíjate bien, las tres abyecciones del refranero, te decía, fueron éstas de las que te hago partícipe. Primer refrán abyecto (arrópese con música de arpa): a los amigos, el favor, y a los enemigos aplicarles el reglamento, que ya van servidos. Segundo refrán (acompáñese con música de flauta): Al amigo, todo; al enemigo, nada, y al indiferente, aplicarle la ley vigente. Tercer refrán (sírvase con música de xilófono): A los amigos, hasta el culo, con perdón, y a los enemigos, por el culo, con perdón.

Don Abasto mártir sonrió al zurupeto y le hizo un gesto amistoso con la mano, y el zurupeto siguió hablando.

–En la Edad Media se cantaba:

Dives eran dudum: fererunt me tria nudum,
alea, vina, venus; tribus is sum factus egenus.

(Cito en latín para que pueda escucharse la musiquilla del canto leonino, o sea la consonancia de las sílabas finales de cada verso con las últimas de su primer hemistiguio.) En otro tiempo era rico y tres cosas me dejaron desnudo: el juego, el vino y las mujeres, por cuyas tres cosas me hice pobre. Y ahora que llegué a pobre, parecían decir aquellos ilustres golfos con una sonrisa en los labios, ya sólo me queda morirme, que es lo que voy a hacer. Y se morían sin alborotar y sin marear al prójimo ni dar tres cuartos al pregonero.

El hermano Avelino, el de los milagros fáciles, hablaba con fray Ambrosio de Aspariegos, el autor del *Discurso del consuelo y la compostura*:

–¿Se puede admitir, en buena norma ética, que la eficacia justifique las armas prohibidas?

–¡Mucho me temo que sí!

El zurupeto Catulino bebió un sorbo de agua y siguió adelante.

–Baltasar de Alcázar canta las delicias de la taberna en versos tan ramplones como eficaces y más simpáticos que hermosos:

Porque llego allí sediento,
pido vino de lo nuevo;
mídenlo, dánmelo, bebo,
págolo y voyme contento.

Lo malo de la consoladora idea de Baltasar de Alcázar es que está en verso ruincillo y zonzo, porque cierta sí es, ¡vaya si lo es! En la taberna se despacha, por poco precio, el elixir de la paciencia, el licor que puede recibirse –y también aceptarse– como una limosna, y el personaje de nuestro poeta, que lo sabe, se conforma con lo que tiene, pide su vaso y, según declara, se va alegre y feliz, se va contento. (Otro sorbo de agua.) En el vino está la verdad se dijo siempre aunque no siempre haya sido dicho con verdad. En el vino estuvo todo desde la primera vendimia y, aun antes, desde las prístinas cabras borrachas y legendarias. Pero con el lema *In vino veritas*, Kierkegaard, el angustiado filósofo de los tres estados de vida –el ético, el estético y el religioso–, escribió un discurso sobre la naturaleza de la mujer en el que no da una en el clavo. Cuando se ha bebido demasiado se habla más de la cuenta, ¡quién lo duda!, pero no se dice la verdad más que cuando previamente se posee. Y cuando no se ha bebido nada, tal el caso de Kierkegaard, también pueden hablarse muy necias y desajustadas palabras puesto que la razón –esa potencia con la que, según Pascal, pueden cometerse dos excesos: excluirla o no admitirla sin compañía– no es patrimonio de los abstemios. Para Coleridge algunos hombres son como vasos de cristal, que deben ser mojados para que suenen mejor; supongo que tan lírica pretensión no es cierta del todo y sin vuelta de hoja. Horacio, en sus *Sátiras* y muchos siglos antes, dijo algo muy parecido y que tampoco es verdad; Horacio aseguraba que el vino descubre los pensamientos secretos, pero yo pienso que también puede disfrazarlos y aun esconderlos o vertirlos de fantasmas que vuelen por el aire como un vilano. (Un nuevo sorbo de agua.) Dispénsenme ustedes el que, mientras les hablo del vino, beba tanta agua: les aseguro, mal que me pese, no puedo evitarlo.

El zurupeto Catulino se levantó de su asiento e hizo algunos sencillos movimientos de gimnasia sueca. Después se escanció aún más agua, todavía más agua en el vaso de plástico ruin y ensayó unas sonoras gárgaras que fueron muy celebradas por la concurrencia.

–Créanme si les digo que va a ser mejor dejarlo. El cansancio me invade pero, contra lo que suponen los agoreros, aún hay más días que longanizas. Les propongo que nos volvamos a reunir para seguir hablando dentro de una semana, sobre poco más o menos. Ahora, puestos en pie y cogidos de la mano, entonemos el bolero *Se acabó lo que se daba* y bailemos, enlazados del talle, hombres con hombres y mujeres con mujeres, el vals *El mañana es nuestro*.

El refranista don Waldo Estévez que, como el abad de Somosierra, estaba harto de nabos y berzas, le preguntó a don Lázaro Ababuj, cura de Castelvispal:

–Fruto como la uva, ¿quién la ha visto, que le dio su sangre a Cristo?

Y su interpelado le respondió:

–Nadie es feliz sin virtud.

–¿Cicerón?

–Sí. Y el virtuoso de nada necesita, ni aun del vino, para vivir con el espíritu en deleite y morir con el alma en esperanza.

El zurupeto se ausentó muy discretamente y como estaba muy cansado, se sentó en la acera a leer un poco el periódico y a ver pasar señoritas y perros. En la página de esquelas del semanario *El Eco del Clavín* había una que decía: Rogad a Dios en caridad por el alma de don Lorenzo Barbero Gerona, perito mercantil, ecologista, objetor de conciencia, podólogo, estíptico y socio del Betis Balompié, etc. El zurupeto se sintió muy reconfortado al enterarse; hay noticias que reconfortan sobremanera.

ELOGIO DEL VINO

(Tercer capítulo. La mesura en el trago)

El mirlo Palafox, que era tan descarado que silbaba *La Marsellesa* y *La Internacional* (durante la cuaresma le daba al *Himno de Riego*, al *Cara al sol* y a *Corazón santo, tú reinarás*), le comió todos los gusanos de seda al nene Felisín, el sobrinito huérfano de don Bienvenido Langa, o sea el poeta y propietario que estaba cuajadito de hongos o quizá también de ladillas.

–Oiga, usted, ¿el arador de la sarna ataca a los que hacen los primeros viernes?

–No, hijo; reservadamente te informo que antes bien los respeta.

–Gracias por su información reservada; le aseguro que me inunda el alma de vertebrado sosiego.

–¿Vertebrado, dice?

–Sí, tal cual usted lo oye: vertebrado.

–Ya, ya...

Epifanio Retascón Arándiga no escarmienta y la otra mañana lo molieron a palos porque mordió a la Isabelita en el solomillo.

–¡Qué horror! ¿Y le hizo mucho daño?

–Pues, no, la verdad es que no; la Isabelita tuvo suerte porque gracias a Dios el chucho no llegó a hincarle los dientes, le pilló sólo de refilón y medio al sesgo.

–¡Vaya! ¡Menos mal!

El zurupeto Catulino Jabalón Cenizo siguió con su discurso.

–En el vino puede estar la verdad, aunque no obligadamente haya de estarlo, como en el vino puede habitar la poesía y si no que se le pregunten a Edgar Poe, a Baudelaire y a Verlaine, pero el vino, en su esencia, tampoco es la poesía. En el vino puede estar todo, pero lo mejor de todo lo que en él puede hallarse es la lealtad de su compañía si se le acierta a gobernar con cauta y buena mano. El hombre ha de saberse amigo del vino y, siguiendo norma de Salustio en *La conjuración de Catilina*, no olvidar que la verdadera amistad estriba en querer y odiar lo mismo. Lo único que no podemos hacer del vino es nuestro cómplice porque ese papel ya lo representa el amante, el ser que borra la abyección del recuerdo. Proclamo el orden de la geometría hasta en el vicio, la subversión y el antojo, ya que lo contrario no es más que la rutina.

–¿Administrativa?

–Sí, o menos aún: procesal.

En ese momento llegó la noticia de que *La familia de Pascual Duarte* había sido traducida al latín y el orador, a resultas de lo que escuchó, se distrajo e hizo algunos apartes minúsculos y casi distraídos.

–¡Quién te ha visto y quién te ve, Pascual, y qué larga cambiada has dado al morlaco de la lengua poniéndote a hablar como Catulo y, salvadas sean las distancias, también como Cicerón! ¡Lo que faltaba para el duro, Pascual!, o como decía Julio César en *La guerra de las Galias*, ¡no era nada lo del ojo y lo llevaba en la mano!

En aras de una mejor comprensión del texto, se declara que el articulador de tan dignas palabras no era otro que el zurupeto Catulino Jabalón Cenizo, el de doña Pura, enredado en amena charleta con el Dr. Jerónimo Tárbena, piel, venéreas, sífilis, que era partidario del tiro al plato (no del otro, el de pichón) y enemigo de la tauromaquia, las peleas de gallitos ingleses, las carreras de galgos, la prostitución callejera y el balompié. Alguien terció en lo que se decía, para sentenciar:

–Si un texto, al medio siglo de aparecer, no está traducido al latín y publicado como Dios manda, ¡mal asunto!

Quien así habló no era, naturalmente, doña Gertrudis Balazote, alias Braga de Hierro, que era una virtuosa mula de varas incapaz de articular, no ya un pensamiento ni aun una opinión, sino ni tan siquiera un saludo.

–¿Quién fue, entonces?

–Nunca se supo porque el revuelo era grande y el orden escaso.

El afamado novelista padronés le dijo a su amigo el zurupeto:

–Mire usted, las cosas son como son y de poco vale querer cambiarlas porque no se dejan. Al medio siglo de lo que fuere se ve ya todo con cierto deportivo desinterés (algo parecido dije hace seis o siete años y nadie sonrió siquiera), y hacia el tiempo que me ha tocado vivir siento tanto cariño como desprecio. Le ruego que me perdone o, al menos, que pruebe a perdonarme.

Un alma caritativa le preguntó:

–¿Se siente usted mal?

–No, ¿por qué?

–Por nada, me parecía que estaba usted un poco pálido.

–Pues, no; bueno, la verdad es que no lo sé. Lo que estoy es un poco harto.

–¿Me permite continuar, a ver si puedo desollarle el rabo a este rollo del vino?

–Sí; por mí, no se prive.

–Bien. En mis tiempos de vagabundo, a veces, en el camino, allá por la Alcarria, o por Gredos, o por el Aljarafe, o por el Ribagorza, me sentaba sobre una piedra a recapitular, le daba un tiento a la bota de vino y notaba que el corazón se me henchía de esperanza y de gratitud. Misteriosamente, jamás supe hacia qué o hacia quién sentía esa gratitud que jamás dejé de sentir. Debe ser la sonrisa del vino –pensé una mañana en el ventisquero de la Condesa, allá por el monte guadarrameño que dicen la Maliciosa, cierta vez en que, siendo joven, me retiré a las breñas para aprender retórica y poética–, debe ser el guiño del vino, que quiere defenderme de la soledad.

El orador sonrió con nostalgia.

–¿No sería añoranza?

–No; ni morriña, ni saudade; no era más que nostalgia.

El orador sonrió imperceptiblemente y siguió su camino.

–El vino es la amistad que no se niega y la compañía a la que no debemos defraudar con las malas artes de la inercia. Livia, la mujer piadosa que daba de mamar vino tinto a Plinio el Naturalista, cantaba al pie de la hoguera egea su hermosa confesión:

Amo porque amo y amo tan sólo para amar y seguir amando. El amor es la amistad sublimada y donde no hay vino, no hay amor, según cantaba Eurípides en su bolero *Bacantes.* Pero donde sí hay vino no siempre reside el amor, lo que es una ventaja que nos permite pararnos a tomar aliento y dar un punto de sosiego al fuelle; que amor tiene disculpa en sus efectos –canta Lope de Vega en *La viuda valenciana*–, pero lo que aquí se persigue no son disculpas sino argumentos. (Ligera inflexión de voz.) ¡Ahora que caigo! ¿Se dan ustedes cuenta de que si los argumentos se llamaran, en vez, jeribeques o tirabeques o axiomas o guisantes de olor, estaríamos en las mismas?

El orador volvió a sonreír, ahora con una leve y quizás amarga tristura no exenta de melancolía.

–Livia, según Hécate de Mileto, tenía una podenca ibicenca que se llamaba Oinos, la cual parió una ramita fresca en lugar de siete cachorros hocicudos. Livia mandó plantar la viva astilla lozana, la regó con sangre de león para darle un espíritu nuevo y fuerte, y con sangre de cordero místico para desnudarla de su naturaleza salvaje, y creó la vid de la que salen las uvas y de ellas, el vino en el que bebemos salud para templar los nervios y los huesos, alegría para cantar en la victoria y en la derrota, y apoyo para mejor mantenernos ternes y sin descomponer la figura. La cultura de Occidente todavía le debe un homenaje a la perra Oinos; supongo que su vera efigie a gran tamaño y en mármol, y manando incesantemente vino de sus nueve pezones de oro, los nueve próvidos manantiales de la bacanal.

Merluzo, el palomo azul 217.111-85, raza Devriendt-Wegge-Stichelbaut, fue volando desde Tarifa hasta Palafrugell y pese a todo, acabó en el arroz de don Ángel Custodio Freginals Navajas, el concejal delegado de cultura del ayuntamiento de un lugar del que no quiero ni acordarme.

–Horacio, otra vez Horacio, ahora en una de sus *Epístolas* –siguió diciendo el orador Catulino– se pregunta: ¿A quién no hicieron elocuente las muchas copas? Me gustaría llevar encima las copas bastantes para haberme fortalecido la elocuencia hasta la misma frontera de la persuasión de las virtudes del vino. Bacon nos dice que la discreción en el discurso cuenta más que la elocuencia y, en este sentido, supongo que la eficacia estará siempre en la ponderada palabra del prudente, pero Bryan afirma que la oratoria no es más cosa que el arte de decir lo que se piensa tras sentir lo que se dice. Esto es lo que me permite presentarme ante ustedes sereno y sin una sola copa encima –ya vendrán en su debido instante, que cada a su tiempo y los nabos en Adviento– porque al hablar del vino y cantar sus eminencias y excelencias, sus prestancias y sus soberanías, no digo sino lo que pienso y con total convicción de cuanto digo. Hace ya probablemente muchos años que se me pasó la ocasión de probar a falsearme y a dar gato por liebre al prójimo. No; genio y figura hasta la sepultura, que no merece la pena la mentira suplicadora de la palmadita en la espalda. Vayamos por la vida con nuestro vino, que es el que nos cabe en el cuerpo y no el que nos sobra en el alma. El Arcipreste nos alecciona, como siempre hace.

Es el vino muy bueno en su mesma natura,
muchas bondades tiene si s'toma con mesura;
al que de más lo beve sácalo de cordura:
toda maldat del mundo faze e toda lo cura.

Y Cervantes no erraba cuando nos dijo que el vino demasiado ni guarda secreto, ni cumple palabra. También Cervantes, ahora no en el *Quijote* sino en *El celoso extremeño*, asegura que el vino que se bebe con medida jamás fue causa de daño alguno. Y pienso que sobre este punto ya queda suficientemente expresado mi pensamiento.

Perseverando Botija le pegó una patada en el costillar a mi perro Epifanio Retascón Arándiga, que ni siquiera le había mirado.

–¡Toma, mamón, para que aprendas!

–¿A qué tiene que aprender el animalito?

–A respetar a las personas.

Don Sinibaldo, o sea el papa Inocencio IV, tenía muy buen diente y era gustoso en tomar caldereta de cabrito de aperitivo y gallinejas de postre.

–Esto del papado –solía decir– consume muchas energías y conviene reponer fuerzas, ¡no hay más remedio!

El zurupeto hizo una seña a don Artemio Rúspide para que dejara de masturbarse.

–Un poco de respeto, por favor; déjeme terminar sin mayores hostigamientos. Pío Baroja, en sus ingenuas y tiernísimas *Canciones del suburbio*, canta una coplilla que dice:

¡Viva el buen vino,
que es el gran camarada
para el camino!

No deja de ser gracioso este piropo que dirige al vino el morigerado y abstemio Baroja, uno de los no demasiados españoles a quienes nadie pudo ver jamás borracho. Valle Inclán, de virtudes tan distantes y dispares, canta en difícil verso decasílabo dactílico:

El vino alegre huele a manzana
y tiene aquella color galana
que tiene la boca de una aldeana.

Lope de Vega se asusta de las consecuencias del bautizo del vino cuando gime en el *Entremés de los sordos*:

Si bebo el vino aguado,
berros me nacerán en el costado.

Y Baltasar de Alcázar, poetastro simpático al que no se le ponía nada por delante, juega a las etimologías disparatadas cuando nos dice:

Con dos tragos del que suelo
llamar yo néctar divino,
y a quien otros llaman vino
porque nos vino del cielo.

Perdonemos a Baltasar de Alcázar y no nos sintamos reos de las culpas no habidas, que ya pagaremos las representadas. De los pecados que se cometen –se lee en el *Persiles y Sigismunda*– nadie ha de echar la culpa a otro, sino a sí mismo. No atormentemos nuestro propio espíritu con las sombras chinescas de la embriaguez, pero jamás pensemos, con Mr. Snodgrass, el personaje de Dickens en los *Pickwick Papers*, que la culpa fue del salmón y no del vino. Debe consolarnos la gallarda idea de Goethe de que los pecados son quienes escriben la historia, puesto que el bien es silencioso y cruza de puntillas por la vida.

–¿Y el vino desata la lengua y puebla de palabras la garganta? –preguntó Erígona, la hija de Ícaro, antes de ahorcarse de dolor ante el cadáver de su padre.

–No –le respondió el coro de lacedemonios borrachos–; pero le espolea el deseo de decir la verdad a medida que la va adivinando.

El zurupeto retomó la palabra para redondear esta parte de su sermón.

–Ignoro si en el vino está la verdad, como se pretende, o si del vino sale volando la verdad por encima de la alta nube y el risco orgullosamente desafiador. La verdad es dulce y amarga, decía san Agustín: cuando es dulce, perdona; cuando es amarga, cura. Con una copa de vino en el cuerpo y otra en la mano, el hombre miente menos al hombre porque, recordando a Raimundo Lulio, se asusta cada vez que no dice la verdad.

Catulino levantó la vista de los papeles y se quedó mirando para una señora de la primera fila que enseñaba un poco las piernas.

–Con la venia de todos ustedes, ya continuaremos en próxima y mejor ocasión; serán puntualmente informados.

La señora para la que el zurupeto se quedó mirando con especial devoción era doña Dionisia Aroche, la encargada del pub *La concha de Venus*, que dicho sea de pasada, estaba como un tren.

ÍNDICE

Los españoles y la convivencia reglamentaria 5
Renuncia al propósito de la enmienda 8
La zurra a la literatura 16
Nociones de geografía e historia 24
Fabulilla del cordero del sacrificio y algunas consideraciones sobre la paz 32
Las dudas de la perspectiva 40
La cigüeña coja 48
El mirador de El Clavín 56
Arte poética 65
El vicio de la lectura 73
La locomotora Sarita 82
El ingenio, la indignidad y la lucha por la vida 91
1993 100
Datos para la historia 109
Palabras alrededor de la tauromaquia 118
Marcas y patentes *(primera parte)* 127
Marcas y patentes *(segunda parte)* 136
La gota de tinta 145
El juego de la lógica y la cardíaca 155
La administración de la miseria 164
La carne derrotada *(primera parte)* 171
La carne derrotada *(segunda parte)* 178
Loa de la mujer pequeña y saludo al Papa 184
Líos de faldas 191
Más datos para la historia 197
Dulcería honesta 203

Tiernísimo disparatario 209
Silva de varia lección 216
Parábola del amor a destiempo 223
Elogio del vino *(primer capítulo. Un consuelo velado a la morisma)* 230
Elogio del vino *(segundo capítulo. El lozano árbol de la vida)* 237
Elogio del vino *(tercer capítulo. La mesura en el trago)* 244